LES COMMUNAUTÉS JUIVES DE MONTRÉAL
Histoire et enjeux contemporains

LES COMMUNAUTÉS JUIVES DE MONTRÉAL

Histoire et enjeux contemporains

Sous la direction de
PIERRE ANCTIL et IRA ROBINSON

SEPTENTRION

Pour effectuer une recherche libre par mot-clé à l'intérieur de cet ouvrage,
rendez-vous sur notre site Internet au www.septentrion.qc.ca

Les éditions du Septentrion remercient le Conseil des Arts du Canada et la Société de
développement des entreprises culturelles du Québec (SODEC) pour le soutien accordé
à leur programme d'édition, ainsi que le gouvernement du Québec pour son Programme
de crédit d'impôt pour l'édition de livres. Nous reconnaissons également l'aide financière
du gouvernement du Canada par l'entremise du Fonds du livre du Canada (FLC) pour nos
activités d'édition.

Illustration de la couverture : Eric Slutsky, *Nature morte avec oranges et poires*,
Montréal, 2004.

Chargée de projet : Sophie Imbeault

Révision : Julien-Bernard Chabot

Traduction : Chantal Ringuet

Mise en pages et maquette de couverture : Pierre-Louis Cauchon

Si vous désirez être tenu au courant des publications
des ÉDITIONS DU SEPTENTRION
vous pouvez nous écrire par courrier,
par courriel à sept@septentrion.qc.ca,
par télécopieur au 418 527-4978
ou consulter notre catalogue sur Internet :
www.septentrion.qc.ca

© Les éditions du Septentrion
1300, av. Maguire
Québec (Québec)
G1T 1Z3

Dépôt légal :
Bibliothèque et Archives
nationales du Québec, 2010
ISBN papier : 978-2-89448-638-2
ISBN PDF : 978-2-89664-607-4

Diffusion au Canada :
Diffusion Dimedia
539, boul. Lebeau
Saint-Laurent (Québec)
H4N 1S2

Ventes en Europe :
Distribution du Nouveau Monde
30, rue Gay-Lussac
75005 Paris

צום אָנדענק פון דוד ראָם,
וועגוויַיזער פֿאַר די פֿאָרשונג פֿון דער ייִדישער געשיכטע אין קאַנאַדע.
און צום אָנדענק פֿון זשאַק לאַנגלע.
צוזאַמען האָבן זיי דערמאָנט צו די ייִדן און פֿראַנצויזן פֿון קוועבעק
וואָס זייערע געשיכטעס האָבן בשותפֿות.

* * *

*À la mémoire de David Rome, pionnier de la recherche
en histoire juive canadienne, et à la mémoire de Jacques Langlais.
Ensemble ils ont montré aux Juifs et aux francophones québécois
tout ce que leur histoire respective avait de commun.*

Introduction
Pierre Anctil et Ira Robinson

JUSQU'À PRÉSENT, LES LECTEURS n'avaient pas à leur disposition un ouvrage en langue française portant sur la présence juive à Montréal et offrant une vue d'ensemble du sujet à partir de données fiables. Certes, plusieurs études abordant le thème du judaïsme montréalais ont paru depuis les dernières années, mais pour la plupart elles s'intéressent à certains aspects seulement et couvrent des périodes historiques bien précises. Or, il est difficile dans ces conditions d'avoir une vue globale de la contribution juive à la société québécoise ou d'aborder des questions de fond. Pour cette raison, nous avons voulu offrir au public, sous une forme accessible, une synthèse des connaissances actuelles et de la recherche sur l'identité juive à Montréal. Pour être utile, cette somme devait toucher à la fois les aspects historique, religieux, sociologique et communautaire de la vie juive montréalaise, et décrire les principales formes de judaïsme présentes dans la ville. Le lecteur visé par cet ouvrage est celui qui désire avant tout un éclairage général et qui aborde la question pour la première fois. Compte tenu de la complexité du thème, plusieurs références et notes incluses dans les chapitres renvoient à des documents plus détaillés ou à des sources plus complètes, qui permettront au spécialiste de mieux maîtriser l'un ou l'autre des éléments abordés.

Notre ouvrage arrive à point nommé, puisqu'au cours des dernières années plusieurs chercheurs en études québécoises et canadiennes se sont penchés sur la présence juive à Montréal. Des rapports de collaboration suivis se sont tissés entre ces universitaires, et des spécialistes de l'histoire du judaïsme en général. Leurs travaux ont donné naissance à de nouvelles interprétations qui méritent d'être mieux connues du grand public. Pour la première fois sans doute, des universitaires spécialisés dans le domaine québécois sont conscients de l'importance du fait juif dans l'évolution de l'histoire et de la culture montréalaises, et plus largement de son impact sur l'ensemble du Québec. De même, des professeurs versés dans l'étude du judaïsme conçoivent maintenant qu'une compréhension plus fine des réalités québécoise et canadienne est essentielle à une meilleure analyse de l'histoire et des identités juives présentes depuis plus d'un siècle dans la métropole québécoise. Un tel partage des données entre chercheurs issus de différentes disciplines est demeuré sans précédent jusqu'à maintenant. De fait, l'ouvrage que nous vous présentons aujourd'hui est le fruit de cette convergence exceptionnelle de deux domaines de recherche et de plusieurs méthodes d'analyse vers un objet commun : le judaïsme montréalais.

En tant que codirecteurs de cet ouvrage, nous avons collaboré de très près au choix des articles et au recrutement des auteurs, partageant avec eux toutes les étapes de la préparation et de la rédaction des textes. Pour y arriver, nous avons mis en valeur les aspects pluridisciplinaires de la démarche entreprise et privilégié une interaction plus suivie entre les différents volets des études québécoises et juives. L'idée de base que nous avons retenue est qu'il n'existe pas une seule identité et une seule communauté juive à Montréal, mais bien une multitude de niveaux de référence, de langues et d'interprétations du judaïsme, diversement touchés par la réalité québécoise, et formant un tout plus ou moins cohérent selon les circonstances. Ce point de départ se voulait aussi une réponse à l'impression trop largement répandue dans certains milieux que le monde juif montréalais est unanime sur le plan idéologique et religieux, et qu'il se présente à l'analyse comme un bloc inaltérable. Nous nous sommes aussi assurés que le rapport historique et contemporain entre les Juifs de Montréal et le Québec francophone soit plus fouillé et plus senti que cela avait été le cas lors d'études réalisées par le passé. En approchant notre sujet de cette manière, nous espérons mieux faire ressortir l'originalité de la présence juive dans l'espace montréalais et la valeur de sa contribution.

L'histoire des Juifs de Montréal se distingue aussi de l'expérience vécue par cette minorité ailleurs au Canada, un fait qui est souvent négligé dans les études publiées au sujet du judaïsme canadien. Nous avons tenté de combler cette lacune persistante en valorisant les sources documentaires de langue française et en illustrant de manière plus abondante le contexte montréalais. De même, on peut aujourd'hui affirmer que la rencontre entre les francophones et le judaïsme a constitué un volet séparé de l'histoire des immigrants juifs canadiens au XXᵉ siècle. Cette conjoncture particulière a aussi fortement teinté l'émergence dans la métropole québécoise d'une identité juive spécifique et a contribué à définir l'apport des personnes d'origine juive qui s'y sont installées. En somme, les conditions sociopolitiques dans lesquelles les Juifs ont évolué à Montréal n'ont pas d'équivalent ailleurs au pays, ni ailleurs en Amérique du Nord, et forment un sujet d'étude en soi. Il s'agit là aussi d'une constatation nouvelle dont nous commençons à mieux comprendre le sens profond. Par ailleurs, les récents débats autour de la commission Bouchard-Taylor ont bien montré l'importance de mieux informer le public sur les paramètres de la vie juive contemporaine à Montréal. Le manque de connaissances objectives sur ce sujet a fait surgir au cours des dernières années un certain nombre d'interprétations douteuses ou méprisantes qui méritent d'être rectifiées, entre autres en ce qui concerne les communautés hassidiques et les tenants de l'orthodoxie judaïque.

Nous espérons que la publication de cet ouvrage contribuera à élargir le dialogue déjà entrepris depuis une vingtaine d'années entre les différentes composantes de la société montréalaise, et ce dans un esprit de découverte et de respect mutuel. Il reste encore beaucoup de chemin à parcourir sur ce plan, notamment dans un contexte où la pratique et les croyances religieuses forment un arrière-plan perçu comme problématique par plusieurs citoyens. Il est à souhaiter aussi que les données et les réflexions offertes dans cet ouvrage convaincront de nouveaux chercheurs d'approfondir ce thème porteur de l'histoire et la sociologie montréalaises. Il reste encore beaucoup d'efforts à consentir pour faire émerger un tableau juste de la vie juive au sein de notre société, d'autant plus que le thème exige du chercheur une maîtrise d'au moins deux langues juives, le yiddish et l'hébreu, et une connaissance fine de deux grandes traditions religieuses qui apparaissent de plus en plus aux yeux de l'archéologie et de la théologie comme indissolublement liées par leurs origines.

Nous tenons à remercier la Fondation communautaire juive de Montréal pour son appui financier à ce projet de publication, et en particulier le président de la Fédération CJA, Marc Gold, pour sa présence indéfectible à nos côtés. Notre reconnaissance va aussi à Janice Rosen, archiviste du Congrès juif canadien, qui a appuyé notre publication en nous donnant accès aux ressources de son organisme et en mettant sur pied une tribune d'échange fort utile entre les différents auteurs de l'ouvrage.

Brève introduction à l'histoire juive[1]
Ira Robinson
Université Concordia

Les origines de l'histoire juive

Comme l'ensemble des Juifs établis de par le monde, les Juifs de Montréal relient leurs origines au récit des écritures saintes, le *Tanakh* (la Bible hébraïque). Pour cette raison, ils croient qu'ils sont issus de la famille d'Abraham, Isaac et Jacob, qui fonda le peuple d'Israël. De nos jours, un nombre restreint de Juifs croient que ce récit biblique est un fait historique; d'autres acceptent, jusqu'à un certain point, que ce récit ne relève pas entièrement d'événements que l'on peut retracer, comme l'ont montré les recherches contemporaines en études bibliques. Quoi qu'il en soit, ce récit fondateur revêt une très grande importance dans la compréhension de l'identité juive et dans la perception qu'ont les Juifs d'eux-mêmes. Ceux-ci croient qu'ils sont les descendants d'Abraham, Isaac et Jacob, au sens littéral ou symbolique, comme c'est le cas des individus qui se sont convertis au judaïsme, grâce à un processus d'« adoption » par lequel ils sont entrés dans la grande famille juive[2].

L'ère ancienne et l'ère médiévale

Jusqu'au 1er siècle de notre ère, les Juifs étaient concentrés dans un pays de l'extrême est de la Méditerranée connu des Grecs et des

---

1. Compte tenu des limites de l'exposé, nécessairement rapide, il n'est pas possible de fournir au lecteur une liste exhaustive des ressources documentaires utilisées dans la rédaction de cette brève introduction à l'histoire et à la pensée juives. Toutefois, les références incluses dans les notes infrapaginales permettront de découvrir quelques-uns des domaines abordés dans le présent texte. Des ouvrages supplémentaires sont suggérés en bibliographie.
2. Ilana Pardes, *The Biography of Ancient Israel: National Narratives in the Bible*, Berkeley, University of California Press, 2000, 211 p.

Romains contemporains sous le nom de « Judée », et des Perses sous le nom de « Yehud ». Jérusalem, leur ville principale, abritait un Temple [*beyt ha-mikdash*] qui leur servait de centre spirituel. Les Juifs croyaient qu'un seul Dieu, créateur de l'univers, devait être adoré dans ce Temple et nulle part ailleurs. D'après la mémoire historique des Juifs conservée dans les récits historiques du *Tanakh*, c'est lorsqu'ils étaient maintenus esclaves en Égypte que les individus composant le peuple d'Israël furent sauvés par leur Dieu. Celui-ci fit alliance avec eux ; il leur donna un enseignement, la *Torah*, et les ramena vers la terre de Canaan. Les Juifs conquirent cette terre, où ils vécurent jusqu'à ce que leurs deux royaumes, ceux d'Israël et de Judah, soient conquis et détruits par les empires assyrien (en 722 avant notre ère) et babylonien. Selon le récit de la Bible, le Premier Temple d'Israël, qui avait été construit par le roi Salomon, fut détruit par les Babyloniens en l'an 586 av. notre ère. À la suite de ces destructions, les Juifs se rappelèrent qu'au début de l'Empire perse, leurs élites avaient pu regagner Jérusalem afin de reconstruire la ville et son Temple (qui devint le Second Temple) après avoir été exilées de la Mésopotamie.

Pendant l'ère du Second Temple (de 586 avant notre ère jusqu'à 70 de notre ère), le peuple juif vécut sous le contrôle de l'Empire perse puis, après la conquête de cet empire par Alexandre le Grand (322 avant notre ère), sous le contrôle des empires hellénistiques des Ptolémées et des Séleucides. De manière générale, les Juifs étaient autorisés à suivre les préceptes de la *Torah* et à adorer leur Dieu en toute liberté dans leur Temple. La seule interruption survint pendant le règne de l'empereur séleucide Antiochus Épiphanes (168-165 av. notre ère), période marquée par l'interdiction de maintenir une vie juive traditionnelle au détriment de la culture hellénistique. Cette situation conduisit à une révolte qui se solda par la constitution d'un État juif indépendant, dont la durée fut brève. Au cours du Ier siècle avant notre ère, cet État fut intégré à l'Empire romain, alors en pleine croissance. Il était marqué par la présence de nombreuses écoles de pensée juives qui entretenaient une forte concurrence, dont les plus renommées étaient celle des Saducéens et des Pharisiens. Les Saducéens faisaient une lecture conservatrice de la *Torah* qui leur permettait d'appuyer leurs croyances sur certains textes fondateurs. Forts d'une tradition ancestrale dans l'art de l'interprétation, les Pharisiens estimaient quant à eux qu'ils pouvaient de temps à autre puiser dans la *Torah* un sens différent de celui qui résultait d'une compréhension littérale des textes sacrés. Enfin, les Esséniens conservèrent leur propre tradition d'interprétation. Pendant les deux siècles suivants, l'émergence de nombreuses révoltes juives contre les Romains (respectivement en l'an 70 et 135 de notre ère) entraîna la destruction de la Judée par ceux-ci, puis de Jérusalem et de son Temple[3].

Cette destruction massive eut plusieurs conséquences d'envergure pour les Juifs. Par exemple, les Romains tentèrent de supprimer la composante judaïque de la Judée en renommant ce territoire « Palestine ». Cela affaiblit l'influence des Juifs qui étaient établis sur ce territoire, sans pourtant l'éliminer de façon définitive. De plus, cette situation augmenta l'influence des communautés juives de la diaspora à l'extérieur de la Judée, les plus importantes étant situées, durant l'ère ancienne, à Babylone et en Égypte. Après la destruction du Second Temple, les Juifs pratiquants durent s'adapter à une nouvelle situation, car il ne leur était plus permis de vénérer leur Dieu en faisant des sacrifices d'animaux dans le Temple de Jérusalem. Grâce à l'aide des *rabbins* (les descendants spirituels des Pharisiens qui vivaient à l'époque ayant précédé la destruction), les Juifs substituèrent la prière non sacrificielle et l'étude de la *Torah* au système sacrificiel, tout en continuant à prier pour la restauration du Temple et le rétablissement du culte voué à Dieu. Une telle interprétation du judaïsme donna lieu, durant les premiers siècles de l'ère actuelle, à une littérature connue sous le nom de *Talmud*, qui fut rassemblée par les *rabbins* établis sur la terre d'Israël et à Babylone. Composé d'une série de documents rédigés entre le IIIe et le VIIe siècles de l'ère actuelle, le *Talmud* expose la compréhension des lois et des récits de la *Torah* propre aux *rabbins*. Dans le judaïsme rabbinique, la maîtrise de ces documents représentait le plus grand de tous les accomplissements ; pour cette raison, son développement fut important pendant l'ère médiévale et l'ère moderne[4].

Au cours du IVe siècle de notre ère, le judaïsme fut considérablement modifié par le triomphe du christianisme au sein de l'Empire romain. À l'origine, les chrétiens formaient une secte à l'intérieur du

---

3. Lawrence H. Schiffman, *From Text to Tradition: A History of Second Temple Rabbinic Judaism*, Hoboken (New Jersey), Ktav, 1991, 299 p.

4. Michael Fishbane, « Law, Story and Interpretation : Reading Rabbinic Texts », dans Michael Walzer, Menachem Lorberbaum, Noam J. Zohar et Yair Lorberbaum (dir.), *The Jewish Political Tradition*, vol. 1 : *Authority*, New Haven, Yale University Press, 2000, p. xxxix-lv ; Michael Fishbane, *The Exegetical Imagination: On Jewish Thought and Theology*, Cambridge, Harvard University Press, 1998, 235 p.

judaïsme, dont les membres croyaient que Jésus de Nazareth était le sauveur (messie) annoncé dans le *Tanakh* (qui correspond à l'Ancien Testament chez les chrétiens). Toutefois, à la fin du Ier siècle de notre ère, Juifs et chrétiens amorcèrent un processus de séparation difficile, d'où sont issus les principaux documents du christianisme ancien, désormais réunis dans le Nouveau Testament. Ces textes incluent des commentaires négatifs à l'endroit des Juifs et du judaïsme. À la même période, les chrétiens déclarèrent que seule leur religion était le véritable héritier des promesses annoncées par les prophéties du *Tanakh*. Cependant, les chrétiens ne tentèrent nullement d'abolir le judaïsme comme ils le firent avec certains systèmes de croyance polythéistes anciens: à l'inverse, l'Église reconnut aux Juifs établis dans les pays chrétiens le droit de vivre et de prier. Le christianisme tenta néanmoins d'asseoir la supériorité des chrétiens sur les Juifs en limitant les droits de ces derniers de diverses manières, à la fois symboliquement et législativement[5].

Au cours du VIIe siècle de notre ère, la montée de l'islam révéla l'existence, en parallèle au christianisme, d'une autre tradition religieuse qui s'était approprié plusieurs récits fondateurs du judaïsme et qui affirmait sa supériorité, à la fois sur le judaïsme et le christianisme[6]. Presque tous les Juifs vivaient au sein de communautés établies dans des pays chrétiens ou islamiques. Pendant plus d'un millénaire ils formaient donc, parmi les groupes majoritaires qui affirmaient que le judaïsme était, dans le meilleur des cas, une interprétation inférieure de la vérité divine et, dans le pire des cas, une doctrine fausse et pernicieuse, un groupe minoritaire sur les plans social et religieux. Dans un tel contexte, la position des Juifs dans la société était souvent précaire. La conversion au judaïsme était alors un crime qui entraînait la mort; tant les pays islamiques que les pays chrétiens avaient mis sur pied une législation qui permettait de distinguer les Juifs de la majeure partie de la population. Dès l'ère médiévale tardive – soit à partir du XIIIe siècle de l'ère actuelle –, ces attitudes antijuives se traduisirent, surtout chez les chrétiens, par l'apparition de législations discriminatoires, d'attaques physiques

---

5. Robert Chazan, *Church, State and Jew in the Middle Ages*, New York, Behrman House, 1980, 340 p.; Jeremy Cohen, *Living Letters of the Law: Ideas of the Jew in Medieval Christianity*, Berkeley, University of California Press, 1999, 451 p.

6. Norman Stillman, *The Jews of Arab Lands: A History and Source Book*, Philadelphia, Jewish Publication Society of America, 1979, 473 p.; Bernard Lewis, *The Jews of Islam*, Princeton, Princeton University Press, 1984, 280 p.

sporadiques et d'expulsions, dont la plus importante survint en Espagne en 1492.

En dépit de ces pressions externes, les Juifs du Moyen Âge créèrent une civilisation de grande importance. Chez les Juifs installés dans des pays islamiques, dont la culture allait par la suite prendre le nom de sépharade (d'après le nom hébreu de l'ère médiévale désignant l'«Espagne»), les langues arabe et hébreu étaient dominantes. Les productions culturelles de la civilisation sépharade incluaient des commentaires sur la Bible et le *Talmud*, de la poésie et de la philosophie, ainsi que des réflexions sur la science et le mysticisme. Les Juifs d'Europe de l'Ouest, nommés *Ashkénazes* (d'après le nom hébreu de l'ère médiévale désignant l'«Allemagne»), s'exprimaient surtout en langue hébraïque et ils accordaient moins d'importance à la philosophie et à la science que les *Sépharades*[7].

Les défis de l'ère moderne : l'émancipation

Au début de l'époque moderne, soit au cours des XVIe et XVIIe siècles de l'ère actuelle, la pensée européenne connut d'importantes transformations qui influèrent sur la position sociale et politique des Juifs en Europe de l'Ouest et en Amérique. Ces changements eurent une influence considérable sur le développement du judaïsme au cours des XIXe et XXe siècles. L'attitude des philosophes des Lumières à l'endroit de l'égalité des hommes eut des répercussions, entre autres, sur la Révolution américaine (1776-1783) et la Révolution française (1789-1793). Se répandit ainsi l'idéal de l'égalité de la citoyenneté dans l'État moderne pour l'ensemble des citoyens. Cela signifia que les Juifs qui, jusque-là, étaient relégués dans les marges des pays où ils résidaient, allaient connaître l'«émancipation», c'est-à-dire l'égalité garantie des droits civils et politiques. C'est ainsi qu'au cours du XIXe siècle, l'émancipation des Juifs se répandit en Europe de l'Ouest et de l'Est ainsi qu'en Amérique du Nord[8].

---

7. Robert Brody, *The Geonim of Babylonia and the Shaping of Medieval Jewish Culture*, New Haven, Yale University Press, 1998, 408 p.; Colette Sirat, *A History of Jewish Philosophy in the Middle Ages*, Cambridge, Cambridge University Press, 1985, 485 p.; Lawrence Fine (dir.), *Judaism in Practice: From the Middle Ages Through the Early Modern Period*, Princeton, Princeton University Press, 2001, 456 p.; Moshe Idel, *Kabbalah: New Perspectives*, New Haven, Yale University Press, 1990, 464 p.

8. Jacob Katz, *Out of the Ghetto: The Social Background of Jewish Emancipation, 1770-1870*, Cambridge, Harvard University Press, 1973, 271 p.

Mais l'émancipation survint non sans difficultés. En France, les défenseurs de ce mouvement s'attendaient ouvertement à ce que les Juifs changent leur comportement social, économique et religieux afin que leur « singularité » vis-à-vis des autres citoyens du pays soit atténuée et qu'ils « méritent » leur nouveau statut. Le défi que représentait l'émancipation stimula la créativité des Juifs sur les plans culturel et religieux. Le judaïsme rabbinique prémoderne se basait, dans une large mesure, à la fois sur l'enseignement des anciens *rabbins* et sur une structure de la communauté juive reconnue légalement ; or, l'émancipation favorisa la remise en cause de cette orientation sociale, intellectuelle et religieuse par plusieurs. Les idées des Lumières ayant ouvert la voie à l'émancipation juive, certains esprits brillants de la communauté prônèrent l'émergence d'un judaïsme moderne et assimilé aux mœurs de l'Ouest. Ces Juifs créèrent un courant connu sous le nom de *Haskalah*, terme hébreu qui signifie « lumières » et qui désigne les Lumières juives[9].

L'ensemble de ces développements permit aux Juifs de faire des choix qui respectaient l'expression de leur héritage judaïque. Bien que certains, appelés « orthodoxes », aient poursuivi dans la voie du judaïsme rabbinique prémoderne, la plupart des Juifs désirèrent plutôt recréer un judaïsme qui s'accordait davantage au contexte de l'émancipation. Connue sous le nom de « Réforme », cette tentative de renouveler le judaïsme survint au début du XIXᵉ siècle ; elle fut calquée, dans une certaine mesure, sur la Réforme protestante (avec des modifications plus ou moins radicales concernant la vie et le rituel judaïques)[10]. D'autres Juifs optèrent plutôt pour une acculturation plus ou moins complète dans leurs sociétés respectives, sans toutefois se convertir au christianisme. Ni le judaïsme ni le christianisme ne semblaient leur convenir ; aussi étaient-ils souvent attirés par des courants libéraux et radicaux, à la fois sur les plans intellectuel et politique, qui offraient la promesse de créer une meilleure société.

À la fin du XIXᵉ siècle, deux événements majeurs influencèrent le développement de l'histoire juive. Le premier fut l'émigration de millions de Juifs de leur terre natale en Europe de l'Est (Russie,

9. Shmuel Feiner, *The Jewish Enlightenment*, Philadelphia, University of Pennsylvania Press, 2003, 456 p. ; Jehuda Reinharz et Paul Mendes-Flohr, *The Jew in the Modern World*, New York, Oxford University Press, 1980, 556 p.
10. Michael A. Meyer, *Response to Modernity: A History of the Reform Movement in Judaism*, Detroit, Wayne State University Press, 1995, 508 p.

Austro-Hongrie et Roumanie) vers l'Europe de l'Ouest et l'Amérique du Nord. En même temps, d'autres mouvements migratoires à petite échelle se dirigèrent vers Israël, l'Amérique du Sud, l'Afrique du Sud et l'Australie. Ces Juifs est-européens quittèrent leur terre natale, qui ne leur offrait ni des conditions économiques profitables ni l'espoir de voir naître une émancipation sociale et politique à l'image de celle que les Juifs d'Europe de l'Ouest avaient connue. Une telle émigration de masse conduisit à l'essor de communautés juives influentes qui allaient dominer la vie juive durant le xxe siècle, surtout aux États-Unis[11]. Le deuxième développement, fatidique celui-là, fut l'essor de l'antisémitisme. D'après cette forme de racisme orientée vers les Juifs, ceux-ci étaient hostiles à la sécurité et au bien-être de la culture chrétienne, de sorte que l'émancipation, loin de résoudre le « problème juif », les avait plutôt rendus puissants ; par conséquent, ils étaient perçus plus dangereux que par le passé.

Défis modernes : l'antisémitisme

L'antisémitisme se basait sur un courant chrétien prémoderne et antijudaïque, auquel s'ajoutait un aspect du racisme « scientifique » du xixe siècle qui rendit ce courant encore plus menaçant pour les Juifs. Dans ce cadre, la conversion au christianisme (qui représentait la « solution » prémoderne au « problème juif ») ne pouvait d'aucune manière éliminer le danger « racial » que les Juifs représentaient[12].

Ainsi, l'antisémitisme se répandit avec une telle force que son influence se fit sentir partout en Europe de l'Ouest. Pendant la première moitié du xxe siècle, elle atteignit un point culminant dans cette région, au point où l'antisémitisme devint un élément majeur de la politique gouvernementale allemande sous la direction d'Adolf Hitler et du Parti nazi (1933-1945). Au cours de cette période, les Juifs d'Allemagne et des autres régions d'Europe qui étaient occupées ou influencées par l'Allemagne furent privés de leurs droits civils et politiques, séparés de l'ensemble de la population puis, de 1941 à 1945, exterminés grâce aux efforts communs des Allemands et de leurs alliés. La conséquence tragique de cette situation fut le meurtre

---

11. Jonathan D. Sarna, *American Judaism: A History*, New Haven, Yale University Press, 2004, 490 p.
12. Jacob Katz, *From Prejudice to Destruction: Anti-Semitism, 1700-1933*, Cambridge, Harvard University Press, 1980, 392 p.

de quelque six millions de Juifs (et de quelques millions d'autres êtres humains) par les nazis – un événement connu sous les noms de « Shoah » et d'« Holocauste »[13]. La Shoah élimina la grande majorité des Juifs qui vivaient dans l'Europe occupée par les nazis ainsi que les institutions religieuses, culturelles et scolaires que les Juifs d'Europe avaient érigées. Après la défaite de l'Allemagne en 1945, les deux plus grandes communautés juives au monde qui existaient toujours, celles d'Amérique du Nord et d'Israël, eurent pour tâche de tenter de combler le vide que la Shoah avait créé.

La création de l'État d'Israël

Au XIXe siècle, en réponse à la montée de l'antisémitisme, certains Juifs affirmèrent que le programme d'acculturation de leur peuple à la civilisation occidentale – qui était un prérequis à l'émancipation – n'était pas en mesure de leur donner la dignité et la sécurité dont ils avaient besoin. Plus tard au XIXe siècle, la persistance de l'antisémitisme donna lieu à un regain d'accusations à l'endroit des Juifs. Issue du Moyen Âge, l'accusation de meurtre rituel, d'après laquelle les Juifs répandaient du sang chrétien lors de leurs cérémonies religieuses, fut réactualisée. Dans le même contexte, le procès d'Alfred Dreyfus en France amena les foules à s'exclamer « Mort aux Juifs » en raison des ancêtres juifs de l'accusé. Face à de tels événements, certains Juifs conclurent que leur espoir de vivre avec dignité se réaliserait seulement si un foyer national juif était fondé. Cette réponse fut incarnée dans un courant politique, le sionisme. Créé officiellement en 1897, le mouvement sioniste comportait un programme visant à fonder un État juif reconnu par la loi internationale. Une première reconnaissance internationale à ce projet fut obtenue lors de la déclaration Balfour (1917), publiée par le gouvernement britannique, et lors du mandat britannique en Palestine sous les auspices de la Ligue des Nations. En 1947, lorsque les Nations unies approuvèrent la création d'un État juif en Palestine, les efforts que les sionistes avaient déployés pendant plusieurs décennies dans le but de transformer la communauté juive de Palestine en un foyer national juif aboutirent. C'est ainsi qu'en 1948, l'indépendance de l'État d'Israël fut proclamée[14].

---

13. Michael Marrus, *The Holocaust in History*, Toronto, Key Porter Books, 1987, 267 p.
14. Arthur Hertzberg, *The Zionist Idea*, Hanover (New York), University Press of New England, 1987, 267 p. ; Benny Morris, *1948: A History of the First Arab-Israeli War,*

L'existence de l'État d'Israël souleva de vives oppositions dans le monde arabe. Israël dut se battre pour son existence contre les armées de ses propres voisins à plusieurs reprises, dont en 1948, lors de la guerre d'indépendance, en 1967, lors de la guerre des Six Jours, puis en 1973, lors de la guerre du Grand Pardon (*Yom Kippour*). Bien que des traités aient été signés depuis entre Israël et certains pays voisins (avec l'Égypte en 1979 et avec la Jordanie en 1994), des problèmes de taille subsistent encore aujourd'hui entre l'État hébreu et la Syrie, le Liban et la Palestine arabe.

En dépit de ces problèmes, Israël est devenu, au cours des dernières décennies, l'un des deux plus grands centres juifs au monde ; des millions de réfugiés juifs provenant de l'Europe, du monde arabe, d'Éthiopie et d'autres régions se sont installés au pays. Ainsi, de nos jours, Israël est le seul pays au monde dont la majorité des habitants sont juifs. Qu'ils choisissent de respecter la religion juive ou non, ses citoyens font l'expérience de la « judéité » et du calendrier juif en tant que composantes « normales » de la vie, de la même façon que les citoyens canadiens, qu'ils soient pratiquants ou non, ont intégré les célébrations chrétiennes telles que Noël et Pâques en tant que fêtes « normales » de leur propre calendrier. Très dynamiques, les communautés religieuses, intellectuelles et littéraires d'Israël ont une importante influence sur les différentes perceptions qu'ont d'eux-mêmes et de leurs relations au judaïsme les Juifs établis à l'extérieur de l'État hébreu.

L'Amérique du Nord

Si la plupart des Juifs vivant à l'extérieur d'Israël sont concentrés en Amérique du Nord, il existe aussi d'importantes communautés juives en Europe, en Amérique latine et en Australie. À la différence de leurs homologues israéliens, ces Juifs forment une minorité ethnique, culturelle et religieuse dans les pays où ils résident. Pour cette raison, leur perception d'eux-mêmes en tant que Juifs n'est pas renforcée par la société et elle doit être encouragée grâce à des activités culturelles ou religieuses. Très nombreuses, ces activités adoptent des formes tout aussi variées. La plupart sont religieuses et elles impliquent une gamme d'interprétations du judaïsme. Par exemple, le judaïsme orthodoxe se réclame l'héritier direct du judaïsme prémoderne. Il

---

New Haven, Yale University Press, 2008, 524 p.

se divise présentement entre ultra-orthodoxes (parfois nommés les *haredim*[15]) et en groupes orthodoxes modernes. Ces deux groupes présentent d'importantes divergences en ce qui concerne leur degré de tolérance envers une éducation non judaïque et la volonté d'intégrer des cadres de vie socioculturels élargis. Ainsi, les Juifs ultra-orthodoxes, en particulier les *Hassidim*, font preuve d'une résistance beaucoup plus grande à l'intégration que les Juifs ortho-doxes modernes. L'orthodoxie représente une minorité relativement faible de la communauté juive contemporaine, surtout parce qu'elle comporte plusieurs exigences à l'endroit de ses membres sur les plans de l'éducation et du style de vie ; toutefois, comme elle forme l'un des courants juifs les plus engagés et les plus visibles, son influence s'étend à l'extérieur du groupe[16].

Mis à part l'orthodoxie, il existe de nombreuses interprétations du judaïsme, qui incluent les courants conservateur, réformiste et reconstructionniste. Ces courants, parmi lesquels le réformiste est le plus vaste, présentent des conceptions différentes du judaïsme. La plus importante est que la plupart des Juifs ont aujourd'hui besoin de renouer avec leur héritage juif d'une manière positive, tout en prenant en considération l'influence de la culture occidentale à laquelle les Juifs sont parfaitement intégrés et le degré relativement bas d'éducation juive qui caractérise la plupart des Juifs. Hormis certains regroupements et manifestations religieuses, il existe une grande variété d'organisations juives à vocations culturelle, éduca-tive, sociale et caritative qui font la promotion de l'identité et de la communauté juives auprès de leurs membres. Aujourd'hui, il existe en effet un nombre important de Juifs dont l'identité est avant tout ethnique et culturelle plutôt que religieuse.

De nos jours, les communautés juives contemporaines sont marquées par un dualisme. D'un côté, un groupe central relative-ment étroit, très éduqué et engagé, envisage le judaïsme et la vie juive comme des éléments centraux de l'existence. De l'autre, un groupe élargi qui participe aux activités et à la communauté juives de façon

---

15. Les *Haredim* se divisent en deux groupes. Le premier, qui est le plus important sur le plan démographique, retrace ses origines jusqu'à l'enseignement d'un rabbin ayant vécu au XVIIIe siècle en Pologne, Israël Baal Shem Tov. C'est à ce groupe qu'appartiennent les communautés hassidiques. Le deuxième groupe se compose de Juifs éduqués dans des académies rabbiniques [*yeshivot*], dont les origines remontent au XIXe siècle en Lituanie.
16. Jeffrey Gurock, *Orthodox Jews in America*, Bloomington, Indiana University Press, 2009, 381 p.

sporadique, estime que l'héritage juif est l'un des nombreux facteurs qui favorisent un métissage culturel croissant au sein de nos sociétés[17]. Bien que la notion de judaïsme contemporain soit répandue, toute personne qui s'intéresse à cette tradition religieuse doit comprendre qu'il existe surtout une pluralité de judaïsmes, chacun possédant des idées et une compréhension du monde radicalement différentes. En abordant la communauté juive contemporaine sous cet angle, il est possible de se faire une idée de l'évolution actuelle du judaïsme montréalais qui correspond davantage à la réalité.

Bibliographie

Biale, David (dir.), *Cultures of the Jews: a New History*, New York, Schocken Books, 2002.

Epstein, Isidore, *Judaism: a Historical Presentation,* Baltimore, Penguin, 1968.

_____, *Le judaïsme: origines et histoire*, Paris, Payot, 1959.

Seltzer, Robert, *Jewish People, Jewish Thought: the Jewish Experience in History*, New York, Macmillan, 1980.

Yerushalmi, Yosef, *Zakhor: Jewish History and Jewish Memory*, Seattle, University of Washington Press, 1982.

_____, *Zakhor: histoire juive et mémoire juive*, Paris, Gallimard, 1991.

---

17. Jack Wertheimer, *A People Divided: Judaism in Contemporary America*, New York, Basic Books, 1993, 267 p.

Le judaïsme à Montréal
Ira Robinson
Université Concordia

Les premiers Juifs de Montréal

LES PREMIERS INDIVIDUS identifiés comme étant des Juifs au Québec sont arrivés après la Conquête britannique (1759-1763). Jusqu'à cette période, les Juifs pratiquants, comme l'ensemble des non-catholiques, n'avaient pas le droit de résider en Nouvelle-France sous le Régime français. Malgré le fait que certaines personnes appartenant à une filiation juive s'étaient installées dans les colonies françaises de l'Amérique du Nord, aucun Juif pratiquant n'avait le droit de vivre en Nouvelle-France. Une exception confirma cette règle : il s'agit d'Esther Brandeau, une femme juive originaire de Bordeaux qui arriva en Nouvelle-France en 1738 déguisée en homme. Lorsque son identité juive fut révélée, elle fut renvoyée quelques mois plus tard dans son pays natal.

Quelles étaient les croyances religieuses et les modalités d'expression des premiers Juifs de Montréal? Pour ceux-ci, le judaïsme en lequel ils croyaient et contre lequel ils se rebellaient parfois était un héritage ancien, datant de quelques milliers d'années, qui leur avait été transmis par leurs ancêtres. Cet héritage s'incarnait dans un style de vie déterminé par la *Torah* (terme hébreu désignant l'« enseignement de Dieu »). Pour les Juifs du XVIIIe siècle, la *Torah* se composait de livres de la Bible hébraïque, connue de leurs voisins chrétiens et vénérée par ces derniers sous le nom d'Ancien Testament. Mais, dans le judaïsme de cette période, la *Torah* signifiait beaucoup plus. En premier lieu, la *Torah* comprenait, pour ces Juifs, l'enseignement des anciens rabbins (terme hébreu désignant les « maîtres »), comme cela était mentionné dans le *Talmud* (terme hébreu désignant l'« enseignement » au sens large), rédigé au cours des premiers siècles de l'ère actuelle. Ces interprétations rabbiniques des lois et des récits de la Bible hébraïque, que les Juifs nommaient la « *Torah* écrite », étaient considérées depuis longtemps par ceux-ci comme une « *Torah* orale » qui faisait autorité et sans laquelle le judaïsme, tel qu'ils le concevaient, aurait été dépourvu de ses principes directeurs. De même, ils admettaient qu'il y avait de grands sages à l'ère médiévale qui, à l'instar de Maïmonide, avaient fait l'analyse et la codification de la *Torah*, à la fois orale et écrite. Pour les Juifs du XVIIIe siècle, ce grand héritage littéraire constituait le cadre de référence du judaïsme.

La *Torah* comprenait les croyances et les pratiques édictées par Dieu. En ce sens, elle formait un système de vie holistique, au sein duquel la communauté juive était une grande famille. Celle-ci s'attendait à vivre séparée des non-Juifs, de manière à pouvoir se rassembler pour la prière et les célébrations juives, à jeûner et à s'instruire dans des maisons de prière et d'étude connues sous le nom de « synagogues »[1].

La première synagogue de Montréal : Shearith Israël

Une fois qu'ils atteignirent un certain nombre d'individus, les Juifs de Montréal décidèrent de mettre sur pied une synagogue. En 1768, ils fondèrent une congrégation dont le nom, Shearith Israël [les vestiges d'Israël], reflétait possiblement leur perception d'eux-mêmes en tant que petit groupe de Juifs isolés. Dans la synagogue qu'ils créèrent, le rituel et les prières étaient sépharades ; ils incarnaient les traditions liturgiques des Juifs dont les ancêtres avaient vécu en Espagne et au Portugal, jusqu'à ce que ces pays expulsent les Juifs en 1492. Au cours du XVIIIe siècle, les Juifs sépharades étaient installés dans de vastes régions d'Afrique du Nord, de l'Empire ottoman et de pays européens telles l'Italie, la Hollande, la France, l'Allemagne et l'Angleterre.

Les Juifs qui fondèrent la synagogue Shearith Israël étaient surtout des Sépharades qui étaient venus à Montréal de l'Angleterre. Dans ce pays, le judaïsme sépharade était alors dominant au sein de la communauté juive, bien que celle-ci comprît aussi certains Juifs ashkénazes (à l'époque, des Juifs originaires des pays allemands). La communauté juive de Montréal n'ayant pas les moyens d'ériger plus d'une synagogue, le rituel sépharade domina, comme ce fut

---

1. Pour plus de renseignements sur le judaïsme et l'histoire juive en général, voir le premier chapitre de cet ouvrage, intitulé « Brève introduction à l'histoire juive ».

le cas dans d'autres petites congrégations de l'Amérique du Nord britannique, telles celles de Newport, New York, Philadelphie, Charleston et Savannah.

Même si les Juifs de Montréal réussirent à créer une congrégation, ils éprouvèrent d'importantes difficultés à maintenir une vie juive dans leur communauté. Au premier chef, leur communauté souffrait d'un manque de direction spirituelle. Si, au cours du XVIIIe siècle, les rabbins, les responsables de la transmission des textes et des traditions judaïques établies firent des visites à plusieurs communautés juives nord-américaines (mais pas celle de Montréal), aucun d'entre eux ne vint s'installer en Amérique du Nord avant le milieu du XIXe siècle. Même les Juifs experts dans la tradition judaïque qui, sans posséder de titre rabbinique, étaient en mesure de diriger les prières et d'éduquer les jeunes se faisaient rares dans une ville comme Montréal. En réalité, il fallut attendre la fin des années 1830 pour que les Juifs de Montréal réussissent à faire venir d'Angleterre un *hazan* (terme hébreu désignant un « chantre ») installé de façon permanente à Montréal pour diriger la prière et fournir d'autres services rituels à la communauté. Jusqu'à cette période, les Juifs de Montréal durent s'accommoder de l'expertise locale qui était disponible, tout en faisant parfois venir de l'extérieur des spécialistes de rituels spécifiques, tels que les *mohalim* (terme hébreu désignant les « circonciseurs ») de New York[2].

Cette situation perdura jusqu'en 1847, année où la synagogue acquit les services d'Abraham de Sola, un chef spirituel qui exerça une importante influence sur sa congrégation, de même que sur les Juifs d'Amérique du Nord et sur l'ensemble de la vie intellectuelle du XIXe siècle dans le Montréal anglophone. Au cours de ses 35 années de carrière à la synagogue Shearith Israël, il fut à la fois une puissante figure du judaïsme traditionnel et un opposant féroce du judaïsme réformé qui était en train de devenir très influent ailleurs en Amérique du Nord[3].

---

2. À ce sujet, voir Jay Eidelman, « Kissing Cousins: The Early History of Congregations Shearith Israel of New York City and Montreal », dans Daniel Elazar, Michael Brown et Ira Robinson (dir.), *Not Written in Stone: Jews, Constitutions and Constitutionalism in Canada*, Ottawa, Presses de l'Université d'Ottawa, 2003, p. 71-83 ; Howard Joseph, *The Continuing History of the Spanish and Portuguese Congregation of Montreal, 1768-1993 : 25 Years of Renaissance*, Montréal, Robert Davies Publishing, 1996.

3. Richard Menkis, « "In this Great, Happy, and Enlightened Colony": Abraham de Sola on Jews, Judaism and Emancipation in Victorian Montreal », dans Ilana Zinquer et Sam

Les Juifs allemands et polonais à Montréal : la congrégation Shaar Hashomayim

De la fin du XVIIIe siècle au début du XIXe siècle, la communauté juive de Montréal connut une croissance démographique lente. La congrégation Shearith Israël, avec sa liturgie sépharade, était alors la seule synagogue de la ville. Au cours des années 1840, toutefois, la communauté devint suffisamment grande pour qu'une deuxième synagogue soit érigée. Les fondateurs de cette synagogue étaient des Juifs ashkénazes qui avaient été obligés, jusqu'alors, de prier à la synagogue Shearith Israël en utilisant une liturgie et des traditions qui étaient très différentes de leurs propres rituels. À cette occasion, plusieurs Juifs de la première congrégation s'opposèrent à la création d'une nouvelle synagogue en affirmant que la communauté juive de Montréal n'était pas assez grande pour soutenir convenablement deux congrégations.

Plusieurs Juifs quittèrent toutefois la congrégation Shearith Israël pour fonder une congrégation de Juifs allemands et polonais, qui prit le nom de Shaar Hashomayim (expression hébraïque signifiant « les portes du ciel »). Au milieu du XIXe siècle, la petite communauté juive de Montréal possédait donc deux synagogues qui représentaient les deux versions principales de la liturgie judaïque[4].

L'apparition du judaïsme réformé à Montréal : la congrégation Temple Emanu-El

Les deux synagogues de Montréal n'étaient pas à l'abri des importants courants qui divisaient le monde juif au XIXe siècle. En Amérique du Nord comme en Europe, les Juifs avaient acquis – ou étaient en voie d'acquérir – l'égalité des droits civils et politiques vis-à-vis de l'ensemble des citoyens des pays où ils résidaient. Mais cette mesure accordant aux Juifs l'égalité des droits impliquait un *quid pro quo* : ceux-ci devaient adapter leur autonomie culturelle et communau-taire aux préceptes du monde moderne, en l'occurrence le monde occidental. En d'autres termes, leur autonomie allait être limitée.

En réponse à cette situation, des leaders juifs et des rabbins tentèrent de créer une forme d'expression judaïque basée sur une

---

Bloom (dir.), *L'antisémitisme éclairé. Inclusion and Exclusion : Perspectives on Jews from the Enlightenment to the Dreyfus Affair*, Leiden, Brill, 2003, p. 315-331.

4.   Wilfred Shuchat, *The Gate of Heaven : The Story of Congregation Shaar Hashomayim of Montreal, 1846-1996*, Montréal et Kingston, McGill-Queen's University Press, 2000.

fidélité à la tradition juive qui permettrait au judaïsme de s'adapter aux exigences de la modernité. Cette nouvelle interprétation du judaïsme fut nommée la Réforme, d'après l'exemple historique de la réforme protestante. En prenant pour modèle le protestantisme allemand, le judaïsme réformé éliminait la plupart des composantes hébraïques de la liturgie juive traditionnelle, écourtait la durée des services religieux et modifiait ou éliminait plusieurs lois et traditions juives, telles les règles diététiques, qui séparaient les Juifs de leurs voisins non juifs.

Le judaïsme réformé apparut en Allemagne au début du XIXe siècle; quelques décennies plus tard, durant les années 1850, il connaissait un essor aux États-Unis. S'il exerça une certaine influence en Angleterre, elle demeura relativement faible, car le judaïsme d'Angleterre suivait de près le modèle de l'Église anglicane, au sein duquel les services religieux ne s'interposaient pas de manière excessive dans le mode de vie de ses membres. Au Canada, où la plupart des Juifs étaient arrivés d'Angleterre, les Juifs adoptèrent ce modèle; les services religieux dans les deux synagogues de Montréal étaient très traditionnels, tandis que la plupart des Juifs qui appartenaient à la synagogue ne suivaient pas de manière stricte les lois et les traditions juives dans leur propre vie.

Malgré ces courants prépondérants qui supportaient la tradition, il devint clair, durant la dernière partie du XIXe siècle, que plusieurs Juifs de Montréal s'attendaient à ce que leurs rabbins proposent une interprétation du judaïsme en accord avec l'esprit de l'époque. Au début des années 1880, un *rabbi* très influencé par les enseignements du judaïsme réformé, au point de le prêcher dans ses sermons, arriva à la congrégation Shaar Hashomayim. Cela provoqua une rupture dans la congrégation. Très offensés, la plupart de ses membres rejetèrent le *rabbi* en question. Toutefois, un nombre important d'individus influencés par ses arguments décidèrent de quitter leur congrégation et de le suivre. En 1882, ceux-ci fondèrent la congrégation réformée Temple Emanu-El, dont l'enseignement religieux s'inspirait du judaïsme réformé des États-Unis, alors dominant, et non du judaïsme traditionnel dominant en Angleterre[5].

---

5. Michael Brown, « The Beginnings of Reform Judaism in Canada », *Jewish Social Studies*, vol. 34, 1972, p. 322-342; Richard Menkis, « Both Peripheral and Central: Toward a History of Reform Judaism in Canada », *Central Conference of American Rabbis Journal*, vol. 51, 2004, p. 43-56.

C'est ainsi qu'à la fin du XIXe siècle, il y avait trois congrégations juives à Montréal : Shearith Israël et Shaar Hashomayim, qui défendaient respectivement les traditions sépharade et ashkénaze, et Temple Emanu-El, qui soutenait la Réforme. Ces trois institutions étaient au service de la petite communauté juive montréalaise, constituée principalement de Juifs d'origine britannique qui avaient intégré avec succès la communauté anglophone de Montréal.

Les Juifs orthodoxes d'Europe de l'Est

Du début des années 1880 jusqu'à la déclaration de la Première Guerre mondiale en 1914, le caractère religieux de la communauté juive montréalaise fut radicalement transformé par l'arrivée de milliers de Juifs d'Europe de l'Est. Ces Juifs partageaient plusieurs traditions religieuses avec les Juifs ashkénazes de Montréal. Toutefois, d'importantes différences culturelles séparaient les deux groupes ; ainsi, au lieu de joindre la congrégation Shaar Hashomayim, les Juifs est-européens décidèrent plutôt de fonder leurs propres congrégations.

De manière générale, ces nouvelles congrégations étaient organisées d'après les origines européennes de leurs membres. Les Juifs venus en Amérique du Nord de l'Empire austro-hongrois fondèrent une congrégation et ceux qui étaient issus de l'Empire russe en créèrent une autre. Les congrégations offraient un éventail de services religieux : comme elles étaient au service de leurs membres, elles proposaient des lieux de rencontre avec d'autres Juifs qui partageaient leur expérience et leurs difficultés. En l'absence d'un réseau de soutien gouvernemental établi, les congrégations dispensaient à leurs membres des conseils, de l'aide dans leur recherche d'emploi ainsi que d'autres services de manière informelle. La grande majorité des membres de ces synagogues étaient des locuteurs de langue yiddish. Pour cette raison, le yiddish était utilisé à la fois dans les communications entre les membres et dans les sermons. Cela les distinguait des synagogues montréalaises établies, où les messages d'intérêt général et les sermons étaient en anglais.

Ces nouvelles congrégations immigrantes furent créées et développées par des individus disposant de modestes revenus qui tentèrent, d'entrée de jeu, d'acquérir une situation économique stable pour eux-mêmes et leur famille. Par conséquent, ceux-ci n'étaient pas en mesure d'offrir des ressources importantes à leurs propres congrégations. Avec le temps, les immigrants juifs se taillèrent une

place à Montréal sur les plans économique et social, et ce changement se refléta dans la taille et la qualité de leurs synagogues. Au
début du xxᵉ siècle, les Juifs d'Europe de l'Est firent ainsi construire
d'imposants édifices pour y loger des synagogues[6].

Les congrégations devaient également acquérir leur propre
direction rabbinique. Les rabbins des congrégations établies – même
ceux des congrégations traditionnelles comme Shaar Hashomayim
– ne semblaient pas avoir un niveau de connaissances rabbiniques
suffisamment élevé pour répondre aux attentes des membres des
congrégations d'Europe de l'Est. De plus, ces rabbins n'avaient pas la
volonté de communiquer avec les immigrants juifs dans leur propre
langue, le yiddish (ou peut-être n'avaient-ils pas une connaissance
suffisante du yiddish pour le faire). Pour plusieurs raisons, il était
alors difficile d'obtenir une direction rabbinique est-européenne
appropriée. D'abord, lorsque débuta l'immigration des Juifs d'Europe
de l'Est à la fin du xixᵉ siècle, l'Amérique du Nord n'était pas perçue
comme un endroit favorable au développement d'une vie juive
traditionnelle. Pour cette raison, les rabbins et les Juifs qui avaient
le souci de maintenir un style de vie judaïque traditionnel avaient
plutôt tendance à éviter, s'ils le pouvaient, tout déplacement vers ce
continent. Les rabbins qui arrivèrent en Amérique du Nord à cette
période étaient donc, pour la plupart, des hommes jeunes et inexpé-
rimentés qui rencontrèrent des défis sans précédent dans leur nouvel
environnement.

Ensuite, un deuxième problème consistait en la difficulté, pour
les rabbins, de gagner leur vie. Comme nous l'avons déjà affirmé,
les congrégations fondées par les immigrants à Montréal n'avaient
pas les moyens nécessaires pour faire vivre les rabbins de manière
adéquate. Il n'était pas habituel non plus en Europe de l'Est qu'un
rabbin soit soutenu sur le plan financier par une seule congrégation.
Par conséquent, les Juifs en arrivèrent à créer un regroupement
de congrégations qui devaient offrir une modeste contribution
mensuelle (au montant de 25 $ dans la plupart des cas) à cet effet.
Malgré cela, les rabbins immigrants de Montréal éprouvaient de la

---

6. Y. E. Bernstein, « The Jews in Canada (in North America) : An Eastern European View
    of the Montreal Jewish Community in 1884 », traduit de l'hébreu par Ira Robinson,
    Montréal, Hungry I Books (Canadian Jewish Studies Chapbook Series No. 1),
    2004, p. 1-30.

difficulté à joindre les deux bouts, à moins d'obtenir un poste de superviseur dans l'industrie de viande cachère.

Avant l'arrivée des Juifs d'Europe de l'Est en Amérique du Nord, les Juifs respectaient les lois de la *Torah*, ce qui les obligeait à manger exclusivement de la nourriture *cachère*. Toutefois, en raison de la taille relativement faible de la communauté juive, l'étendue des approvisionnements de viande et de produits *cachers* était très limitée ; elle exigeait donc peu de personnel supplémentaire ou de supervision.

Au cours des premières décennies du XXe siècle, lorsque la communauté juive se mit à croître rapidement, l'échelle de production des produits *cachers* augmenta de façon considérable. Il devint alors nécessaire que les *shokhtim* (terme hébreu signifiant « abatteurs rituels »), qui abattaient la volaille et le bétail, ainsi que les douzaines de boucheries *cachères* qui employaient des centaines d'individus afin de desservir la communauté juive, soient supervisés par des individus possédant une expertise rabbinique. Ces postes de supervision représentaient alors un salut financier pour les rabbins immigrants. Comme il y avait davantage de rabbins intéressés que de postes disponibles, cette situation entraîna des conflits amers entre les rabbins. Chacun réclama alors le droit d'être le « grand rabbin » de l'industrie de la viande *cachère* dans la ville et de la contrôler.

Après un conflit d'envergure à propos de la *cacherout*, qui survint au sein de la communauté juive lors de la création, durant les années 1920, du Conseil de la communauté juive de Montréal (mieux connu sous le nom de Vaad Ha'ir, expression hébraïque signifiant « le conseil de la ville »), le mode d'organisation de l'industrie *cachère* devint moins précaire. La survie de cet organisme dépendait, à long terme, de sa persévérance : or celle-ci fut mise à l'épreuve à plusieurs reprises, lorsque des rabbins et des *shokhtim* menèrent des révoltes contre l'autorité de ce conseil. Malgré tout, ces rabbins et ces *shokhtim* furent intégrés par la suite dans le Vaad Ha'ir[7].

---

7.   Ira Robinson, *Rabbis and Their Community: Studies in the Eastern European Orthodox Rabbinate in Montreal, 1896-1930*, Calgary, University of Calgary Press, 2007 ; Sara Ferdman Tauben, *Aspirations and Adaptations: Immigrant Synagogues of Montreal, 1880s-1945*, mémoire de maîtrise, Université Concordia, 2004 ; Sara Ferdman Tauben, *Shuln and Shulelach: Large and Small Synagogues in Montreal and Europe*, Montréal, Hungry I Books (Canadian Jewish Studies Chapbook Series No. 3), 2008.

Le judaïsme conservateur

À Montréal, certains changements transformèrent le judaïsme orthodoxe immigrant durant les années 1930, lorsque l'immigration juive de masse au Canada diminua de façon considérable. À cette période, une nouvelle génération de Juifs, nés et éduqués au pays, commençait à affirmer sa présence. Ces Juifs montréalais, qui avaient grandi pendant l'entre-deux-guerres, étaient beaucoup plus à l'aise en anglais, même s'ils comprenaient le yiddish. De plus, leur éducation juive était relativement limitée. Pendant la première moitié du XXe siècle, les enfants juifs de Montréal recevaient, dans des circonstances idéales, une éducation juive l'après-midi, dans le cadre d'un programme complémentaire au programme d'éducation laïque dispensé par le système scolaire protestant. Dans l'une des écoles juives traditionnelles de Montréal nommée Talmud Torahs (expression hébraïque signifiant « l'étude de la *Torah* »), les élèves pouvaient acquérir certaines connaissances de la Bible hébraïque et de l'histoire juive, ainsi que des connaissances élémentaires dans la lecture de l'hébreu qui leur permettaient de participer à des services judaïques traditionnels. Mais seule une faible portion d'entre eux reçut davantage qu'une simple introduction à la littérature talmudique. Dans ce contexte, les dirigeants juifs de Montréal qui voulaient faire découvrir le judaïsme aux jeunes Juifs cherchèrent un moyen d'attirer l'attention des individus à l'extérieur du judaïsme orthodoxe, associé aux synagogues qu'avaient construites les Juifs d'Europe de l'Est issus de la grande vague migratoire du début du siècle.

Les efforts déployés en amenèrent certains à calquer des modèles de judaïsme acculturé mais cependant traditionnel, créés aux États-Unis et connus sous le nom de « judaïsme conservateur ». Fondée par un groupe de Juifs américains et financée par des Juifs établis, dont plusieurs étaient affiliés au judaïsme réformé, cette interprétation du judaïsme était une façon d'acculturer les immigrants juifs d'Europe de l'Est, en particulier leurs enfants. Plusieurs croyaient alors que le judaïsme réformé présentait des écarts trop importants avec le judaïsme pratiqué par ces immigrants pour qu'il puisse constituer une alternative réaliste au judaïsme orthodoxe de l'Ancien Monde. Le judaïsme conservateur, quant à lui, cherchait plutôt à propager un judaïsme essentiellement traditionnel « dans l'esprit de l'époque »; il était appuyé par une institution, le Jewish Theological Seminary [Séminaire théologique juif d'Amérique] (souvent représenté par les initiales JTS), qui était situé à New York et qui avait été fondé pour former des rabbins et des enseignants qui militaient en faveur d'un tel judaïsme.

À Montréal, l'un des premiers milieux favorables au Jewish Theological Seminary et à son interprétation du judaïsme fut la congrégation Shaar Hashomayim, qui défendait depuis longtemps un judaïsme traditionnel « dans l'esprit de l'époque ». En 1902, la congrégation engagea donc, à titre de directeur spirituel, le rabbin Herman Abramowitz, ancien étudiant gradué du Séminaire théologique juif ; en 1913, elle devint une congrégation officiellement affiliée au réseau d'institutions qui appuyait le Jewish Theological Seminary, la United Synagogue of America [Synagogue unifiée d'Amérique].

Toutefois, bien que la congrégation Shaar Hashomayim appuyât le Séminaire théologique juif et ses institutions durant plusieurs décennies, la congrégation demeura, à plusieurs égards, beaucoup plus traditionnelle que les synagogues conservatrices typiques qui se développèrent aux États-Unis. Celles-ci devinrent très connues dans ce pays pour une raison particulière : les hommes et les femmes s'asseyaient ensemble durant les services, un rite tout à fait nouveau dans le judaïsme orthodoxe. La congrégation Shaar Hashomayim, quant à elle, décida d'abolir la *mehitsa* (terme hébreu signifiant « barrière ») séparant les sièges assignés respectivement aux hommes et aux femmes, tout en maintenant la séparation des sièges.

Mais, là où la congrégation Shaar Hashomayim demeura dans les marges traditionnelles du judaïsme conservateur du XXe siècle, d'autres synagogues montréalaises, comme Shaarei Zion (expression hébraïque signifiant « les portes de Sion »), située dans le quartier résidentiel alors nouveau de Notre-Dame-de-Grâce, abolirent la séparation des sexes lors du service. Ces synagogues se développèrent, à plusieurs égards, comme des congrégations conservatrices ayant calqué le modèle américain.

Une autre innovation américaine qui eut une certaine influence sur la communauté juive montréalaise fut le « centre juif », qui cherchait à combiner une synagogue avec des installations éducatives et récréatives. Cette idée, qui devint connue sous l'expression familière « a shul with a pool » (expression anglo-yiddish qui signifie en français « une synagogue avec une piscine »), faisait partie de la vision initiale de la congrégation orthodoxe moderne Adath Israël, qui érigea son édifice principal à Outremont durant les années 1930.

Le judaïsme reconstructionniste

Le judaïsme reconstructionniste s'inspira des enseignements de Mordecai Kaplan, professeur influent au Séminaire théologique juif de New York pendant plusieurs années. La philosophie de Kaplan, loin de mettre l'accent sur la croyance juive traditionnelle en un Dieu supernaturel, insista plutôt sur «le judaïsme en tant que civilisation»; elle fit de la participation à la civilisation et de sa diffusion la tâche principale des Juifs de la période contemporaine. Kaplan attira ainsi plusieurs Juifs américains qui avaient souvent éprouvé la difficulté de maintenir leurs croyances traditionnelles en Dieu et dans le judaïsme en dépit des affirmations de la science contemporaine et, en particulier, des études bibliques académiques.

À Montréal, l'influence de Kaplan se fit sentir sur Lavy Becker, un étudiant rabbinique au Séminaire théologique juif pendant les années 1930 qui allait jouer un rôle important dans le domaine du travail social juif, surtout auprès des rescapés de la Shoah en Europe à la fin de la Seconde Guerre mondiale. Lorsque Becker retourna à Montréal, il chercha une synagogue ouverte aux croyances des reconstructionnistes qu'il avait épousées. Comme il n'en trouva aucune, il décida de créer sa propre synagogue, la congrégation Dorshei Emet (expression hébraïque signifiant «ceux qui cherchent la vérité»), qui devint l'une des toutes premières congrégations du courant modeste, mais néanmoins significatif, qu'était le courant reconstructionniste nord-américain[8].

Le judaïsme sépharade

Au cours des années 1950, Montréal reçut une nouvelle vague d'immigrants juifs, cette fois issus d'Afrique du Nord, surtout du Maroc, et d'autres régions du Moyen-Orient, comme l'Irak et le Liban. Ces immigrants étaient souvent appelés «Sépharades» car leurs ancêtres étaient, dans bien des cas, des exilés d'Espagne et du Portugal; surtout, ils étaient appelés ainsi car les Juifs qui n'étaient pas Ashkénazes étaient, la plupart du temps, nommés simplement «Sépharades».

---

8. Sharon Gubbay-Helfer, «Lavy's Shul: A Canadian Experiment in Reconstructionism», thèse de doctorat, Université Concordia, 2006.

La première synagogue montréalaise, Shearith Israël, était sépharade; dès ses origines, elle maintint la liturgie espagnole et portugaise, qu'elle conserva tout au long de son histoire. Cependant, au milieu du XXᵉ siècle, la plupart des membres de cette congrégation n'avaient pas d'origine sépharade. De plus, le rituel espagnol et portugais de Shearith Israël semblait aussi étrange, aux yeux de plusieurs nouveaux immigrants d'Afrique du Nord, que la liturgie ashkénaze de Shaar Hashomayim pouvait l'être aux yeux des immigrants juifs d'Europe de l'Est à la fin du XIXᵉ siècle.

L'arrivée des immigrants marocains, au cours des années 1950 et 1960, posa de nouveaux défis à la communauté juive de Montréal de plusieurs façons. La plupart d'entre eux se sentirent d'abord confus et découragés par la communauté juive montréalaise qui existait alors, surtout composée de Juifs anglophones d'orientation religieuse ashkénaze et très canadianisés. Tout comme l'avaient fait les immigrants juifs d'Europe de l'Est au tournant du XXᵉ siècle, les immigrants sépharades créèrent leur propre réseau de synagogues et un rabbinat autonome.

Certaines communautés qui participèrent à cette immigration sépharade, tels les Juifs irakiens, libanais et, dans une moindre proportion, marocains, se joignirent à Shearith Israël et réussirent à transformer cette congrégation, au point où celle-ci évolua d'une majorité ashkénaze à une majorité sépharade. Mais, dans la plupart des cas, les Juifs issus de cette vague migratoire créèrent leurs propres synagogues: de taille souvent modeste, celles-ci étaient principalement établies dans des banlieues montréalaises, telles Ville Saint-Laurent et Côte-Saint-Luc. Comme c'était le cas des synagogues des immigrants juifs d'Europe de l'Est au tournant du siècle dernier, les synagogues sépharades de Montréal, ainsi que celles d'autres organisations religieuses, rappelaient souvent les origines de leurs congrégants, originaires de l'une ou l'autre des villes ou des régions du Maroc.

L'ensemble des synagogues dont il est ici question sont orthodoxes dans la tradition sépharade. Cependant, un vaste pourcentage d'individus composant cette sous-communauté juive de Montréal ne respecte pas la *Torah* de manière intégrale dans leur vie personnelle. Néanmoins, à l'instar de leurs pairs d'origine ashkénaze, la plupart n'ont pas appuyé la création de synagogues non orthodoxes. Au sein du judaïsme nord-américain, la communauté juive de Montréal demeure distincte sur ce plan: elle comporte un nombre élevé de

Juifs « non pratiquants » qui appuient les synagogues orthodoxes et qui, de temps à autre, assistent aux services religieux[9].

Le judaïsme ultra-orthodoxe et hassidique

Au lendemain de la Seconde Guerre mondiale, soit de la fin des années 1940 au début des années 1950, une importante vague migratoire juive, composée de rescapés de la Shoah, se dirigea vers Montréal. Un pourcentage considérable de ces immigrants était des Juifs ultra-orthodoxes et hassidiques ; leur arrivée ajouta une nouvelle dimension au judaïsme montréalais.

Les vagues migratoires juives précédentes comprenaient plusieurs Juifs orthodoxes, dont certains étaient assez érudits et respectaient la *Torah* de manière intégrale. Mais la grande majorité des Juifs composant ces vagues migratoires antérieures n'étaient pas « orthodoxes » ou « hassidiques » dans un sens purement idéologique ; ils l'étaient simplement à l'extérieur d'une fidélité à leur foyer et à leur environnement d'origine. Les Juifs orthodoxes ou hassidiques très motivés avaient tendance à demeurer en Europe, jusqu'à ce que la Shoah mette un terme définitif aux communautés juives d'Europe auxquelles ils étaient très attachés.

En raison de la Seconde Guerre mondiale et de la Shoah, grands événements qui ébranlèrent le monde, ces nouveaux immigrants furent obligés de s'installer à Montréal. Pour cette raison, le caractère orthodoxe de leur communauté ne se définit pas de la même façon que celui propre aux immigrants arrivés au tournant du XXe siècle. Parmi ces deux générations, les nuances de l'orthodoxie relèvent, dans une large mesure, du succès dans la transmission d'une éducation juive approfondie à leurs enfants, ce dont ont fait preuve les immigrants arrivés après la Seconde Guerre mondiale. Tandis qu'au début du XXe siècle, presque tous les enfants juifs de Montréal étaient éduqués dans le système scolaire protestant, au milieu de ce siècle, la ville était devenue pionnière en Amérique du Nord dans le développement d'écoles juives à plein temps : elle avait en effet créé l'un des réseaux scolaires juifs les plus vastes d'Amérique du Nord à l'extérieur de New York. Ces écoles offraient une éducation à un nombre important d'élèves juifs sur des sujets

---

9. Voir le chapitre de ce volume intitulé « Migrations juives marocaines au Canada ou Comment devient-on Sépharade ? ».

à la fois juifs et non juifs et, ce qui est plus important, elles étaient en mesure d'offrir plus d'heures scolaires consacrées à l'étude des textes hébreux et judaïques. Cela permit aux enfants d'acquérir des connaissances sur la tradition et le style de vie juifs orthodoxes, de sorte qu'ils étaient en mesure de devenir de dignes successeurs de leurs parents strictement orthodoxes, ce que ces derniers désiraient pour la plupart.

L'éducation judaïque approfondie qui était offerte dans les écoles juives à plein temps eut une influence positive sur le secteur ortho-doxe moderne de la communauté juive montréalaise. Toutefois, son influence se fit sentir davantage parmi les groupes de Juifs ultra-orthodoxes et hassidiques. Ceux-ci mirent sur pied leur propre réseau de petites écoles et de synagogues. De plus, ils fondèrent plusieurs *yeshivot* [terme hébreu signifiant « académies talmudiques »] où étaient menées des études talmudiques approfondies. Ce faisant, ils créèrent une communauté dont la taille évolua rapidement : composée d'un nombre limité d'individus au cours des années 1950, celle-ci atteignit récemment quelque 10 000 individus, la plupart concentrés à Outremont et à Snowdon. C'est ainsi que Montréal regroupe aujourd'hui l'une des plus grandes concentrations de Juifs hassidiques dans le monde, à l'extérieur de New York et d'Israël.

L'une des initiatives les plus importantes de la communauté hassidique fut la création, sous la direction du grand rabbin de *Tash*, d'une enclave hassidique à Boisbriand, à quelques kilomètres au nord de Montréal. Des centaines de Juifs hassidiques y sont installés ; ceux-ci profitent d'un environnement presque entièrement hassi-dique, maintenu à l'écart des médias et des autres distractions que l'on trouve dans la métropole[10].

Le judaïsme à Montréal aujourd'hui

Au début du XXIe siècle, la communauté juive de Montréal a vrai-semblablement subi l'influence de plusieurs courants ; aujourd'hui, elle fait face à des problèmes similaires à ceux que rencontrent les autres grandes communautés juives en Amérique du Nord. Cela signifie notamment qu'il existe un nombre important de Juifs qui

---

10. William Shaffir, *Life in a Religious Community: The Lubavitcher Chassidim in Montreal*, Toronto, Holt Rinehart and Wilson, 1974. Voir aussi le chapitre de ce volume intitulé « Les communautés hassidiques de Montréal ».

ne sont pas regroupés autour d'une synagogue, qui assistent à des services religieux de façon sporadique et dont l'identité juive est d'abord ethnique et culturelle plutôt que religieuse, au sens strict du terme. Cependant, certains aspects du judaïsme montréalais en font un judaïsme unique. Par exemple, il se caractérise encore par le respect et la pratique des traditions judaïques à un degré plus élevé que la plupart des autres communautés juives d'Amérique du Nord.

Cela s'explique, entre autres, par la présence de la vaste communauté hassidique et ultra-orthodoxe, dont la croissance démographique est très élevée. Un autre facteur important est le fait qu'un grand nombre de Juifs montréalais, tout en ne pratiquant pas le judaïsme de manière strictement « orthodoxe », ont tendance à maintenir une affiliation institutionnelle avec les synagogues orthodoxes, dont les noms sont souvent les mêmes que ceux des synagogues que leurs grands-parents avaient érigées. Leur emplacement, quant à lui, a évolué selon les déplacements de la communauté juive de Montréal, du quartier immigrant – dont le boulevard Saint-Laurent était l'artère principale – à des banlieues comme Côte-Saint-Luc et Hampstead.

De nos jours, Montréal possède de nombreuses synagogues, qui représentent le vaste éventail d'interprétations du judaïsme présentes en Amérique du Nord, du judaïsme hassidique et ultra-orthodoxe au judaïsme orthodoxe moderne, conservateur, reconstructionniste et réformé. Le judaïsme montréalais penche sans aucun doute du côté de l'orthodoxie, malgré le fait qu'ailleurs en Amérique du Nord le judaïsme réformé soit dominant. Enfin, un autre trait singulier du judaïsme montréalais est la forte présence hassidique et sépharade qui le caractérise ; une présence qui confère au judaïsme traditionnel une coloration particulière.

Bibliographie

Daniel, J. Elazar, Michael Brown et Ira Robinson (dir.), *Not Written in Stone : Jews, Constitutions, and Constitutionalism in Canada*, Ottawa, Presses de l'Université d'Ottawa, 2003.

Jonathan, D. Sarna, *American Judaism : A History*, New Haven, Yale University Press, 2004.

Morton, Weinfeld, *Like Everyone Else... But Different : The Paradoxical Success of Canadian Jews*, Toronto, McClelland and Stewart, 2001.

Les rapports entre francophones et Juifs dans le contexte montréalais

Pierre Anctil
Université d'Ottawa

DÈS LE DÉBUT DU RÉGIME BRITANNIQUE, les liens que les Juifs ont tissés avec la majorité francophone ont constitué un élément déterminant de l'évolution du judaïsme à Montréal. On peut même affirmer que la présence d'une société de langue française sur les rives du Saint-Laurent a eu un impact décisif sur l'émergence dans ce contexte d'une identité juive à nulle autre pareille en Amérique. Malgré les ruptures et les soubresauts qu'a connus l'histoire des Juifs au Québec, le fait allait demeurer que le judaïsme et ses représentants se trouvaient à Montréal face à un ensemble animé par deux langues et deux traditions religieuses concurrentes. Cette binarité montréalaise, pour l'essentiel franco-catholique et anglo-protestante, constituait de bien des manières une anomalie à l'échelle du continent, où la langue anglaise et les valeurs de la réforme protestante dominaient partout où sont apparues des communautés juives importantes. À Montréal, bien que longtemps dépossédés des instruments politiques et économiques qui leur auraient permis d'améliorer leur situation, les francophones ont formé de façon non équivoque à partir de la deuxième moitié du XIXe siècle la majorité de la population montréalaise. Forts de cet appui démographique, des mouvements sociaux et politiques ont milité sans relâche pour l'amélioration du statut des Canadiens français, puis plus tard des Québécois francophones, forçant les autres communautés, dont les Juifs eux-mêmes, à se repositionner autour de ces enjeux. Dans l'intervalle, les relations entre locuteurs français et Juifs ont été plusieurs fois redéfinies au cours des cent dernières années, amenant parfois incertitudes, tensions et interrogations douloureuses, parfois avancement, progrès et découvertes mutuelles.

Les rapports entre les francophones et les Juifs ont été non seulement significatifs sur le plan historique, mais ils ont aussi donné naissance depuis une trentaine d'années à une longue série d'ouvrages et de commentaires, au point qu'il est possible d'affirmer que ce thème a été et continue d'être l'un des plus âprement discutés de l'historiographie juive canadienne. L'articulation de la société francophone québécoise – dans toute sa complexité – et des diverses communautés juives montréalaises ou canadiennes a beaucoup retenu l'attention des historiens et des observateurs, plus que les relations du même type au Canada anglais. Plusieurs distorsions culturelles se sont par ailleurs glissées dans ces études au sujet du Québec d'expression française, souvent de la part d'auteurs qui ne maîtrisaient pas très bien les sources historiques en français ou l'évolution du nationalisme d'inspiration catholique avant la Révolution tranquille. Surtout, ces productions ont souvent revêtu un caractère polémique très marqué, plusieurs ouvrages s'adressant aux francophones sur le ton de la condamnation et du blâme. Pour cette raison, et parce que le débat est loin d'être clos, il n'est pas facile d'aborder le sujet qui nous intéresse avec un recul suffisant pour dégager une pensée posée et rationnelle. Qui plus est, plusieurs universitaires de renom dans ce domaine d'études, dont Michael Brown[1], Gerald Tulchinsky[2] ainsi que Harold Troper et Irving Abella[3], pour n'en nommer que quelques-uns, se contredisent entre eux et ont avancé des points de vue contrastés. Il ne faut pas négliger de mentionner aussi l'apport controversé d'Esther Delisle[4] à ce champ, qui a rendu difficile pendant un certain temps l'élaboration d'une approche équilibrée et porteuse de nuances. Il ne manque pas non plus d'écrits en français, cette fois inspirés du catholicisme traditionnel, qui ont présenté une vision biaisée de la tradition et de l'identité juives.

1. Michael Brown, *Jew or Juif? Jews, French Canadians, and Anglo-Canadians, 1759-1914*, Philadelphia, Jewish Publication Society of America, 1987, 356 p.
2. Gerald Tulchinsky, *Canada's Jews. A People's Journey*, Toronto, University of Toronto Press, 2008, 630 p. De cet auteur, voir aussi *Taking Root: The Origins of the Canadian Jewish Community*, Toronto, Lester, 1992, 341 p.; *Branching Out: The Transformation of the Canadian Jewish Community*, Toronto, Stoddart, 1998, 470 p.
3. Irving Abella et Harold Troper, *None is Too Many: Canada and the Jews of Europe, 1933-1948*, Toronto, Lester & Orpen Dennys, 1982, 335 p.
4. Esther Delisle, *Le traître et le Juif: Lionel Groulx*, Le Devoir *et le délire du nationalisme d'extrême droite dans la province de Québec, 1929-1939*, Outremont, L'Étincelle, 1992, 284 p.; *Mythes, mémoire et mensonges: l'intelligentsia du Québec devant la tentation fasciste, 1939-1960*, Westmount, Éditions multimédia R. Davies, 1998, 190 p.

Malgré ce qui précède, les nombreuses études existantes et les partis pris parfois tranchants qu'elles contiennent nous offrent une plateforme de départ intéressante pour aborder notre sujet d'une manière sereine et stimulante. Souvent, les débordements et les incompréhensions que l'on retrouve dans certains de ces ouvrages à caractère historique sont le reflet d'une méconnaissance de l'autre dans les faits et sur le terrain de l'actualité politique. Absence de contacts suivis, préjugés tenaces et ignorance de la sensibilité du vis-à-vis dans sa propre tradition culturelle constituent des barrières difficiles à lever, particulièrement dans la relation entre les deux ensembles qui nous intéressent. Francophones catholiques et Juifs ont en effet connu à Montréal des trajectoires collectives assez contrastées, plusieurs tendances lourdes de leur histoire respective ayant contribué à les éloigner et à rendre difficile un rapprochement. Ce fossé se creuse encore davantage lorsqu'il s'agit de contributions savantes venues d'ailleurs au Canada ou d'autres pays, endroits où l'accueil réservé aux immigrants juifs et à leurs descendants a pris une forme assez différente. Qui plus est, parmi l'ensemble des villes canadiennes, Montréal a incarné de la façon la plus aiguë, au cours des cent cinquante dernières années, à la fois l'espoir d'atteindre au grand idéal du bilinguisme canadien et la difficulté de le réaliser de manière concrète[5]. C'est dans cette ville avant tout que les deux courants fondateurs de l'État canadien se sont rencontrés de manière soutenue, et qu'ils se sont affrontés sur le plan politique avec le plus de détermination. Il n'est donc pas surprenant que notre démarche débute historiquement avec le grand pacte fédéral de 1867.

Parmi les facteurs qui ont été les plus marquants à Montréal dans le rapport entre Juifs et francophones catholiques, il convient de situer la question scolaire. Au moment de la création du Canada moderne, le nombre de Juifs au Canada était encore trop peu élevé (près de mille personnes en tout), pour que leur présence et leur identité soient prises en compte dans les tractations politiques qui menèrent à la signature de l'Acte de l'Amérique du Nord britannique. Les protestants et les catholiques du Québec – et il faut lire ici essentiellement les anglophones et les francophones – consolidèrent

---

5. Voir Pierre Anctil, « Finding a Balance in a Dual Society : The Jews of Quebec », dans Ezra Mendelsohn (dir.), « Jews and the State. Dangerous Alliances and the Perils of Privilege », numéro spécial de la revue *Studies in Contemporary Jewry*, vol. XIX, Oxford, Oxford University Press, 2003, p. 70-87.

à ce moment un réseau scolaire public à l'image de leurs rapports mutuels, c'est-à-dire où les écoles reproduisaient la séparation confessionnelle qui était déjà fermement en place. C'est ainsi que l'article 93 de la constitution de 1867 a été rédigé pour confirmer l'existence, à Montréal et au Québec, de commissions scolaires soit catholiques, soit protestantes, à l'exclusion de toute autre tradition religieuse[6]. Bastion d'une identité et d'une doctrine religieuse particulières, chacun des deux systèmes scolaires publics de Montréal a connu un sursaut défensif lorsque s'est manifestée, après 1900, la grande vague migratoire juive est-européenne. Tel que le montre Ira Robinson dans son ouvrage intitulé *Rabbis and their Community*[7], les élites juives de Montréal adhéraient avant tout aux conceptions britanniques en matière d'éducation et de civisme. Pour cette raison, elles négocièrent en 1903 un arrangement scolaire permettant aux enfants juifs de franchir légalement le seuil des seules institutions protestantes anglophones. L'entente parut d'autant plus raisonnable à l'époque que les catholiques se montraient – pour des raisons doctrinales – plus que réticents à admettre des Juifs dans leurs maisons d'enseignement, peu importe leur langue maternelle. Scolarisés en anglais et baignant dans une culture d'inspiration britannique, les Juifs d'origine est-européenne ratèrent ainsi et pour longtemps un rendez-vous crucial avec la majorité francophone. Ce choix eut des répercussions durables et structurantes sur les rapports entre les deux ensembles, au point que les traces en sont encore nettement perceptibles aujourd'hui au sein de la communauté juive montréalaise de descendance ashkénaze.

Tenus à l'écart des écoles catholiques par la loi provinciale de 1903, les Juifs montréalais subirent aussi d'autres pressions qui contribuèrent à les éloigner des milieux francophones. Nous l'avons vu, les premières familles juives qui s'installèrent dans la ville à la fin du xviiie siècle – peu importe leur origine nationale ou culturelle – étaient fortement marquées par l'influence britannique et la fidélité à

---

6. À ce sujet, voir la thèse de doctorat en histoire de Jean-Philippe Croteau, *Le financement des écoles publiques à Montréal (1869-1973): deux poids, deux mesures*, Université du Québec à Montréal, 2006 et «Ni catholiques, ni protestants: les Juifs de Montréal», dans Pierre Anctil, *Tur Malka: flâneries sur les cimes de l'histoire juive montréalaise*, Sillery, Septentrion, 1997, p. 25-34.
7. Voir Ira Robinson, *Rabbis and their Community: Studies in the Eastern European Orthodox Rabbinate in Montreal, 1896-1930*, Calgary, University of Calgary Press, 2007, p. 13.

l'Empire. Dans un tel contexte, les couches les plus à l'aise et les plus influentes au sein de la structure communautaire juive ne tardèrent pas à pencher du côté de la langue anglaise et à faire la promotion de l'anglophonie auprès de leurs coreligionnaires. À la fin du XIXᵉ siècle, des personnalités aussi diverses que Jesse Joseph[8], Lyon Cohen[9], Clarence de Sola[10], Mortimer B. Davis[11] et S. W. Jacobs[12] jouèrent de leur influence pour convaincre d'une manière ou d'une autre les immigrants yiddishophones à se mettre rapidement à l'apprentissage de l'anglais. Aux yeux des mieux nantis parmi les Juifs canadiens, cette langue allait de pair avec le progrès social, l'avancement économique et la loyale adhésion à la citoyenneté du pays. Entre francophones et Juifs, il se forma ainsi à Montréal une sorte de rapport triangulaire où la relation à l'autre était soumise à la médiation des classes dirigeantes de souche anglo-protestante. Habitués à transiger avec les attentes et les perceptions des Canadiens de culture britannique, les Juifs fortunés finirent aussi par adopter dans une large mesure leurs manières de comprendre et d'accueillir les francophones.

D'autres facteurs jouèrent en faveur de l'anglais dans les milieux immigrants montréalais, dont le poids indéniable du judaïsme nord-américain, qui était résolument tourné vers une intégration socioéconomique rapide aux milieux anglophones partout majoritaires. Dans l'ensemble, les Juifs montréalais ashkénazes entretinrent au XXᵉ siècle des rapports soutenus avec leurs proches immigrés aux États-Unis, et avec des institutions juives américaines de toutes natures qui soutenaient leur volonté de rester fidèle, sous une forme ou une autre, au judaïsme. Ces liens, très importants pour les membres d'une petite population qui demeurait relativement isolée sur le plan géographique, ne pouvaient qu'encourager l'usage de l'anglais chez les yiddishophones. Dans les milieux associés au syndicalisme et à l'industrie de la confection des vêtements, l'influence

8. Jesse Joseph devint le président de la synagogue Shearith Israël en 1893 et fut propriétaire d'importantes entreprises industrielles et commerciales à Montréal.
9. Propriétaire de manufactures de vêtements, Lyon Cohen présida la première rencontre du Congrès juif canadien en 1919.
10. Fils du rabbin Abraham de Sola, Clarence de Sola prit la tête de l'Organisation sioniste canadienne en 1899.
11. Philanthrope de renom et propriétaire d'une importante manufacture de cigarettes, l'Imperial Tobacco Company of Canada, Davis finança par ses dons en 1926 le développement du Young Men's Hebrew Association de Montréal (YMHA).
12. Élu en 1917 dans la circonscription montréalaise de Cartier, Jacobs fut le premier Juif québécois à entrer au Parlement d'Ottawa.

des grandes centrales américaines comme l'International Ladies Garment Workers' Union (ILGWU) et l'Amalgamated Clothing Workers of America (ACWA) fit aussi pencher la balance du côté de l'anglophonie. Hershl Novak, arrivé à Montréal en 1908 de sa Pologne natale, raconte dans les mémoires qu'il a rédigées à la fin de sa vie comment se présenta à lui le dilemme de l'apprentissage des langues :

> Quand j'ai commencé à m'installer dans mon nouveau pays, j'ai voulu au départ connaître et étudier la culture francophone du Canada. Comme tous les jeunes immigrants qui appartenaient au courant radical, et qui se trouvaient loin des questions d'ordre pratique, je ne tardai pas à abandonner l'idée de m'adapter au milieu majoritaire. À l'instar de bien d'autres, et même si cela ne fut que d'une manière superficielle, j'absorbai d'abord la culture nord-américaine anglophone qui m'entourait. Le mouvement ouvrier juif au Canada était en effet lié de très près à son équivalent aux États-Unis, et cela nous poussait à graviter vers le grand ensemble politique nord-américain et anglo-saxon[13].

L'autobiographie de Novak, à laquelle s'ajoutent les réflexions d'autres immigrants yiddishophones du début du xxᵉ siècle, tels qu'Israël Medresh[14], Hirsch Hershman[15] et Simon Belkin[16], révèlent également que les nouveaux venus participaient à des courants idéologiques et politiques beaucoup plus radicaux que ceux qui

---

13. Hershl Novak, *Foun mayn yunge yorn*, New York, Educational Committee of the Workmen's Circle, 1957, 227 p. La citation est tirée de Hershl Novak, *La Première École yiddish de Montréal, 1911-1914*, traduit du yiddish et présenté par Pierre Anctil, Québec, Septentrion, 2009, p. 170.

14. Voir les mémoires d'Israël Medresh en deux tomes, parues en français sous le titre *Le Montréal juif d'autrefois / Montreal foun nekhtn (1947)*, traduction de Pierre Anctil, Sillery, Septentrion, 1997, 272 p. et *Le Montréal juif entre les deux guerres / Tsvishn tsvey velt milkhomes (1964)*, traduction de Pierre Anctil, Sillery, Septentrion, 2001, 242 p.

15. Hirsch Hershman fit paraître ses souvenirs de la période du début du xxᵉ siècle à Montréal sous le titre « 25 yor yidish arbeter bavegung in Montreal », dans *Unzer Vort*, Montréal, 23 décembre 1927-2 mars 1928. Son texte fut réédité en traduction française par Pierre Anctil sous le titre « À l'occasion des vingt-cinq ans du mouvement ouvrier juif à Montréal », dans *Bulletin du Regroupement des chercheurs en histoire des travailleurs du Québec*, printemps 2000, vol. 26, nᵒ 1, p. 42-60.

16. Voir l'étude de cet auteur parue en langue yiddish sous le titre *Di Poale-Zion bavegung in Kanade, 1904-1920*, Montréal, Actions Committee of the Labor Zionist Movement in Canada, 1956, 280 p. ; traduit en français par Pierre Anctil sous le titre *Le mouvement ouvrier juif au Canada, 1904-1920*, Sillery, Septentrion, 1999, 390 p.

étaient propres au Canada français. Anarchistes de toutes tendances, socialistes convaincus, sionistes de gauche et syndicalistes militants abondaient au sein de la population est-européenne; ils avaient souvent participé en Europe de l'Est aux luttes armées contre le pouvoir, notamment au moment de l'insurrection russe de 1905[17] ou à l'occasion de la révolution bolchevique de 1917. Ces expériences offraient un contraste saisissant avec le point de vue partagé par les francophones, qui étaient issus pour la plupart d'un milieu rural et qui subissaient l'encadrement d'institutions catholiques conservatrices sur le plan social. Si l'on ajoute à cette rupture le fait que l'immigration est-européenne constitua à Montréal un phénomène subit et inattendu, et que la présence juive se manifesta avec force dans la ville seulement à partir de la Première Guerre mondiale, il n'est pas difficile de comprendre qu'une longue période d'adaptation et d'acclimatation s'ouvrait au tournant du siècle entre yiddishophones et francophones. Ce processus d'apprivoisement mutuel, qui allait durer plusieurs décennies et connaître de nombreuses difficultés, était rendu plus difficile en raison de la vulnérabilité de chaque ensemble face à l'hégémonisme anglo-britannique et du vécu de minoritaire qui leur était imposé de l'extérieur. Dans ces conditions, tout était à bâtir entre Juifs et Canadiens français. Sur cette route qui s'annonçait longue se trouvaient des avantages imprévus et des facteurs aggravants que nous allons maintenant analyser.

Les racines de l'antisémitisme québécois

Les relations entre Juifs et francophones d'allégeance catholique furent traversées d'un paradoxe fondamental et persistant qui se manifesta surtout à la génération des immigrants yiddishophones et de leurs descendants immédiats. D'une part, les deux collectivités peinaient à se rencontrer dans le contexte montréalais et à échanger, et d'autre part, on relève au XXe siècle un certain nombre de témoignages de sympathie et de gestes de bonne volonté. Cette proximité distante ou empathie discrète forme un arrière-fond permanent dans la rencontre entre les deux traditions, avec des oscillations plus ou

---

17. Au sujet de l'insurrection russe de 1905, voir Jonathan Frankel, *Prophecy and Politics: Socialism, Nationalism, and the Russian Jews, 1862-1917*, Cambridge, Cambridge University Press, 1981, 686 p. ainsi que Stefani Hoffman et Ezra Mendelsohn (dir.), *The Revolution of 1905 and Russia's Jews*, Philadelphia, University of Pennsylvania Press, 2008, 320 p.

moins prononcées vers l'un ou l'autre des pôles selon les circonstances et les périodes historiques. Il y a ainsi, dans les rapports en question, des plages de méfiance et de retrait, qui sont suivies d'embellies et d'élans de compréhension mutuels, le tout articulé à un ensemble de valeurs culturelles et religieuses qui étaient difficilement compatibles et parfois très dissemblables. Un tel tableau émerge à plusieurs reprises et de manière brillante dans l'œuvre de Mordecai Richler. C'est un peu comme si, pour cet auteur, les Canadiens français étaient à la fois menaçants sur le plan social, puis bouleversants de vérité et très proches à un niveau plus personnel, entre autres à l'occasion de rites de passage amoureux. On note cette attraction mutuelle entre autres dans la relation entre Duddy Kravitz et Yvette, qui est décrite dans le roman *The Apprenticeship of Duddy Kravitz*[18]. Ce paradoxe troublant, Richler l'a également saisi sur le vif dans certains passages de *The Street*, recueil de nouvelles paru en 1969 dans lequel il décrit l'atmosphère qui régnait sur le plateau Mont-Royal au moment où il était adolescent :

> If the Main was the poor man's street, it was also a dividing line. Below, the French Canadians. Above, some distance above, the dreaded WASPS. On the Main itself there were some Italians, Yugoslavs and Ukrainians, but they did not count as true Gentiles. Even the French Canadians, who were our enemies, were not entirely unloved. Like us, they were poor and coarse with large families and spoke English badly[19].

Du côté des aspects positifs de cette relation, il convient de situer la rencontre qui s'opéra entre Juifs et Canadiens français à l'échelle du petit commerce montréalais et dans la syndicalisation des travailleurs de la confection[20]. Au début du XXe siècle, deux avenues principales de mobilité sociale s'offraient aux immigrants est-européens dans la ville, soit l'ouverture de magasins et d'épiceries de quartier, ou encore la pratique des métiers de l'aiguille dans les grandes usines de confec-

---

18. Mordecai Richler, *The Apprenticeship of Duddy Kravitz*, Boston, Little Brown, 1959, 377 p.
19. Mordecai Richler, *The Street*, Toronto, McClelland and Stewart, 1969, p. 55-56.
20. Voir Bernard Dansereau, « La place des travailleurs juifs dans le mouvement ouvrier québécois au début du XXe siècle », dans Pierre Anctil, Ira Robinson et Gérard Bouchard (dir.), *Juifs et Canadiens français dans la société québécoise. Actes du colloque tenu en mars 1999 et organisé conjointement par l'Institut interuniversitaire de recherches sur les populations (IREP) et par la Bibliothèque juive de Montréal*, Sillery, Septentrion, 2000, p. 127-154.

tion déjà présentes dans le secteur du boulevard Saint-Laurent[21]. Dans le premier cas, la vaste majorité des clients qui faisaient leurs emplettes auprès des petits commerçants et des colporteurs juifs étaient des francophones appartenant aux couches modestes, tandis que dans le second cas, les ouvriers yiddishophones entraient en contact dans les *sweatshops* avec une main-d'œuvre francophone peu spécialisée et principalement composée de jeunes femmes célibataires, souvent d'origine rurale. Ce côtoiement spontané, qui se réalisa hors de l'influence des institutions paroissiales ou des élites catholiques, mena parfois à une prise de conscience que les deux populations possédaient des intérêts communs et qu'elles subissaient des difficultés semblables dans la sphère économique. C'est ainsi que les grèves menées par les midinettes francophones au milieu des années 1930 à Montréal furent appuyées et encadrées par des organisateurs syndicaux aguerris du nom de Bernard Shane, Rose Pesotta et, plus tard, Léa Roback, qui étaient tous issus des milieux immigrants yiddishophones. Il faut d'ailleurs voir dans cette complicité, peu étudiée jusqu'ici, une des origines du mouvement syndical francophone, qui est longtemps resté sous la tutelle du clergé catholique, sauf dans les organisations indépendantes où les travailleurs juifs étaient fortement présents. Il en va de même pour le commerce de proximité, où les francophones pouvaient trouver des marchandises à des prix qui leur convenaient et surtout, une facilité de crédit que les banques et les grands magasins à rayon anglophones du centre-ville de Montréal leur refusaient. Faut-il s'étonner que ces rapports marquants et quotidiens touchent jusqu'aux personnages principaux des romans de Michel Tremblay ? Dans une œuvre intitulée *La grosse femme d'à côté est enceinte*, l'auteur fait état de cette proximité inattendue sur un ton humoristique :

> Tant que le tramway longeait la rue Mont-Royal, elles étaient chez elles, elles faisaient tout les temps [...]. Mais quand le tramway tournait dans la rue Saint-Laurent vers le sud, elles se calmaient d'un coup et se renfonçaient dans leurs bancs de paille tressée : toutes, sans exception, elles devaient de l'argent aux Juifs de la rue Saint-Laurent, surtout aux marchands de meubles et de vêtements,

---

21. En ce qui a trait à l'histoire juive du boulevard Saint-Laurent, voir Pierre Anctil, *Saint-Laurent. La Main de Montréal*, Sillery et Montréal, Septentrion et Musée Pointe-à-Callière, 2002, 109 p.

et le long chemin qui séparait la rue Mont-Royal de la rue Sainte-Catherine était pour elles très délicat à parcourir[22].

Faut-il se surprendre, en outre, que les classes laborieuses francophones, en dehors de toute structure organisationnelle ou loin du regard des élites, aient souvent fait alliance de manière informelle avec leurs vis-à-vis juifs, surtout dans des zones franches comme le boulevard Saint-Laurent à Montréal ou la rue Saint-Joseph à Québec ? À la vérité, il semble bien que ce phénomène se soit reproduit sur un vaste front qui incluait les campagnes québécoises visitées depuis plusieurs générations par des *peddlers* juifs, soit dès l'arrivée, au milieu du XVIIIe siècle, des familles Hart, Joseph et Jacob. Ces réactions favorables contrastent avec d'autres attitudes plus crispées de la part des couches francophones instruites et que nous examinerons bientôt. Parce qu'elles sont demeurées l'affaire d'une masse de gens moins articulés sur le plan de la communication publique et qui n'avaient pas accès aux grands organes de presse, entre autres à tendance nationaliste, le positionnement de ces humbles travailleurs n'a guère été pris en compte par l'historiographie jusqu'à maintenant. À ce titre, les témoignages des écrivains yiddish sont pourtant éloquents, en particulier celui d'Israël Medresh, auteur d'une série d'articles à saveur historique ayant été publiée à la fin des années 1940 dans le *Keneder Odler*[23] de Montréal. L'auteur n'hésite pas par exemple à rappeler dans *Le Montréal juif d'autrefois* les conditions de vie favorables des marchands juifs, même à une époque où certains notables francophones menaient tambour battant des campagnes visant à exclure les Juifs de la vie commerciale et politique :

> L'ensemble de la population canadienne française resta à l'écart de ce genre d'antisémitisme. Durant la période de grande migration, les Juifs fraîchement arrivés furent très bien accueillis par les francophones des villes et bourgades de la province de Québec. Quand les Juifs immigrants se rendaient dans les petites localités pour vendre des marchandises sur un mode itinérant, la plupart du temps ils ne rencontraient que des francophones[24].

---

22. Michel Tremblay, *La grosse femme d'à côté est enceinte*, Montréal, Leméac, 1978, p. 22.
23. Le *Keneder Odler* est le quotidien yiddish de Montréal fondé en 1907 par Hirsch Wolofsky.
24. Israël Medresh, *Le Montréal juif d'autrefois / Montreal foun nekhtn (1947)*, traduction de Pierre Anctil, Sillery, Septentrion, 1997, p. 178.

Ces propos ne doivent pas nous faire oublier cependant que des difficultés importantes se dressaient au début du XXᵉ siècle sur la voie d'une reconnaissance mutuelle et d'un dialogue véritable entre les Juifs et la population francophone, dont la principale a été l'enseignement traditionnel de l'Église catholique concernant le judaïsme. Jusqu'à un passé récent, l'immense majorité des Canadiens français vivaient au jour le jour dans le giron de la foi. De plus, ils fréquentaient le réseau institutionnel très diversifié qu'animaient le clergé diocésain et les diverses congrégations religieuses. À chaque étape de la vie, et à intervalle régulier dans la pratique des différents métiers et professions, les catholiques étaient plongés dans une atmosphère de piété religieuse et ils recevaient des lignes de conduites morales de la part d'enseignants, d'aumôniers ou de confesseurs. Pour les plus doués, cette formation se trouvait prolongée dans le cadre d'un milieu universitaire construit à l'image de l'Église et administré directement par elle, et qui souvent menait à la prêtrise. Dans cet univers se prolongeant de l'épiscopat jusqu'à Rome et l'autorité papale, les Juifs étaient perçus depuis plusieurs siècles, sinon depuis le début de l'ère chrétienne, comme des indésirables qui devaient être exclus de la cité et tenus à l'écart en raison des fautes graves que leur peuple avait commises au moment de la crucifixion du Christ. À l'accusation de déicide s'ajoutait le refus de reconnaître le message du Christ et de pratiquer la conversion librement. Ce contexte idéologique, qui était répandu dans tous les pays à majorité catholique, était porteur de conséquences plus ou moins sérieuses :

> La position de l'Église ne consistait certes pas à les détruire [les Juifs], mais à les conserver comme les témoins du sort pitoyable réservé à ceux qui avaient refusé de recevoir l'Évangile. Un tel projet supposait non seulement de les séparer de la société chrétienne [...] mais aussi de les réduire à une condition qui constitue en elle-même le plus évident témoignage de leur flétrissure. La pression exercée par l'Église sur le pouvoir temporel aboutit donc à la multiplication des restrictions pesant sur les Juifs[25].

Plus récemment, mais surtout après la Révolution française, l'institution ecclésiale perçut les tenants du judaïsme comme des êtres menaçants en raison de leur adhésion jugée immorale au capitalisme

---

25. Rita Hermon-Belot, *L'émancipation des juifs en France*, Presses Universitaires de France (coll. «Que sais-je ?», nᵒ 3514), 1999, p. 8.

et à la richesse matérielle, de leur identité cosmopolite ou de leur penchant pour les idées modernes. Bien entendu, de tels enseignements furent interprétés de diverses manières au Québec, selon les individus et les milieux d'insertion. Ils allaient néanmoins former une assise doctrinale crédible à laquelle se référeront plusieurs croyants sincères, et que deux autres facteurs circonstanciels allaient densifier, soit la montée du nationalisme québécois face à l'État canadien dès le début du XXe siècle et la grande crise économique des années 1930. L'hostilité latente de certains clercs et notables francophones envers les Juifs trouva à s'exprimer plus ouvertement quand il sembla que la pérennité du fait français et la survie de la culture canadienne-française étaient menacées par des facteurs extérieurs qui demeuraient hors d'atteinte des élites traditionnelles. Parmi ceux-ci, il faut compter l'urbanisation croissante et la désertion des campagnes, l'industrialisation et le travail salarié, la concentration du capital, l'immigration internationale, le fédéralisme canadien comme expression de la majorité anglophone, l'émigration des Canadiens français aux États-Unis, les médias de masse et le cinéma, l'émancipation progressive des femmes, bref l'ensemble des phénomènes sociaux qui remettaient en cause les balises historiques reconnues du Canada français. Ce penchant à pointer du doigt les Juifs prit encore plus de force quand après 1929 un chômage généralisé s'installa pour une décennie entière et que les horizons économiques s'assombrirent lourdement. Un tel climat œuvra à stimuler la crainte de l'étranger et à alimenter la peur d'une concurrence jugée déloyale de leur part. Dans une telle conjoncture, la figure du Juif sembla une cible facile à attaquer, car elle était immédiatement accessible et peu susceptible de rallier des défenseurs, à l'opposé des propriétaires anglo-britanniques qui disposaient de grands moyens de production et qui étaient hors de portée du Canada français. Pour arriver à leurs fins, certains porte-parole réanimèrent même des mythes que l'Église avait cultivés ou propagés à certains moments de sa longue histoire, tels que le meurtre rituel, l'immoralité du *Talmud* ou encore le complot de domination mondiale.

Or, pour arriver à transmettre de tels partis pris idéologiques, il fallait pouvoir s'abreuver à l'enseignement du mépris, tel que le désigna Jules Isaac[26] après l'Holocauste, ce qui signifiait manier

---

26. Voir à ce sujet les ouvrages de Jules Isaac intitulés *Genèse de l'antisémitisme: essai historique*, Paris, Calman-Lévy, 1956, 352 p. et *L'enseignement du mépris: vérité historique et mythes théologiques*, Paris, Fasquelle, 1962, 195 p.

des concepts abstraits, puiser dans l'arsenal des publications antisémites (souvent européennes) et obtenir l'accès à des bibliothèques spécialisées. Vue sous cet angle, l'hostilité aux Juifs était avant tout une affaire de doctrine, d'argumentation historique et de culture théologique, c'est-à-dire rien qui ne fût à la portée du premier venu. Il est significatif que les chantres de l'hostilité aux Juifs avant la Révolution tranquille aient souvent été des clercs, comme l'abbé Lionel Groulx, l'abbé Antonio Huot[27] et le dominicain M.-Ceslas Forest[28], ou des produits de l'enseignement catholique supérieur comme Henri Bourassa, le jeune André Laurendeau, ou même Adrien Arcand. Concernant la présence juive au Québec au xxe siècle, les justifications savantes et les discours avancés par les francophones qui appartenaient à une certaine classe aisée montrent bien qu'un fossé considérable séparait les couches laborieuses de la petite bourgeoisie d'affaires. Les avancées des Juifs dans certains secteurs économiques, leur entrée fracassante dans l'arène politique municipale montréalaise et leurs sympathies avouées pour les mouvements progressistes affectaient d'une manière contrastée les simples ouvriers francophones et la bourgeoisie traditionnelle. Cette différenciation interne au monde Canadien français, dont on peut suivre le développement pendant plusieurs décennies, eut des répercussions considérables sur les attitudes ou dans le discours concernant les Juifs. Dans cette mouvance complexe, les données historiques qui sont disponibles nous permettent d'avancer que dans bien des cas, les individus qui étaient les plus portés à se méfier des Juifs et à les repousser en marge de la société étaient aussi ceux qui entretenaient le moins de rapports avec eux.

Le nationalisme canadien-français du tournant du xxe siècle possédait d'autre part un vecteur d'affirmation économique très marqué, qui se reflétait surtout dans des domaines comme l'épargne, le petit commerce de détail et le contrôle des ressources naturelles locales. À Montréal et dans les autres villes du Québec, un courant de pensée voulut convaincre les francophones de favoriser avant tout les leurs dans la consommation des produits de première nécessité et dans certains types de service comme les conseils juridiques, la

---

27. L'abbé Antonio Huot est l'auteur, entre autres ouvrages, de *La question juive. Quelques observations sur la question du meurtre rituel*, Québec, Éditions de l'Action sociale catholique (coll. « Lectures sociales populaires n° 2 »), 1914, 37 p.

28. Le père M.-Ceslas Forest est l'auteur de « La question juive au Canada », *La revue dominicaine*, Montréal, novembre 1935, vol. XLI, p. 246-277.

santé et les finances. En somme, l'opinion générale était à l'effet qu'en valorisant la progression socioéconomique des institutions et des maisons canadiennes-françaises, on faisait avancer du même coup le statut de la langue française et des catholiques au pays. Or, le secteur de la petite entreprise, des industries à faible capitalisation et des professions libérales était aussi le seul dans lequel pouvaient vraiment s'engager les immigrants juifs de la première et de la deuxième génération, devenus particulièrement visibles après la Première Guerre mondiale lorsqu'ils commencèrent à se concentrer massivement sur le quartier du plateau Mont-Royal. Cette concurrence, intensifiée par le ralentissement économique marqué de la Grande Dépression, produisit dans certains milieux des dérapages antisémites bien sentis, notamment par le biais de campagnes dites d'« achat chez nous » qui ciblaient nommément les propriétaires d'établissement juifs. Il apparut alors à plusieurs activistes qu'une présence jugée exogène dans la vente au détail minait le progrès socioéconomique des francophones et qu'elle devait être dénoncée, parfois par des tracts, parfois du haut de la chaire. Certes, tous les nationalistes ne se rendirent pas coupables de ce genre de débordement, mais le phénomène devint suffisamment insistant pour que le Congrès juif canadien s'en inquiète après 1934. On trouve ce genre de discours dans l'agitation qui entoura par exemple au début des années 1940 la construction d'une synagogue dans le quartier Montcalm de la haute-ville de Québec:

> M. Rouleau, qui présenta les orateurs, exposé (*sic*) dans un discours bourré de statistiques, la décroissance de notre commerce local, notamment sur la rue Saint-Joseph. Il fit remarquer que les étrangers achètent nos commerces les uns après les autres depuis les petites maisons jusqu'à nos grosses boutiques: il ajouta que la campagne commencée serait menée pour l'élimination de la principale entrave au développement commercial canadien-français, les Juifs, et que la lutte se poursuivra tant que le but ne sera pas atteint[29].

Au cours des années 1930, un vent de méfiance et d'hostilité à peine voilées provenant de plusieurs milieux francophones atteignit de plein fouet la communauté juive montréalaise. Plus que toute

---

29. Il s'agit du compte rendu d'une réunion tenue par les opposants à la construction de la synagogue Bays Israël, telle que rapportée par un journaliste dans « Campagne d'achat chez les nôtres », *L'Action catholique*, 27 août 1943.

autre période au cours du XXe siècle, cette décennie vit converger en un faisceau puissant l'ensemble des facteurs économiques, politiques et religieux qui, de manière générale, soulevaient les passions xénophobes et exacerbaient les rancunes entre les communautés. Sur ce front, les Juifs formaient une cible désignée au sein d'une ville où les populations non chrétiennes étaient encore très peu nombreuses et concentrées dans des quartiers spécifiques. Au cours de cette période, les Montréalais catholiques et protestants, chacun à l'intérieur du vaste réseau institutionnel qui leur appartenait, élevèrent de nouveaux obstacles à la présence juive. C'est le cas notamment des barrières qui furent érigées pour empêcher l'admission des étudiants juifs à l'Université de Montréal et à l'Université McGill. Sur le plan idéologique, les écrits les plus virulents et menaçants pour la collectivité juive datent pour la plupart des années 1930, y compris les nombreuses publications infamantes et souvent éphémères du mouvement aux sympathies fascistes dirigé par Adrien Arcand. Nul besoin d'aller jusqu'aux marges les plus extrémistes de la presse montréalaise de langue française pour découvrir des paroles et des allusions malveillantes à l'égard du judaïsme. Le quotidien nationaliste *Le Devoir* et plusieurs publications d'inspiration cléricale, dont entre autres *L'Action nationale*, ont multiplié au cours de cette décennie les mises en garde et les attaques envers les Juifs montréalais, les salves les plus nourries se concentrant autour des années 1934-1935, soit au plus creux de la grande dépression économique.

Notre survol des lignes de force identitaires du Canada français montre bien à quel point les rapports entre les Juifs montréalais et la majorité francophone évoluaient jusqu'à dernièrement au diapason des allégeances religieuses. Du fait de leur adhésion à une tradition non chrétienne, les Juifs n'avaient pu avoir accès à l'école catholique de langue française après 1903. Ils s'étaient du même coup trouvés généralement exclus de l'ensemble des institutions caritatives, économiques ou à vocation éducative et culturelle qui assuraient au Québec la perpétuation de la langue française, presque toutes dirigées ou animées par le clergé. Tenus à l'écart des multiples réseaux paroissiaux, des nombreuses associations professionnelles catholiques et souvent des cercles intellectuels dont les modes d'expression étaient calqués sur ceux de l'Église, les Juifs n'avaient plus que la rue, les commerces de première nécessité et certains secteurs de production industrielle pour rencontrer des Canadiens français. Après 1912, certains Juifs ont aussi brigué les suffrages de leurs concitoyens dans des arènes politiques reconnues, comme à l'Hôtel de Ville de Montréal, par exemple, où ils ont pu participer au jeu démocratique et faire des alliances à l'intérieur de partis dominés par les francophones. Pour l'essentiel toutefois, il a fallu attendre la Révolution tranquille, et dans la sphère religieuse le concile du Vatican II, pour que la barrière quasi insurmontable que l'appartenance religieuse dressait entre les deux communautés commence à s'estomper. En ce sens, les années 1960 ont inauguré une ère nouvelle dans le rapport entre la majorité francophone et les Juifs de Montréal, dont nous ne mesurons pas toujours les retombées à long terme. La montée d'un nouveau nationalisme québécois au cours de cette période charnière, conséquence elle aussi du grand changement identitaire des francophones, a contribué à ouvrir dans le discours des brèches qui auraient semblé impensables à une autre génération. C'est grâce à cette évolution décisive, notamment, que René Lévesque a pu rencontrer les leaders des organisations juives montréalaises, après sa victoire électorale de 1976, et les inviter à devenir des Québécois au même titre que tous les autres citoyens[30].

Le grand tournant de la Révolution tranquille

Nous l'avons vu : tandis que les classes populaires fréquentaient les Juifs assez librement dans la rue et autres lieux marqués par le commerce de détail, les membres du clergé et des couches plus instruites gardaient leurs distances et adoptaient, le plus souvent, l'approche de méfiance viscérale qui leur était dictée par l'enseignement de l'Église. L'ensemble des prêtres et des catholiques fervents ne s'en tinrent pas toujours à cette ligne de conduite. Par exemple, dès le début des années 1930, des contacts positifs s'étaient noués entre le rabbin Harry Joshua Stern, du Temple Emanu-El, et quelques jésuites de langue française désireux de surmonter les barrières religieuses de l'époque, dont le père Joseph Paré du Collège Brébeuf[31] et le père Joseph Valiquette. Cela n'empêcha pas des incidents périodiques de

---

30. Concernant les rapports de René Lévesque avec les Juifs de Montréal, voir Pierre Anctil, « René Lévesque et les communautés culturelles », dans Alexandre Stefanescu (dir.), *René Lévesque, mythes et réalités*, Montréal, VLB Éditeur, 2008, p. 160-183.

31. Au sujet de cet épisode particulier dans les rapports entre les Juifs et la majorité francophone, voir le sixième chapitre de Pierre Anctil, *Le rendez-vous manqué, les Juifs de Montréal face au Québec de l'entre-deux-guerres*, Québec, Institut québécois de recherche sur la culture, 1988.

ponctuer la vie sur le boulevard Saint-Laurent et dans les quartiers à forte densité juive, notamment des échauffourées, des manifestations d'hostilité physique et des attaques contre les vitrines des marchands juifs. Mais ces événements disgracieux furent cependant plutôt l'exception que la règle, comme n'hésite pas à l'affirmer Israël Medresh dans ses Mémoires :

> Comme les Juifs de Montréal ne tardèrent pas à l'apprendre dans les pages de l'*Odler*, parmi l'ensemble de la population de la ville se trouvaient quelques voyous qui n'avaient pas de scrupule, de temps à autre, à attaquer un Juif et à le frapper.
>
> Cela peinait les Juifs nouvellement arrivés de Russie et de Roumanie de constater qu'il y avait aussi à Montréal des vauriens contre lesquels ils devaient se prémunir. Ils se consolaient cependant de constater que cette racaille ne comptait que pour une petite minorité de la population, et qu'il ne fallait pas se gêner de leur répliquer si on le pouvait[32].

À la fin des années 1930, de nouvelles menaces d'affrontement se manifestèrent, notamment à l'occasion de la guerre civile espagnole, à laquelle des Juifs montréalais participèrent du côté républicain, et pendant certains rallyes tenus dans des salles publiques par Adrien Arcand. Le référendum sur la conscription et la résistance à l'enrôlement dans l'armée canadienne furent aussi source de tensions palpables entre Juifs et francophones. La plupart du temps, l'antisémitisme des Canadiens français s'exprima dans les pages des journaux, parfois de façon stridente, du haut de la chaire et à l'intérieur de certaines institutions francophones qui étaient susceptibles d'accueillir un nombre plus important de Juifs, comme l'Université de Montréal, le conseil municipal et le réseau hospitalier catholique. C'est ainsi qu'une grève des internes fut déclenchée à l'Hôpital Notre-Dame au milieu du mois de juin 1934, sous prétexte qu'un médecin du nom de Samuel Rabinovitch avait été admis à y pratiquer[33]. La protestation, qui s'étendit à cinq hôpitaux de la ville pendant quelques jours, compte sans doute parmi les pires incidents antisémites de l'entre-deux-guerres au Québec.

---

32. Israël Medresh, *Le Montréal juif d'autrefois / Montreal foun nekhtn (1947)*, traduction de Pierre Anctil, Sillery, Septentrion, 1997, p. 120-121.
33. En ce qui concerne cette grève, voir le troisième chapitre de Pierre Anctil, *Le rendez-vous manqué, les Juifs de Montréal face au Québec de l'entre-deux-guerres, op. cit.*

Une manifestation publique ayant été tenue le 20 avril 1933 par les Jeune-Canada, peu après la prise de pouvoir d'Adolf Hitler en Allemagne, figure aussi au nombre des attaques les plus virulentes contre les Juifs de Montréal. Au cours de cette journée, de jeunes nationalistes, dont André Laurendeau, prononcèrent des discours très durs à l'endroit des Juifs, et ils firent ensuite publier leurs textes sous le titre: *Politiciens et Juifs*[34]. Malgré le caractère ouvertement antisémite de certains éditoriaux et articles parus dans *Le Devoir* et *L'Action catholique* au milieu des années 1930, pour ne mentionner que les plus en vue des publications nationalistes, la palme de la haine envers les Juifs revient indubitablement au Parti national socialiste chrétien que dirigeait Adrien Arcand. À l'opposé de Lionel Groulx et des éditorialistes du *Devoir*, notamment Omer Héroux et Georges Pelletier, qui avaient dans leur mire diverses cibles et combattaient plusieurs ennemis réels ou présumés du peuple canadien-français – dont les Juifs –, Arcand consacra toute sa carrière de publiciste à la question juive. En plus d'être un sympathisant avoué du fascisme hitlérien, il s'en prit aux Juifs avec une telle violence verbale et d'une manière si ordurière qu'il fut considéré comme une menace pour la sécurité publique et interné par le gouvernement canadien en 1940[35].

Au lendemain de la Deuxième Guerre mondiale, un tournant majeur eut lieu dans les rapports entre Juifs et francophones. Il s'effectua en deux étapes distinctes et ouvrit des voies de communication inédites entre ces collectivités. Cette transformation se dessina parce que le Canada français redéfinit de fond en comble les balises identitaires qui avaient été les siennes jusqu'en 1945 d'une part et, d'autre part, parce que les Juifs montréalais jugèrent important d'entrer en contact pour la première fois avec la majorité francophone. Un tel virage ne se produisit pas de manière soudaine, et il est possible d'en lire les signes avant-coureurs dans les discours prononcés par Henri

34. Pierre Dansereau et al., *Politiciens et Juifs*, Les Cahiers Jeune-Canada, n° 1, Montréal, 1933, 67 p.
35. Au sujet d'Adrien Arcand, voir Lita-Rose Betcherman, *The Swastika and the Maple Leaf: Fascist Movements in Canada in the Thirties*, Toronto, Fitzhenry & Whiteside, 1975, 167 p. et Martin Robin, *Shades of Right: Nativist and Fascist Politics in Canada, 1920-1940*, Toronto, University of Toronto Press, 372 p. L'ouvrage de Martin Robin a été traduit en français sous le titre *Le spectre de la droite: histoire des politiques nativistes et fascistes au Canada en 1920 et 1940*, Montréal, Balzac-Le Griot, 1998, 304 p. Voir aussi la thèse de maîtrise de Hugues Théoret, *La campagne antisémite d'Adrien Arcand d'après-guerre: 1945-1967*, Université d'Ottawa, 2009, 180 p.

Bourassa à la Chambre des communes au milieu des années 1930[36] ou dans les gestes effectués par certains clercs bien intentionnés. Les circonstances propres aux années d'après-guerre donnèrent toutefois l'impression qu'une étape nouvelle et marquante avait été franchie en très peu de temps. En janvier 1949, les participants à une conférence du Congrès juif canadien qui s'est tenue à Montréal reçurent une copie d'une série de poèmes d'A. M. Klein[37] sur le Canada français. Elle était accompagnée du commentaire suivant :

> Although incidents of anti-Semitism are less common in Canada than they were some years ago, the Canadian Jewish Congress, which co-operates with the B'Nai B'rith to form the Joint Public Relations Committee, has felt that this period of relaxed group tension should be used for a more fundamental attack upon the roots of racial and religious prejudice and to establish more firmly the basic rights and equalities of Canadian democracy. [...]
>
> The co-operation which the Jewish community is receiving from the various church groups, including the Catholic Church in combating anti-Semitism and in promoting brotherhood across religious and ethnic lines constitutes an important aspect of this picture. The improvement of conditions in the Province of Québec in this regard is of fundamental importance and has elicited considerable comment from observers[38].

L'étape cruciale de cette transformation, qui surprit même les leaders juifs par sa célérité, survint au cours des années 1950 et 1960, lorsque les francophones passèrent d'un mode d'affirmation basé sur la foi catholique à un nationalisme plus moderne, qui valorisait à la fois la langue française et une culture séculière. D'une société érigée en bonne partie sur des valeurs d'inspiration religieuse – ce qui ne laissait pratiquement aucun espace de rencontre avec les croyants

---

36. Le discours principal d'Henri Bourassa à ce sujet eut lieu le 20 mars 1934 et fut reproduit sous forme de brochure.

37. Le titre de la plaquette de Klein, éditée par le Congrès juif canadien, était *Huit poèmes canadiens*. Pour les rapports de Klein avec le Canada français, voir Pierre Anctil, «A. M. Klein : du poète et de ses rapports avec le Québec français», *Journal of Canadian Studies/Revue d'études canadiennes*, Peterborough (Ontario), vol. 19, n° 2, 1984, p. 114-131. Le texte a été reproduit en anglais dans Richard Menkis et Norman Ravvin (dir.), *The Canadian Jewish Studies Reader*, Calgary, Red Deer Press, 2004, p. 350-372.

38. Mémorandum intitulé *Public Relations* accompagnant le rapport aux délégués de la conférence du Congrès juif canadien, région de l'Est, 23 janvier 1949.

d'autres confessions – la majorité de langue française bascula vers des modes d'expression centrés autour d'un véhicule linguistique à portée plus universelle. Dans cette nouvelle mouvance, le Congrès juif canadien ne tarda pas à comprendre que l'apprentissage du français était à la portée de tous les Juifs montréalais. Pour encourager ce changement de mentalité, l'organisme mit sur pied vers 1948 le Cercle juif de langue française[39], auquel participèrent un grand nombre d'intellectuels et de clercs francophones, dont l'écrivain Naïm Kattan et un André Laurendeau repenti.

Non seulement l'élan irrésistible de la Révolution tranquille emporta une bonne partie de l'hostilité latente et de la retenue oblique qui minaient les rapports entre Juifs et montréalais francophones, mais en plus l'Église catholique elle-même y alla de son *aggiornamento* en faisant porter une partie des travaux du concile Vatican II sur ses relations avec les autres grandes traditions religieuses mondiales. En 1965, à la suite de Jean XXIII, Paul VI publia l'encyclique *Nostra Ætate* qui rappelait, entre autres, l'importance de la filiation spirituelle entre le judaïsme et le christianisme, et qui reconnaissait la validité éternelle de l'Alliance entre Dieu et le peuple choisi. Surtout, au lendemain de l'Holocauste et des souffrances effroyables endurées par les Juifs européens, l'Église affirmait dans ce document qu'il fallait « déplorer les haines, les persécutions et toutes les manifestations d'antisémitisme qui, quels que soient leur époque et leurs auteurs, ont été dirigées contre les Juifs[40] ». Il n'y a aucun doute que les années de guerre et la dévastation qui s'abbattit sur l'Europe à cette occasion jouèrent un rôle dans ce revirement que connut la société québécoise, en décloisonnant les préoccupations des francophones et en leur faisant sentir les limites des formes outrancières du nationalisme ethnique.

Parmi les hommes qui furent témoins oculaires des abus du nazisme, on trouve nul autre que René Lévesque qui, alors dans la jeune vingtaine, pénétra le 29 avril 1945 avec l'armée américaine dans le camp de Dachau où l'attendait un spectacle insoutenable.

---

39. La meilleure étude concernant le Cercle juif de langue française a été réalisée par Jean-Phillippe Croteau dans sa thèse de maîtrise en histoire intitulée *Les relations entre les Juifs de langue française et les Canadiens français selon le* Bulletin du Cercle juif, *1954-1968*, Université de Montréal, 2000.

40. Voir le texte complet de l'encyclique *Nostra Ætate* sur http://vatican.va/archive/hist_councils/ii_vatican_council/documents/vat-11_decl_19651028_notra-aetate_fr.html [Consulté en janvier 2009].

Qui plus est, l'arrivée de francophones au cours des années 1960 aux commandes de l'économie montréalaise et l'engagement croissant de l'État québécois dans l'exploitation des ressources naturelles, notamment hydro-électriques, fit monter au sommet une nouvelle génération qui n'avait pas été éduquée sous l'aile tutélaire de l'Église catholique. Souvent, ces gestionnaires publics prirent la place de propriétaires d'entreprises d'origine britannique et ils administrèrent en français de vastes secteurs de l'économie. Un phénomène parallèle se manifesta quand les Montréalais d'origine juive eurent accès aux professions libérales et purent s'illustrer dans divers domaines qui leur étaient fermés jusque-là, dont le commerce de détail sur une grande échelle, le secteur immobilier et les finances. Peu à peu s'atténua ainsi l'idée que Juifs et francophones devaient de toute nécessité s'en remettre à une élite anglo-britannique jusque-là toute puissante en ce pays pour entrer en relation les uns avec les autres.

Une fois complété le retrait de l'Église des affaires publiques, et après avoir manifesté une volonté de francisation menée au premier chef par l'État, les Canadiens français, devenus des « Québécois », partirent à l'assaut, au cours des années 1980, d'un domaine qu'ils avaient cédé historiquement aux anglophones montréalais: l'immigration internationale. Véritable prolongement de la Révolution tranquille, l'accueil des enfants des nouveaux venus par une école de langue française déconfessionnalisée, ainsi que les diverses mesures d'accueil destinées à leurs parents, entraîna à la suite de l'adoption de la Charte de la langue française en 1978 une deuxième vague de changements identitaires. De plus en plus, la société québécoise se montre disposée à reconnaître à tous les citoyens – quelle que soit leur origine, leur confession ou leur culture – un espace de partage et de pleine participation démocratique. En quelques années, des dizaines de milliers d'Asiatiques, de Sud-Américains et d'Africains nouvellement installés franchirent le seuil des écoles autrefois catholiques francophones, puis ils se réclamèrent sur le plan civique aussi Québécois que les Canadiens français d'autrefois. Non seulement le français pouvait-il se conjuguer à toutes les cultures, mais un grand nombre d'immigrants admis par le Québec parlaient cette langue, tout en portant les signes extérieurs de leur foi, qui était souvent musulmane, sikh ou bouddhiste.

Cet élan de francisation atteignit le cœur des organisations juives montréalaises lorsqu'un nombre important de Sépharades francophones[41] immigrèrent dans la ville après l'indépendance du Maroc en 1956. Très attachés à la langue française et à la culture européenne de même expression, les Sépharades d'Afrique du Nord réclamèrent de leurs coreligionnaires d'origine ashkénaze des services en français au sein du réseau juif déjà en place depuis plus d'un demi-siècle. Par leur action communautaire et leur volonté de fonder des structures à part, dont un rabbinat autonome, ils ouvrirent le réseau organisationnel juif au fait français d'une manière qui aurait été impossible aux autres Québécois. Dans ces conditions, il n'est pas exagéré d'affirmer que les Sépharades ont servi de pont entre les Juifs déjà canadianisés et la majorité francophone, au point où ils ont réussi à canaliser d'une manière positive un processus d'adaptation qui aurait pu s'avérer beaucoup plus ardu sans leur apport. Tandis qu'au cours de la période de l'entre-deux-guerres les Juifs constituaient à Montréal la seule population non chrétienne d'importance, et qu'ils se distinguaient de bien des manières en formant la principale minorité visible et audible dans certains quartiers du centre-ville, après 1980 la multiplicité culturelle et religieuse était devenue la règle dans la métropole québécoise. Dans la collectivité juive, une forte différenciation interne mit aussi à mal bien des idées reçues au sujet des Juifs et de leur prétendue unité de pensée. Plusieurs langues sont aujourd'hui utilisées couramment au sein de la vie juive montréalaise contemporaine, dont les principales sont l'anglais et le français, mais aussi le russe, l'espagnol, le yiddish et l'hébreu. De même, de nombreuses interprétations souvent conflictuelles du judaïsme cohabitent dans la ville, sans oublier les Juifs qui ne pratiquent pas nécessairement leur religion sur une base quotidienne. Dans cet environnement nouveau, il est devenu beaucoup plus difficile, à quelques exceptions près, d'identifier clairement les Juifs et de leur faire un mauvais sort. Ce phénomène de distanciation vis-à-vis de la tradition religieuse a aussi touché très fortement au même moment les francophones d'origine catholique.

Est-ce à dire que les difficultés de communication se sont atténuées entre la majorité francophone et les différentes communautés juives de Montréal ? De nombreuses tensions politiques ont

---

41. À ce sujet, consulter Marie Berdugo-Cohen et collab., *Juifs marocains à Montréal: témoignages d'une immigration moderne*, Montréal, VLB Éditeur, 1987, 209 p. Voir aussi Yolande Cohen, Jean-Claude Lasry et Joseph J. Levy, *Identités sépharades et modernité*, Québec, Presses de l'Université Laval, 2007, 329 p.

fait surface au cours des années de l'après-guerre dans la société québécoise, entre autres autour du mouvement indépendantiste et de la place du français. Plusieurs Juifs anglophones ont fait écho à ces affrontements, parfois en tant que membres de la collectivité juive, parfois en tant que personnes de langue maternelle anglaise, voire les deux à la fois. Les événements entourant l'élection du Parti Québécois, en novembre 1976, et la tenue de deux référendums, l'un en 1980 et l'autre en 1995, ont soulevé beaucoup d'émotion dans les différents milieux juifs de Montréal, qui craignaient devoir faire face à des mesures coercitives ou injustes de la part d'un gouvernement québécois dirigé par des nationalistes. De plus, ces épisodes ont coïncidé avec un certain exode de la jeunesse juive montréalaise vers d'autres grandes villes canadiennes ou américaines offrant de meilleures conditions économiques. Après avoir atteint un sommet démographique de 115 000 âmes en 1971, la population montréalaise juive se situe aujourd'hui à un niveau avoisinant les 90 000 personnes. Malgré le battage qui entoure les visées éventuelles du Parti Québécois, il s'est avéré toutefois que les écueils les plus sérieux au développement d'un dialogue intercommunautaire fructueux entre francophones et Juifs à long terme ne viendraient pas des nationalistes et des défenseurs de la langue française à Montréal, mais de deux autres sources plus lointaines au regard de l'histoire québécoise.

Les tensions relatives au conflit du Moyen-Orient ont laissé des traces d'une manière plus accentuée dans le paysage politique montréalais après l'échec des accords d'Oslo de 1993 et le début de la deuxième intifada en 2000. L'intensification de la violence dans cette région du monde a poussé les défenseurs de chaque camp à avancer des positions idéologiques plus radicales. La frontière de plus en plus ténue entre une critique raisonnable et équilibrée du gouvernement israélien d'une part, ou face au manque de transparence démocratique des entités politiques palestiniennes d'autre part, a donné lieu à Montréal à plusieurs événements condamnables dont, pour n'en nommer que deux, les émeutes entourant la visite de Benjamin Netanyahu à l'Université Concordia en 2002 et l'incendie partiel d'une école juive en 2004 dans l'arrondissement Saint-Laurent. Ces incidents et d'autres de même nature ont parfois pris un ton antisémite, en raison des slogans utilisés par les protestataires ou des motifs évoqués pour attaquer les biens communautaires juifs. En plus de ces tensions relatives à l'affrontement israélo-palestinien vécues par les Juifs canadiens, et qui fluctuent au gré de la situation au Moyen-Orient, une nouvelle forme d'intolérance a surgi dans l'espace montréalais concernant la place qu'occupent les Juifs hassidiques, en particulier dans l'arrondissement d'Outremont. Au cours des années 1980 et même avant, une nouvelle conjoncture démographique a contribué à densifier la présence des *Hassidim* dans cette enclave surtout canadienne-française, mouvement qui a été accentué, entre autres, par leur habillement et leur pratique rigoureuse des lois mosaïques. Après une série d'articles hostiles ayant paru dans *La Presse* en 1988 et plusieurs commentaires désobligeants sur les ondes ou par l'entremise d'autres tribunes, un débat s'est développé et est allé grandissant avec les années[42]. Ces saillies antihassidiques sont rarement venues de milieux liés au Parti Québécois ou au mouvement nationaliste, mais ont plutôt semblé émerger de cercles animés par une vision conservatrice de la société québécoise.

Plusieurs francophones défendent d'autre part une approche laïque et déplorent de voir certaines traditions religieuses nouvelles prendre une place qu'ils jugent démesurée dans l'espace public montréalais. L'élargissement de certains centres communautaires, la multiplication des lieux de prière et le caractère hautement visible des adeptes de ce mouvement à Outremont et dans le quartier du Mile-End ont attiré sur les *Hassidim* une attention démesurée de la part des médias francophones de masse depuis quelques années. Certains épisodes mettant en scène des Pieux ont ainsi été montés en épingle, comme l'affaire des vitres givrées au YMCA de l'avenue du Parc ou les demandes entourant les heures de piscine séparées pour les hommes et les femmes. L'installation d'un érouv[43] à l'intérieur des limites d'Outremont, un fil à peine visible situé à quelques mètres de hauteur, a mené à une poursuite juridique qui a été remportée en 2001 par les plaignants hassidiques contre la municipalité. Les propos méprisants et injustes tenus à l'encontre des Pieux par certaines personnes à l'occasion de ces événements ont refait surface en 2007 et en 2008 lors des audiences de la Commission de consultation sur les pratiques

---

42. Au sujet de la controverse entourant le traitement des communautés hassidiques par la presse francophone, voir la thèse de maîtrise de Dana Herman, *In the Shadow of the Mountain: A Historical Re-evaluation of the 1988 Outremont Dispute*, Montréal, Université McGill, 2003.

43. Un érouv est un espace circonscrit à l'intérieur d'un quartier par des limites tangibles, par exemple un fil suspendu en hauteur, et à l'intérieur duquel il est permis de se déplacer et de transporter des objets le jour du sabbat.

d'accommodement reliées aux différences culturelles, mieux connue sous le nom de commission Bouchard-Taylor[44]. Plusieurs accusations gratuites ont alors été entendues concernant le coût de la nourriture cachère pour l'ensemble des consommateurs québécois, et l'influence démesurée des minorités religieuses visibles, en particulier la prolifération de synagogues dites illégales à Outremont. Loin de limiter le temps de parole des intervenants hostiles aux *Hassidim* et aux autres communautés non chrétiennes, les coprésidents ont laissé plusieurs opinions antisémites et anti-islamiques s'exprimer librement devant la Commission. De tels propos, et d'autres entendus dans des circonstances différentes, contribuent à miner depuis plusieurs années les rapports interconfessionnels à Montréal et perpétuent un climat favorable aux malentendus de toutes sortes.

Malgré ce qui précède, et bien que le niveau d'inconfort du leadership communautaire reste élevé en raison de certaines manifestations hostiles à la présence juive, il est indéniable que les relations entre les Juifs et la majorité francophone ont connu une évolution favorable au cours du XXᵉ siècle. À Montréal, le décloisonnement des frontières confessionnelles et linguistiques s'est poursuivi d'une manière soutenue depuis la fin de la Deuxième Guerre mondiale, et l'ouverture plus récente des Québécois à l'immigration internationale va dans le même sens. Au même moment, la collectivité juive s'est diversifiée de l'intérieur : elle offre désormais un visage complexe et sans cesse changeant, y compris face à la situation politique au Moyen-Orient. En évitant de se cantonner dans des images traditionnelles et des rôles immuables, francophones et Juifs ont ainsi ouvert un espace de négociation culturelle qui porte déjà ses fruits et qui permet une meilleure reconnaissance de l'apport de chacun dans la ville, ce dont témoigne, par exemple, la présentation des *Belles-sœurs* de Michel Tremblay en version yiddish en 1992 au centre Saidye-Bronfman. Il n'en reste pas moins que l'ensemble communautaire juif montréalais est unique en Amérique du Nord, d'abord parce qu'il est le seul qui ne fonctionne pas entièrement en anglais dans ses rapports avec l'extérieur, et aussi parce qu'il a très bien su préserver

---

44. Voir à ce sujet la communication présentée par Julien Bauer à Jérusalem, à l'été 2008, à l'occasion de la 12ᵉ conférence biennale de l'Association israélienne d'études canadiennes. Intitulée « Reasonnable Accommodation in Quebec : From a Judicial Concept to a Political Issue », elle est actuellement sous presse. Voir aussi Marc-Alain Wolf et Éric Clément (dir.), *Le Québec sur le divan : raisonnements de psys sur une société en crise*, Montréal, Éditions Voix parallèles, 2008, 190 p.

dans le contexte québécois ses acquis culturels et ses caractéristiques judaïques. À la suite de Morton Weinfeld[45], la plupart des auteurs qui ont abordé la question s'entendent pour affirmer que les Juifs de Montréal sont ceux qui affichent aujourd'hui les taux d'éducation judaïque les plus élevés et le niveau d'intermariage le plus bas sur le continent. Dans l'attente de nouvelles avancées identitaires encore en gestation et de la poursuite d'un dialogue intercommunautaire plus nécessaire que jamais, il y a lieu de croire que l'avenir s'annonce davantage prometteur pour ce qui est du rapport entre les Juifs montréalais et leurs concitoyens d'autres origines.

Bibliographie

Anctil, Pierre, *Le rendez-vous manqué. La communauté juive de Montréal face au Québec de l'entre-deux-guerres*, Québec, Institut québécois de recherche sur la culture, 1988, 357 p.

_____, *Tur Malka : flâneries sur les cimes de l'histoire juive montréalaise*, Sillery, Éditions du Septentrion, 1997, 199 p.

Anctil, Pierre, Ira Robinson et Gérard Bouchard (dir.), *Juifs et Canadiens français dans la société québécoise. Actes du colloque tenu en mars 1999 et organisé conjointement par l'Institut inter-universitaire de recherches sur les populations (IREP) et par la Bibliothèque juive de Montréal*, Sillery, Éditions du Septentrion, 2000, 197 p.

Anctil, Pierre, «Finding a Balance in a Dual Society: The Jews of Quebec», dans Ezra Mendelsohn (dir.), *Jews and the State. Dangerous Alliances and the Perils of Privilege*, dans *Studies in Contemporary Jewry*, Volume XIX, Oxford, Eng., Oxford University Press, 2003, p. 70-87.

_____, «Les communautés juives de Montréal», dans Marie-Claude Rocher et Marc Pelchat (dir.), *Le patrimoine des minorités religieuses du Québec, richesse et vulnérabilité*, Québec, Presses de l'Université Laval, coll. «Patrimoine en mouvement», 2006, p. 37-60.

Croteau, Philippe, *Les relations entre les Juifs de langue française et les Canadiens français selon le* Bulletin du Cercle juif, *1954-1968*, thèse de maîtrise, Université de Montréal, 2000.

---

45. Morton Weinfeld, *Like Everyone Else but Different: The Paradoxical Success of Canadian Jews*, Toronto, McClelland & Stewart, 2001, 446 p.

Medresh, Israël, *Le Montréal juif d'autrefois/Montreal foun nekhtn* (1947), traduction du yiddish par Pierre Anctil, Sillery, Éditions du Septentrion, 1997, 272 p.

Medresh, Israël, *Le Montréal juif entre les deux guerres/Tsvishn tsvey velt milkhomes* (1964), traduction du yiddish par Pierre Anctil, Sillery, Éditions du Septentrion, 2001, 242 p.

Stingel, Janine, *Social Discredit: Anti-Semitism, Social Credit, and the Jewish Response*, Montréal, McGill-Queen's University Press, 2000, 280 p.

Tulchinsky, Gerald, *Canada's Jews. A People's Journey*, Toronto, University of Toronto Press, 2008, 630 p.

La communauté juive et l'éducation à Montréal : l'aménagement d'un nouvel espace scolaire (1874-1973)[1]

Jean-Philippe Croteau
Université de Hearst

Introduction

L ES DÉBATS RÉCENTS autour des thèmes de la laïcité et des accommodements raisonnables au Québec ont amené les médias et une partie de l'opinion publique francophone à poser un regard différent sur le réseau des écoles privées de la communauté juive[2]. Les écoles privées juives ont été peu à peu perçues par une partie de l'opinion publique comme une forme d'anachronisme dans une société sécularisée qui a choisi collectivement de déconfessionnaliser le système d'éducation. Rappelons qu'en 1998, après des décennies de débat sur la question, le gouvernement québécois a finalement voté une loi qui abolissait les commissions scolaires confessionnelles et les remplaçait par des commissions scolaires linguistiques[3].

---

1. Ce texte s'inspire de la thèse de doctorat de Jean-Philippe Croteau, *Le financement des écoles publiques à Montréal (1869-1973): Deux poids, deux mesures,* thèse de doctorat (histoire), Université du Québec à Montréal (UQAM), 2006.
2. Sur la question des accommodements raisonnables dans la sphère scolaire, voir Marie McAndrew, Micheline Milot, Jean Imbeault et Paul Eid (dir.), *L'accommodement raisonnable et la diversité religieuse à l'école publique, Normes et pratiques,* Montréal, Fides, 2008, 295 p.
3. Les débuts de la question de la déconfessionnalisation des écoles et de la laïcisation du système d'éducation au Québec remontent au début des années 1960 avec la Commission royale d'enquête sur l'éducation en 1963. Dans son rapport, la commission recommandait d'ouvrir un secteur non confessionnel pour les parents qui n'étaient ni catholiques ni protestants ou ceux qui n'appartenaient à aucune religion. Cette recommandation restera lettre morte. Les différents gouvernements unioniste, libéral et péquiste tentèrent tous, chacun leur tour, d'entreprendre une réforme scolaire qui unifierait les commissions scolaires sur une base linguistique. Cependant, l'opposition

Ce texte vise à clarifier les sources et les enjeux des débats survenus dans la société montréalaise qui ont conduit à des interprétations douteuses à propos de l'origine des écoles privées juives. Leur existence est parfois interprétée comme le fruit d'un traitement de faveur vis-à-vis d'une minorité jugée influente sur le plan politique et d'un réaménagement au sein de la sphère scolaire dans les années 1960 et 1970. La crise des écoles privées juives en 2005 n'a fait que renforcer cette conception auprès du public francophone[4].

---

d'acteurs de l'éducation fort influents empêchera l'adoption d'une réforme. Au cours des années 1970 et 1980, l'apport de l'immigration en provenance des Caraïbes, d'Asie, d'Afrique et d'Amérique latine modifie grandement le paysage culturel et religieux du Québec. De plus, la sécularisation gagne l'ensemble de la société québécoise, et plus particulièrement le système scolaire québécois. Le caractère confessionnel de celui-ci devient de plus en plus difficile à concilier avec ses politiques d'intégration des nouveaux arrivants. En 1996, la Commission des États généraux sur l'éducation recommande dans son rapport la laïcisation du système scolaire pour assurer la transmission de valeurs communes à tous les enfants. À la suite de ce rapport, le gouvernement du Parti Québécois entreprend des démarches, avec l'appui des autres partis de l'Assemblée nationale, en décembre 1997, auprès du gouvernement fédéral, pour amender l'article 93 de la Constitution canadienne qui protège le caractère confessionnel des écoles catholiques et protestantes au Québec. Au même moment, le ministère de l'Éducation forme un groupe de travail chargé d'examiner l'enseignement de la religion à l'école. Dans son rapport final, *Laïcité et religions : perspective nouvelle pour l'école québécoise*, déposé en 1999, le groupe de travail recommande de laïciser le système d'éducation et de remplacer l'enseignement confessionnel par un enseignement culturel des religions. La laïcisation du système scolaire se fait en plusieurs étapes. D'abord, le gouvernement adopte, l'année suivante, la loi 118 qui laïcise l'ensemble des structures scolaires, désormais fondées sur la langue, tout en maintenant l'enseignement religieux catholique et protestant. Ensuite, en 2005, les cours d'enseignement religieux catholique et protestant sont remplacés par un cours d'éthique et de culture religieuse qui entre en vigueur dans les écoles publiques à l'automne 2008. Si la laïcisation des structures scolaires semble faire assez consensus parmi la population québécoise, l'expression de l'appartenance confessionnelle par le port de signes religieux à l'école a soulevé les passions au point que le gouvernement Charest crée, en mars 2007 la Commission de consultation sur les pratiques d'accommodements reliées aux différences culturelles. À la suite du rapport de la commission, le gouvernement reste prudent et, contre toute attente, ne légifère pas sur la question. Le débat reste donc entier. Voir, au sujet de la laïcisation du système d'éducation, Micheline Milot et Stéphanie Tremblay, « La religion dans le système scolaire public : un changement pour l'égalité et la diversité », *Horizons*, vol. 10, n° 2, p. 34-39. À propos de la restructuration scolaire, voir Henry Milner. *La réforme scolaire au Québec*, traduit de l'anglais par Jean-Pierre Fournier, Montréal, Québec Amérique, Coll. Dossiers/Documents, 1984, 212 p.

4.   Rappelons les faits. À l'automne 2004, le gouvernement libéral de Jean Charest signe une entente avec la Fédération CJA qui prévoit le financement complet de cinq écoles privées juives, assortie d'une association avec les commissions scolaires Marguerite-Bourgeois et Lester-B.-Pearson. Cette entente – d'après ses signataires – s'inscrivait dans une démarche interculturelle favorisant l'intégration des enfants d'un groupe minoritaire à la majorité. Ce virage de la politique historique du gouvernement

Or, nous verrons que l'élaboration d'un réseau d'écoles privées dès la fin du XIXe siècle a constitué l'une des stratégies – mais non pas la seule – que la communauté juive a mis de l'avant pour s'octroyer un espace dans la sphère scolaire montréalaise investie par les deux principaux groupes confessionnels, les catholiques et les protestants. Les écoles privées juives n'ont pas évolué en vase clos. Leurs promoteurs ont dû composer avec les commissions scolaires catholique et protestante déjà existantes qui souhaitaient étendre leurs services pédagogiques à d'autres groupes et communautés de Montréal tout en étant fermement attachées à leurs privilèges éducatifs exclusifs. Dans ce chapitre, nous reconstituerons la relation fort complexe et mal connue entre les élites éducatives juives, les commissions scolaires et le gouvernement québécois, relation caractérisée à la fois par la conciliation et l'antagonisme des participants et qui a évolué au cours d'un siècle au gré des ententes, des compromis, mais aussi des affrontements[5].

Le système scolaire montréalais sous le régime confessionnel

Les écoles privées juives constituent pratiquement un cas d'espèce au Canada, car elles se sont développées à l'ombre d'un système

---

québécois vis-à-vis des écoles privées juives fut aussitôt combattu par la presse et suscita une levée de boucliers parmi la population. Devant le tollé et pour éviter de payer un coût politique trop élevé d'une mesure qui ralliait l'opposition de tous, le gouvernement décida de reculer et de mettre fin à l'entente. Pour un bilan de cet événement, voir Pierre Anctil, « Les écoles juives privées dans la tourmente », dans Michel Venne et Antoine Robitaille (dir.), *L'Annuaire du Québec 2006*, Montréal, Fides/Institut du Nouveau Monde, 2006, p. 147-154.

5. Parmi les travaux de recherche récents sur la communauté juive au Québec et au Canada, nous renvoyons le lecteur aux titres suivants: Morton Weinfeld, William Shaffir et Irwin Cotler, *The Canadian Jewish Mosaic*, Nexdale, John Wiley & Sons, 1981, 511 p. Pierre Anctil et Gary Caldwell, *Juifs et réalités juives au Québec*, Québec, Institut québécois de recherche sur la culture, 1984, 371 p. Jacques Langlais et David Rome, *Juifs et Québécois français, 200 ans d'histoire commune*, Montréal, Fides, 1986, 286 p. Pierre Anctil, *Le rendez-vous manqué, les Juifs face au Québec de l'entre-deux-guerres*, Québec, Institut québécois de recherche sur la culture, 1988, 334 p. Gerald Tulchinsky, *Taking Root. The Origins of the Canadian Jewish Community*, Hanover, University Press of New England, The Brandeis Series in American Jewish History, Culture and Life, 1993, 341 p. Robert J. Brym, William Shaffir et Morton Weinfeld, *The Jews in Canada*, Oxford University Press, Toronto, 1993, 446 p. Arlette Corcos, *Montréal, les Juifs et l'école*, Sillery, Septentrion, 1997, 305 p. Pierre Anctil, *Tur Malka. Flâneries sur les cimes de l'histoire juive montréalaise*, Sillery, Septentrion, 1997, 199 p. Gerald Tulchinsky, *Branching Out. The Transformation of the Canadian Jewish Community*, Toronto, Stoddart, 1998, 470 p.

scolaire confessionnel public divisé autour des pôles catholique et protestant. Ce système scolaire tranche avec ceux des autres sociétés nord-américaines qui tendaient à s'afficher « *non sectarian* ». Bien que rattachées à des valeurs spirituelles chrétiennes, les écoles dites « non sectaires » ne s'associent à aucune Église, aucune hiérarchie ou aucun dogme religieux particuliers. À ses débuts, le système scolaire au Québec suit une tendance similaire à celle des autres sociétés nord-américaines. Au cours des années 1840 et 1850, les hommes politiques bas-canadiens cherchent à mettre sur pied des institutions éducatives inspirées des principes libéraux, lesquelles répondraient aux défis de l'industrialisation et prépareraient le citoyen à participer à la vie démocratique. À l'origine, l'école au Québec est publique, non confessionnelle et financée en grande partie par les fonds publics. Les commissaires, chargés de l'administration des écoles, sont élus par les propriétaires fonciers[6].

Cette conception libérale est battue en brèche par l'Église catholique, qui ne cache pas ses prétentions sur l'éducation. Pour les prélats, l'éducation ne relève pas de la responsabilité de l'État, mais de celle des parents qui doivent obéir aux directives du pape. Selon la pensée ultramontaine, le système scolaire a pour tâche de former avant tout des chrétiens respectueux de l'autorité et de l'ordre établi. L'éducation devient donc un instrument politique destiné à étendre l'influence de l'Église catholique à la société, à définir les normes sociales d'après ses préceptes idéologiques et à façonner la culture religieuse des masses canadiennes-françaises[7]. Entre 1840 et 1867, l'Église catholique parvient à obtenir de l'État diverses concessions qui raffermissent son emprise sur l'éducation. L'État doit aussi, lors des débats sur la Confédération, composer avec les élites éducatives protestantes inquiètes de leur avenir au sein d'une future province à majorité catholique et française. Les élites éducatives protestantes revendiquent l'édification d'un système scolaire indépendant qui échapperait à l'emprise de l'État et à l'influence de l'Église catholique.

L'article 93 de l'Acte de l'Amérique du Nord britannique (AANB) adopté en 1867 confie la responsabilité de l'éducation aux législatures

---

6. Voir Jean-Pierre Charland, « Le réseau d'enseignement public bas-canadien, 1841-1867. Une institution de l'État libéral », *Revue d'histoire de l'Amérique française*, 40, 4 (printemps 1987), p. 505-535.
7. Voir la thèse de René Hardy sur le contrôle social : *Contrôle social et mutation de la culture religieuse, 1830-1930*, Montréal, Boréal, 1999, 284 p.

provinciales tout en accordant des garanties constitutionnelles pour les droits scolaires des minorités catholiques en Ontario et protestante au Québec[8]. Préoccupé surtout par les questions économiques, et aussi par opportunisme électoral, l'État se désengage progressivement dans la période subséquente du champ de l'éducation pour en confier la gestion à l'Église catholique et aux élites éducatives protestantes. Ainsi, en 1869, le système scolaire est scindé en deux blocs distincts fondés sur l'appartenance religieuse grâce à la création des comités confessionnels pratiquement souverains dans leurs champs de compétences respectifs. L'abolition du ministère de l'Instruction publique en 1875 sonne le glas des prétentions de l'État et laisse en matière scolaire les coudées franches à l'Église catholique et aux élites éducatives protestantes[9].

Il résulte à Montréal un partage des pouvoirs et des responsabilités scolaires entre les catholiques et les protestants. La Commission des écoles catholiques de Montréal (CECM) s'occupe de l'instruction des enfants catholiques, tandis que la Protestant Board School Commissioners of the City of Montreal (PBSCCM) assure celle des enfants protestants. Les commissaires sont nommés par les pouvoirs publics – le gouvernement provincial, le Conseil de Ville et l'archevêché dans le cas spécifique de la CECM – sur la base de la croyance

---

8. Voir Guy Houle, *Le cadre juridique de l'administration scolaire locale au Québec*, Québec, Imprimeur de la Reine, 1966, 167 p. Jean-Yves Lord, *L'aspect législatif de la confessionnalité scolaire au Québec: XIXe et XXe siècles*, mémoire de maîtrise (histoire), Université Laval. Pierre Carignan, « La raison d'être de l'article 93 de la Loi constitutionnelle de 1867 à la lumière de la législation préexistante en matière d'éducation », *Thémis, La Revue juridique*, 52 (1986), p. 375-455.

9. Au sujet de l'évolution des rôles de l'État et de l'Église dans le champ scolaire, voir les travaux de Louis-Philippe Audet, *Histoire du Conseil de l'instruction publique de la province de Québec, 1856-1964*, Montréal, Leméac, 1964, 346 p. et *Histoire de l'enseignement, 1608-1971*, Montréal, Holt, Rinehart et Winston, 1971, 2 volumes. Voir aussi les textes de Ruby Heap: *L'Église, l'État et l'éducation au Québec 1875-1898*, mémoire de maîtrise (histoire), Université McGill, 1978; *L'Église, l'État et l'enseignement primaire public catholique (1897-1920)*, thèse de doctorat (histoire), Université de Montréal, 1987; « Les relations Église-État dans le domaine de l'enseignement primaire public au Québec: 1867-1899 », *Société canadienne d'histoire de l'Église catholique*, Sessions d'étude (1983), p. 183-199. Pour un bilan global de la période 1840-1900, voir Jean-Pierre Charland, *L'entreprise éducative au Québec, 1840-1900*, Sainte-Foy, PUL, 2000, p. 91-120. Voir aussi Roger Magnuson, *The Two Worlds of Quebec Education during the Traditional Era, 1760-1940*, London, The Althouse Press, 2005, 267 p. Le système scolaire protestant a aussi été abordé spécifiquement dans Roderick MacLeod et Mary Ann Poutanen, *A Meeting of the People, School Boards and Protestant Communities in Quebec, 1801-1998*, Montréal, McGill-Queen's University Press, 2004, 507 p.

religieuse. Enfin, à partir de 1869, une taxe scolaire est prélevée sur les propriétés foncières, le montant de laquelle est redistribué entre les écoles publiques catholiques et protestantes d'après la confession des propriétaires. À ce moment, une seule mention est faite des droits scolaires des non-catholiques et des non-protestants. Les propriétés des Juifs sont inscrites sur la liste des « neutres », c'est-à-dire celle des sociétés, des compagnies commerciales, des non-catholiques et des non-protestants. En 1870, les législateurs modifient la loi, qui prévoit désormais que les propriétaires juifs pourront choisir de verser le montant de la taxe scolaire aux écoles catholiques ou protestantes[10].

Le début d'un partenariat (1874-1903)

La division du système scolaire québécois en deux blocs confession-nels a empêché l'émergence d'une école véritablement « publique » qui se serait efforcée d'intégrer les immigrants à la culture de la majorité, comme cela s'est fait dans les autres provinces canadiennes ainsi qu'aux États-Unis[11]. En se définissant exclusivement comme le

---

10. « The New Education Bill », *Journal of Education*, XIII, 5 (mai 1869), p. 88. Pour une analyse plus globale, voir Robert Gagnon, *Histoire de la Commission des écoles catho-liques de Montréal. Le développement d'un réseau d'écoles publiques en milieu urbain*, Montréal, Boréal, 1996, p. 41-45. Le système scolaire à Montréal et à Québec diffère de celui dans le reste de la province. À Montréal et à Québec, les commissions scolaires sont confessionnelles. Ailleurs au Québec, elles sont communes – sans affiliation reli-gieuse –, à l'exception de celles qui font dissidence comme le permet la loi. Depuis 1841, un groupe minoritaire religieux peut se dissocier d'une commission scolaire commune et se constituer dissident. Dans les villes de Québec et de Montréal, les commissaires sont nommés par les pouvoirs publics, tandis que dans le reste du Québec ils sont élus par les propriétaires fonciers. Enfin, les revenus de la taxe scolaire à Montréal et à Québec, instaurée depuis 1869, sont répartis d'après l'appartenance religieuse des propriétaires. Dans le reste du Québec, un tel mode de partage n'existe pas, à moins que sur le territoire de la municipalité scolaire une commission scolaire dissidente se soit constituée et reçoive sa part des revenus en proportion de sa population scolaire. Jean-Pierre Charland, *L'entreprise éducative...*, *op. cit.*, p. 53-73.

11. Au sujet des modèles d'intégration scolaire des immigrants au Canada anglais, voir G. Friesen, *The Canadian Prairies: A History*, Calgary, University of Calgary Press, 1984, p. 242-273. Howard Palmer, « Reluctant Hosts: Anglo-Canadian Views of Multiculturalism in the Twentieth Century », dans R. D. Francis et Donald B. Smith, *Readings in Canadian History, Post-Confederation*, Holt, Rinehart and Winston of Canada Limited, 2006, p. 185-201. Au sujet de la question de l'immigration et du pluralisme culturel et religieux, soulignons les ouvrages suivants : Paul-André Linteau, « La montée du cosmopolitisme montréalais », *Question de culture*, 2, 1982, p. 23-51. Pierre Anctil, « Double majorité et multiplicité ethnoculturelle à Montréal », *Recherches sociographiques*, XXV, 4 (1984), p. 24-25. Fernand Harvey, « L'ouverture du Québec au

siège de l'identité culturelle et religieuse de la société canadienne-française, la CECM s'est intéressée pendant un siècle à l'éducation des catholiques, montrant peu d'intérêt pour les autres groupes religieux. Force est de constater que dans l'ensemble, l'accueil réservé aux non-catholiques par les élites canadiennes-françaises, religieuses et politiques, s'est traduit par un sentiment d'ambivalence caractérisé à la fois par l'hostilité, la méfiance, surtout l'indifférence et aussi parfois un intérêt mitigé qui variait selon les conjonctures. Il reste que les non-catholiques choisissent, dans leur presque totalité, l'école protestante, et ce, en grande partie pour des raisons liées à un meilleur accès à la mobilité sociale et aux avantages socioéconomiques que procure une éducation en anglais[12].

Cependant, l'intégration des non-catholiques dans les écoles protestantes peut aussi être attribuée en grande partie à la politique de la PBSCCM, qui cherche à les courtiser. Les commissaires protestants, dès la fin du XIXᵉ siècle, font des efforts pour attirer les non-catholiques dans leurs écoles et adoptent des mesures pour favoriser leur intégration. Dès sa fondation, la PBSCCM se définit comme une institution chrétienne d'inspiration protestante, dont

---

multiculturalisme», *Études canadiennes/Canadian Studies*, 21, 2, 1986, p. 219-229. Jean R. Burnet et Howard Palmer, *Coming Canadians: An Introduction to a History of Canada's Peoples*, Toronto, McClelland & Stewart, 1988, 253 p. Denise Helly, «The Political Regulation of Cultural Plurality: Foundations and Principles», *Canadian Ethnic Studies*, 25, 2 (1993), p. 15-35. Marie McAndrew et France Gagnon (dir.), *Relations ethniques et éducation dans les sociétés divisées*, Paris, L'Harmattan, 2000, 239 p.

12. La question de l'accès des immigrants non catholiques, notamment des Juifs, aux écoles catholiques a fait couler beaucoup d'encre. Pour avoir une idée du débat, nous suggérons les lectures suivantes: Robert Gagnon, «Pour en finir avec le mythe: le refus des écoles catholiques d'accepter les immigrants», *Bulletin d'histoire politique*, 5, 2 (1997), p. 121-141. Robert Gagnon, «Pour en finir avec le mythe», *Le Devoir*, 1ᵉʳ-2 mai 1999. Robert Gagnon, «L'école anglaise: le choix des immigrants», *Le Devoir*, 3 mai 1999. Robert Gagnon, «Les immigrants et la confessionnalité scolaire», *Le Devoir*, 14 mai 1999. Pierre Anctil, «Rien de plus qu'une tolérance légale», *Le Devoir*, 6 mai 1999. Denis Vaugeois, «Les Juifs, la langue et l'école», *Le Devoir*, 26 février 1999. Denis Vaugeois, «Les Juifs et le choix de l'école», *Le Devoir*, 18 juin 2000. Miguel Simão Andrade, «La Commission des écoles catholiques de Montréal et l'intégration des immigrants et des minorités ethniques à l'école française de 1947 à 1977», *Revue d'histoire de l'Amérique française*, 60, 4, (printemps 2007), p. 455-486. Nos recherches doctorales attestent que des non-catholiques ont fréquenté les écoles de la CECM en nombre infinitésimal – les documents contenus aux archives de cette commission scolaire témoignent de leur présence. Les autorités de la CECM accueillent les non-catholiques et les non-protestants en conformité avec la Loi sur l'Instruction publique. Elles se préoccupent surtout d'intervenir dans les débats pour empêcher une décision gouvernementale qui modifierait le partage de la taxe scolaire au désavantage de la CECM.

l'enseignement repose en partie sur les principes généraux de la Bible[13]. Toutefois, bien que fortement attachées au caractère chrétien de leurs écoles, les élites protestantes véhiculent aussi une autre conception de l'éducation, celle d'un système scolaire qui regrouperait tous les non-catholiques.

La Confédération canadienne de 1867 confirme le statut minoritaire des anglo-protestants de la province de Québec. Cette nouvelle situation provoque un sentiment d'état de siège au sein de la population protestante, laquelle appréhende un coup de force de la majorité franco-catholique qui limiterait ses droits scolaires ou qui s'en prendrait à ses institutions sociales et éducatives[14]. Au lendemain de la Confédération, les dirigeants scolaires protestants tentent de se faire confier par les diverses instances politiques et éducatives la responsabilité d'éduquer tous les non-catholiques et de percevoir le montant de leurs taxes scolaires. Ils souhaitent élaborer un front commun qui ferait contrepoids à la montée de l'Église catholique dans le champ éducatif, une influence jugée menaçante pour leurs acquis scolaires[15]. Toutefois, les dirigeants scolaires protestants n'envisagent pas de partager leurs prérogatives éducatives avec les autres non-catholiques. Le système d'éducation doit demeurer sous le contrôle des protestants. Une contradiction qui sera source de tensions dans les décennies suivantes[16].

---

13. Reverend Jenkins, «Opening of the Royal Western School Montreal», *Journal of Education*, XIV, 1, (janvier 1870), p. 43.
14. J. William Dawson, *On Some Points of the History & Prospects of Protestant Education in Lower Canada. A Lecture, Delivered by Principal Dawson, Before the Association of Teachers in Connection with the McGill Normal School, Dec., 1864.* (1864), p. 4-11. Archives McGill University (AMGU).
15. «Proposed Consolidation of the Acts Relating to Public Instruction, Province of Quebec», *The Educational Record*, 1, 4, (novembre 1881), p. 461. Au sujet de la pensée de l'ultramontanisme au Québec, voir Nadia F. Eid, *Le clergé et le pouvoir politique au Québec. Une analyse de l'idéologie ultramontaine au milieu du XIXe siècle*, Montréal, HMH, 1978, 318 p. Nive Voisine et Jean Hamelin (dir.), *Les ultramontains canadiens-français. Études d'histoire religieuse présentées en hommage au professeur Philippe Sylvain*, Montréal, Boréal, 1985, 347 p. Jean Hamelin et Nicole Gagnon, *Histoire du catholicisme québécois. Le XXe siècle*, tome 1: *1898-1940*, Montréal, Boréal Express, 1984, 425 p. Philippe Sylvain et Nive Voisine, *Histoire du catholicisme québécois. Réveil et consolidation*, tome 2: *1840-1898*, Montréal, Boréal, 1991, 507 p.
16. Au sujet des efforts de la PBSCCM pour constituer un secteur éducatif non catholique, voir Jean-Philippe Croteau, «Les immigrants et la Commission des écoles protestantes du Grand Montréal (1864-1931)», dans Jean-Michel Lacroix et Paul-André Linteau (dir.), *Vers la construction d'une citoyenneté canadienne*, Paris, Presses Sorbonne Nouvelles, 2006, p. 31-48.

À l'époque, les non-catholiques et les non-protestants sont surtout représentés par la communauté juive regroupée autour de deux congrégations. Établie à Montréal depuis le xviiie siècle, la congrégation hispano-portugaise (Shearith Israel) compte parmi ses adhérents les membres les plus éminents et les plus prospères de la communauté juive. La congrégation germano-polonaise (Shaar Hashomayim) est constituée essentiellement d'immigrants arrivés dans les années 1840 en provenance d'Europe centrale[17]. Dès le début des années 1870, les deux congrégations aménagent des écoles religieuses dans le sous-sol de leurs synagogues. La PBSCCM tisse rapidement des liens avec ces congrégations. D'origines américaine et britannique principalement, les dirigeants de la communauté juive adhèrent aux valeurs et à la culture britanniques. Ils souhaitent donc s'associer tout naturellement au secteur éducatif protestant pour pénétrer de plain-pied dans l'univers culturel britannique riche en promesses d'ascension sociale[18].

Les premières ententes entre les congrégations et la PBSCCM sont signées en 1877 et en 1878. Les propriétaires juifs des deux congrégations s'engagent à verser leurs taxes scolaires à la PBSCCM et celle-ci leur alloue pour le financement de leur école une subvention annuelle qui comprend un salaire pour le professeur d'hébreu. De 1877 à 1880, le montant de la subvention oscille entre 600 et 1 200 $[19]. Subventionner des écoles religieuses ne plaît guère aux

---

17. Voir Alti Rodal, «Institutions et tendances religieuses jusqu'aux années trente», dans Pierre Anctil et Gary Caldwell (dir.), *Juifs et réalités juives au Québec*, Québec, IQRC, 1984, p. 173-181. En 1768, les premiers immigrants juifs d'origine britannique et américaine fondent la Congrégation hispano-portugaise, appelée aussi *Shearith Israel* («Restes d'Israël»), et adoptent le rite sépharade. À partir du xixe siècle, de nouveaux immigrants juifs en provenance d'Europe centrale s'établissent à Montréal. Peu familiers avec le rite sépharade, ils privilégient plutôt le rite ashkénaze. Rappelons que le terme *sépharade* fait référence aux Juifs expulsés d'Espagne, en 1492, qui se sont réfugiés en Afrique du Nord, tandis que le terme *ashkénaze* est associé aux Juifs de l'Allemagne, de la Pologne et de la Russie. En 1846, une nouvelle congrégation est fondée, la Congrégation germano-polonaise, où le rite ashkénaze est à l'honneur, et qui portera plus tard le nom de *Shaar Hashomayim* («Portes des cieux»). Chacune des deux synagogues ouvre une école où l'enseignement religieux est dispensé suivant leurs rites respectifs. En 1874, un projet de fusion des deux écoles avorte. Les congrégations se tournent alors vers la PBSCCM pour obtenir des subventions en échange du versement des taxes scolaires des propriétaires juifs à la liste protestante. Arlette Corcos, *Montréal, les Juifs..., op. cit.*, p. 23-31.

18. Pour une description des élites sociales de la communauté juive à Montréal, voir Tulchinsky, *Taking Root, op. cit.*, p. 59-60 et 64-78.

19. 7 juin 1877, *Minute Book, PBSC*: 10 janvier 1878, *Minute Book, PBSC*. Archives du English Montreal School Board (AEMSB).

commissaires protestants, partisans d'une école « *non sectarian* ». Pour eux, il s'agit d'une mesure temporaire en attendant que la commission scolaire dispose de revenus suffisants pour étendre son réseau d'écoles publiques à l'ensemble du territoire de la métropole[20]. Il reste que la commission scolaire fait des économies avec cette formule. L'éducation d'un enfant protestant coûte 11,49 $ à la PBSCCM, tandis que celle d'un enfant juif dans les écoles privées s'élève à peine à 7,49 $[21]. Cependant, les difficultés économiques au début des années 1880 forcent l'arrêt des subventions. En 1882, la PBSCCM annonce de nouvelles directives. Désormais, les enfants juifs des deux congrégations seront regroupés dans l'une des écoles de la PBSCCM. Un professeur sera engagé cependant pour l'enseignement de l'hébreu[22].

Cette nouvelle entente ne satisfait guère la plus fortunée des deux congrégations. En 1886, la congrégation hispano-portugaise tire sa révérence et négocie un arrangement avec la CECM – comme le lui permet la loi – beaucoup plus alléchant pour la viabilité de son école. À partir de 1886, elle verse ses taxes scolaires à la CECM, qui lui remet 80 % de la somme pour financer son école[23]. Ainsi, l'école de la congrégation hispano-portugaise accueille 30 enfants, mais retire de la taxe scolaire la rondelette somme de 1 760 $, tandis que la PBSCCM perçoit 600 $ pour instruire 174 enfants juifs. L'entente provoque la colère de la PBSCCM, qui menace de fermer les portes de ses écoles aux enfants juifs ainsi qu'à tous ceux dont les parents ne contribuent pas aux ressources financières de la PBSCCM[24]. Ce n'est qu'en 1894

20. 7 juin 1877, *Minute Book, PBSC*; 3 novembre 1879, *Minute Book, PBSC*. AEMSB.
21. *Statement of Revenue and Expenditure of the Protestant Board of School Commissioners, Montreal, from 1st July, 1880, to 30th June, 1881*. AEMSB.
22. 28 juillet 1882, *Minute Book, PBSC*. AEMSB.
23. 9 juin 1886, 5 juillet 1886. *Extrait des délibérations du Bureau des Commissaires Catholiques de Montréal, en re les Juifs espagnols et portugais.* Sujet : non-catholiques non-protestants, DHI 179. Archives de la Commission scolaire de Montréal (ACSDM). La congrégation hispano-portugaise regroupe les membres les plus fortunés de la communauté juive. Ceux-ci sont plutôt mécontents de la nouvelle politique de la PBSCCM. En effet, bien que leurs enfants composent près de la moitié des élèves juifs aux écoles protestantes, les membres de cette congrégation paient 85 % des taxes scolaires prélevées sur les propriétés juives. L'entente contractée avec la CECM met l'école de la congrégation hispano-portugaise dans une position financière beaucoup plus avantageuse. 29 juin 1882, 28 juillet 1882, 14 septembre 1882, 8 novembre 1883, 13 juin 1886. *Minute Book, PBSC*. AEMSB.
24. *Report of the Protestant Board School Commissioners, for Montreal. 1886-87, 1887-88, 1888-89*, p. 9. AEMSB.

que la congrégation hispano-portugaise accepte de retourner au bercail sous les pressions de la majorité de la communauté juive, de la presse de langue anglaise et de la PBSCCM. Néanmoins, un poste de professeur d'hébreu est accordé au rabbin de la congrégation hispano-portugaise[25].

En 1890, en pleine tourmente scolaire, l'Institut Baron de Hirsch, un organisme philanthropique fondé par l'élite juive montréalaise grâce à la générosité du millionnaire bavarois Maurice Baron de Hirsch, ouvre une école à Montréal. L'école Baron de Hirsch accueille les enfants des immigrants juifs et leur offre une formation séculière pour les familiariser avec les coutumes et les lois de leur pays d'accueil ainsi que pour leur apprendre les rudiments de l'anglais. Après avoir achevé les quatre premières années élémentaires à l'école Baron de Hirsch, ces enfants poursuivent leur scolarité dans les écoles de la PBSCCM. À partir de 1894, cette dernière consent à verser à l'école Baron de Hirsch une subvention de 2 000 $, somme qui s'élèvera à 2 795 $ trois ans plus tard. Ainsi, l'école Baron de Hirsch éduque à peu de frais des centaines d'enfants juifs pour la PBSCCM. Il en coûte à la PBSCCM à peine 8 $ pour chaque enfant qui fréquente l'école Baron de Hirsch, contre 17 $ pour un enfant inscrit dans ses propres écoles[26].

La crise scolaire a divisé la communauté juive en deux camps distincts. La congrégation hispano-portugaise valorise une éducation religieuse au sein de son école financée en partie par la taxe scolaire. À l'opposé, les représentants de l'Institut Baron de Hirsch privilégient une conception de l'éducation beaucoup plus libérale et séculière. Ils sont davantage préoccupés par l'intégration des enfants juifs au système scolaire protestant, porte d'entrée à la mobilité sociale, que par l'établissement d'écoles religieuses. Lors de la crise scolaire, l'Institut Baron de Hirsch s'avère un allié indéfectible de la PBSCCM. Les membres de l'Institut s'opposent à l'enseignement de l'hébreu dans les écoles. Ils partagent l'avis des commissaires selon

---

25. 13 décembre 1894, *Minute Book, PBSC.* AESMB.
26. 27 mai 1895, 2 mai 1898, *Minute Book, PBSC.* AEMSB. Pour de plus amples informations sur l'école Baron de Hirsch, voir Jean-Philippe Croteau, « L'héritage de l'Institut du Baron de Hirsch : entre la commission protestante et l'école Peretz (1880-1920) », *Bulletin du Regroupement des chercheurs et chercheures en histoire des travailleurs et des travailleuses du Québec (RCHTQ)*, 28, 1 (printemps 2002), p. 55-65.

lequel l'enseignement des dogmes religieux relève de la sphère privée et n'a pas sa place à l'école publique[27].

L'entente signée en 1894 demeure extrêmement fragile, puisqu'elle peut être résiliée à tout moment par les deux parties au gré des crises et des tensions. Moins d'une décennie plus tard, une nouvelle crise se profile à l'horizon. Un élève juif, Jacob Pinsler, se voit refuser par la commission scolaire une bourse d'études à laquelle il a droit parce que ses parents ne paient pas de taxe scolaire. Appuyés par les membres les plus en vue de la communauté juive, les parents de Jacob Pinsler portent l'affaire devant les tribunaux. Le juge de la Cour supérieure, J. Davidson, reconnaît le bien-fondé de l'argumentation de la PBSCCM. L'accès des Juifs aux écoles protestantes demeure un privilège et non un droit dont les conditions sont fixées par la commission scolaire. Le seul droit dont dispose la communauté juive est celui d'inscrire leurs propriétés sur la liste catholique ou protestante. Toutefois, le juge Davidson presse le gouvernement de légiférer sur cette question pour régulariser la situation scolaire des Juifs[28].

En 1903, l'Institut Baron de Hirsch négocie avec la PBSCCM une nouvelle entente qui sera entérinée par le gouvernement provincial. La congrégation hispano-portugaise est exclue des négociations. Au terme de cette entente, les Juifs sont désormais considérés comme « protestants » à des fins scolaires et financières. Ils disposent des mêmes droits, devoirs et privilèges que les protestants. Ils versent leurs taxes scolaires aux écoles protestantes. Les élèves juifs sont exemptés des périodes allouées à l'enseignement de la morale chrétienne et obtiennent congé lors de leurs fêtes religieuses. L'enseignement de l'hébreu est aboli. Finalement, la subvention accordée à l'école Baron de Hirsch prend fin en 1907, malgré les protestations de ses fondateurs, et l'école ferme ses portes la même année[29].

---

27. 9 mars 1899, 12 décembre 1901, 9 janvier 1902, *Minute Book, PBSC.* AEMSB. Lettre de D. A. Ansell à W. G. Parmelee, 6 octobre 1902, *Education, 1902. History of Chronology, 1846-1989,* ZC, Archives du Congrès juif Canadien (ACJC).

28. « The Question of Scholarships in the Public Schools », *Jewish Times,* 6 décembre 1901. *Report of the Protestant Board of School Commissioners for Montreal, From September, 1901, to September, 1902,* p. 9. Cour supérieure, Pinsler ès quality v. The Protestant Board of School Commissioners, p. 365-381, 1903, *Education, History of Chronology, 1846-1989,* ZC, Archives du Congrès juif canadien, ACJC.

29. 2 mars 1903, *Minute Book, PBSC.* AEMSB. Voir aussi « Jewish Children and Protestant Schools », *Montreal Daily Star,* 5 mars 1903. « Government Receives Deputation of Jews. Prominent Hebrew Citizens of Montreal Ask for Equal Educational Rights

De l'utopie à la quasi-rupture (1903-1931)

Bien accueillie à ses débuts, la loi de 1903 ne tarde pas à représenter un profond malentendu politique. Dans l'esprit des commissaires protestants, elle constitue un *matter of grace*, c'est-à-dire un privilège librement consenti aux Juifs de fréquenter leurs écoles, un privilège qui ne s'accompagne pas d'un droit de regard sur l'administration de leur commission scolaire. Pour les dirigeants de la communauté juive qui s'inspirent du modèle américain, la loi de 1903, porteuse d'un esprit démocratique et égalitaire, se révèle être le premier pas vers l'école sécularisée.

Le fossé séparant les deux interprétations de la loi rend l'affrontement inévitable. Quelques années plus tard, les dirigeants de la communauté juive lancent sur la place publique la question de la nomination des commissaires juifs et de l'embauche de professeurs juifs à la PBSCCM au nom du respect des principes démocratiques et égalitaires que sous-tend, selon eux, la loi de 1903. La PBSCCM reste intraitable sur la question de la nomination des commissaires juifs. Pour ses dirigeants, cette mesure équivaudrait à faire rentrer un cheval de Troie dans l'enceinte de la commission scolaire et menacerait le caractère chrétien de ses écoles. L'affrontement atteint son point culminant en 1917, après une décennie de rivalités. Les commissaires protestants menacent de rompre le pacte de 1903 si les représentants de la communauté juive continuent à persister dans leurs revendications. Ceux-ci n'ont d'autre choix que de reculer[30]. Les commissaires protestants sont plus conciliants sur la question de l'embauche de professeurs juifs, alors que la presse de langue anglaise

---

for their Children», *The Gazette*, 28 février 1903. «Jewish Children and Protestant Schools», *Montreal Daily Star*, 5 mars 1903. «Jewish School Question, Deputation Interviews the Governement», *The Jewish Times*, 13 mars 1903. «Loi amendant les lois concernant l'instruction publique relativement aux personnes professant la religion judaïque», Statuts du Québec, chapitre 16, 25 avril 1903 (3 Edouard VII). Elson I. Rexford, *Our Educational Problem. The Jewish Population and the Protestant Schools*, Montréal, Renouf Publishing Company, 1923, p. 17-22. Au sujet des tractations entre la PBSCCM et les dirigeants de la communauté juive qui ont conduit à l'adoption de la loi de 1903, voir Jean-Philippe Croteau, «La question de la taxe scolaire à Montréal au XIXᵉ siècle: un nouveau regard sur l'intégration des Juifs (1870-1903)», *Canadian Ethnic Studies/Études ethniques canadiennes*, présentement en évaluation.

30. Elson Irving Rexford, Our Educational Problem..., *op. cit.*, p. 34-35. Voir Jean-Philippe Croteau, «Le mode de nomination des commissaires à la PBSCCM et la communauté juive: confessionnalité et démocratisation (1906-1931)», *Association des études juives canadiennes/Association for Canadian Jewish Studies* (à paraître).

encourage la PBSCCM à faire certaines concessions vis-à-vis de la communauté juive. À partir de 1913, les premiers enseignants juifs sont engagés à la PBSCCM[31].

La pierre d'achoppement du pacte scolaire entre les Juifs et les protestants demeure néanmoins la question financière. Au début, les Juifs représentent un groupe négligeable par rapport à l'ensemble du nombre d'élèves qui fréquentent la PBSCCM. Toutefois, la situation change rapidement au tournant du XXe siècle. Entre 1900 et 1930, des dizaines de milliers d'immigrants juifs d'Europe centrale arrivent à Montréal pour fuir les persécutions religieuses et améliorer leur sort. Entre 1892 et 1902, le nombre d'élèves juifs à la PBSCCM passe de 344 à 1775, puis atteint 13 954 près de 20 ans plus tard (voir graphique 1). Notons toutefois que la contribution des propriétaires juifs aux revenus de la PBSCCM ne s'accroît pas au même rythme. Constituée en général d'immigrants pauvres et démunis, la population juive compte peu de propriétaires fonciers. Ainsi, la proportion des élèves juifs à la PBSCCM s'élève à environ 40% pendant les années 1920, tandis que les propriétaires juifs ne fournissent que de 20 à 25% des revenus de la taxe scolaire[32].

Pour les commissaires protestants, en plus de diluer le caractère protestant de leurs écoles, ces nouveaux arrivants représentent une charge financière qui risque d'acculer la PBSCCM à la faillite. En 1921, excédée par de nombreux déficits qu'elle attribue à la communauté juive, la PBSCCM réclame au gouvernement provincial l'abrogation de la loi de 1903. L'accès des enfants juifs aux écoles protestantes dépendra désormais du bon vouloir des commissaires protestants qui jugeront si les circonstances économiques permettent de les accueillir[33].

La communauté juive se mobilise immédiatement pour faire face à cette épée de Damoclès suspendue au-dessus de sa tête. La belle unanimité d'antan ne règne plus. En effet, jusqu'aux années 1920,

---

31. En 1913, les commissaires protestants acceptent d'engager les premiers professeurs juifs au compte-goutte. En 1924, 70 des 1000 instituteurs et institutrices de la PBSCCM sont de religion juive. *The Jewish Times*, 13 novembre 1908. *The Jewish Times*, 20 juin 1913. 12 juin 1913, *Minute Book, PBSC*. AEMSB. Leon D. Cresthol, *The Jewish School Problem in the Province of Quebec. From its origin to the present day*, Eagle Publishing Co Ltd, 1926, p. 7.

32. Elson I. Rexford, *Our Educational Problem. The Jewish Population and the Protestant Schools*, Montréal, Renouf Publishing Company, 1928, p. 29-36.

33. *Protestant School Board Commissioners. Memorandum Regarding Education of Foreigners in Montreal*, 5-Services, 14-Services des finances, Généralités, ACSDM.

le discours des élites juives avait constitué un front relativement uni souffrant très peu de discordances. L'immigration massive des dernières décennies a modifié radicalement le portrait social de la communauté juive à Montréal. À l'origine, la communauté juive se constituait de membres d'origines britannique et américaine établis à Montréal depuis la fin du XVIIIᵉ siècle et le début du XIXᵉ siècle. Ils sont surnommés les *uptowners* parce qu'ils habitent le haut de la Montagne dans les municipalités d'Outremont et de Westmount. Ils se confondent avec l'élite anglo-protestante : ils partagent avec elle des liens d'affaires, fréquentent les mêmes clubs mondains et résident dans les mêmes quartiers cossus. Ils tiennent mordicus au maintien du concordat scolaire de 1903, dont ils revendiquent la paternité et qui a ouvert, selon eux, les portes de l'ascension sociale à la communauté juive. Les *uptowners* valorisent une école sécularisée et démocratique qui favoriserait l'intégration sociale des Juifs à la société anglo-canadienne.

Les nouveaux arrivants sont d'abord accueillis au sein des institutions «britannisantes» créées par les *uptowners* au sein desquelles ils ne se reconnaissent pas. Les *downtowners* résident dans les quartiers ouvriers au bas de la Montagne le long du boulevard Saint-Laurent. Ils ne tardent pas à mettre sur pied des institutions communautaires notamment des écoles privées. Ils se montrent promoteurs d'une école séparée où seraient transmises les valeurs et les traditions culturelles et religieuses juives, d'une école qui protégerait la communauté juive des affres de l'assimilation que fait peser sur elle une éducation dans des écoles à majorité anglo-saxonne et protestante. Une vision à laquelle les *uptowners* sont fermement opposés, celle-ci ne pouvant conduire selon eux qu'à la ségrégation et à la ghettoïsation[34].

---

34. Rappelons que les *downtowners* ne forment pas un bloc homogène contrairement aux *uptowners*. Les orthodoxes prônent une application intégrale des lois religieuses dans la vie quotidienne, tandis que les socialistes et les sionistes travaillistes attachent de l'importance aux traditions et à la religion en tant que manifestations de la culture juive tout en faisant la promotion des principes de l'égalité et de la justice sociale. En 1896, les orthodoxes fondent une première école, Talmud Torah. En 1917, devant l'expansion de ces écoles, l'United Talmud Torah est fondé et regroupe les six écoles. À leur tour, les socialistes fondent en 1913 et en 1914 les écoles Peretz et Jewish People. Au tout début, ces écoles offrent des cours après les heures d'enseignement régulier des écoles de la PBSCCM, avant de se constituer véritablement en établissements privés dans les années 1930. Lors de la crise scolaire des années 1920, malgré leurs divergences d'idées, ces deux groupes acceptent de constituer une union sacrée pour faire front commun contre les prétentions des *uptowners*. Au sujet de l'histoire de ces écoles, voir Corcos, *Montréal, les Juifs et l'école...*, *op. cit.*, p. 155-178. Pierre Anctil

Devant le différend qui oppose la PBSCCM à la communauté juive, le gouvernement libéral de Louis-Alexandre Taschereau met sur pied, en 1924, une commission d'enquête chargée d'examiner diverses questions scolaires dont l'éducation des enfants juifs à Montréal. Les dépositions des mémoires à la commission royale d'enquête révèlent les tensions communautaires qui assaillent la population juive de Montréal. Les *uptowners* réclament que la loi de 1903 soit reconduite avec des garanties de représentation des commissaires, tandis que les *downtowners* revendiquent l'instauration d'un réseau d'écoles juives financé par les fonds publics. D'autre part, les intervenants catholiques et protestants prennent position pour le maintien du caractère confessionnel du système scolaire et s'opposent à la création d'une commission scolaire juive[35].

Devant ce concert d'opinions diverses, la commission royale d'enquête recommande aux tribunaux de trancher la question. La Cour suprême, en 1926 et en 1928, le Conseil privé de Londres, la plus haute instance judiciaire de l'Empire britannique, reconnaissent le droit des Juifs de fréquenter les écoles des commissions scolaires existantes. Les tribunaux statuent aussi sur la légalité d'une commission scolaire juive, à condition qu'elle ne menace pas les droits acquis des catholiques et des protestants garantis par l'article 93 de la Constitution canadienne. À la suite de ces jugements, le gouvernement Taschereau décide d'aller de l'avant. Bien qu'il privilégie la voie du compromis, une entente entre les deux parties paraît très peu probable, tant ils sont à couteaux tirés. En 1930, le gouverne-

---

lance l'hypothèse dans certains de ses travaux que la volonté d'autonomie culturelle des dirigeants *downtowners* trouvait un modèle d'émulation dans l'existence du système scolaire confessionnel à Montréal. Bien que les élites éducatives catholiques fussent pour la plupart franchement hostiles à un réseau public d'écoles juives, il reste que pour les promoteurs scolaires juifs cette détermination des Canadiens français à défendre la confessionnalité du système d'éducation au Québec demeurait une source d'inspiration, un modèle à suivre et à réaliser. Notre examen des articles et de la ligne éditoriale du *Canadian Jewish Times* confirme l'existence de ce discours. Quant à savoir si ce discours était prépondérant parmi les promoteurs scolaires *downtowners*, il faudrait une analyse plus complète. Voir Simon Belkin, *Di Poale-Zion Bavegung in Kanada. Le mouvement ouvrier juif au Canada, 1904-1920*, traduit du yiddish par Pierre Anctil, Sillery, Septentrion, 1999, 390 p. Hirsch Wolofsky, *Mayn Lebns Rayze. Un demi-siècle de vie yiddish à Montréal*, traduit du yiddish par Pierre Anctil, Sillery, Septentrion, 2000, 394 p. *Through the Eyes of the Eagle: The Early Montreal Yiddish Press (1907-1916)*, traduit par David Rome, Véhicule Press, 2001, 186 p.

35. *Rapport de la Commission spéciale d'Éducation*, (1925), p. 19-44. Commissions royales d'enquête. ACSDM.

ment Taschereau vote donc une loi qui vise à créer une commission scolaire juive en vue d'établir et d'administrer des écoles juives. Une clause insérée dans le texte de loi, à la demande des *uptowners*, permet à la future commission scolaire de contracter des ententes tant avec la CECM qu'avec la PBSCCM[36].

L'entrée d'un nouveau joueur, non chrétien par ailleurs, inquiète les élites éducatives et religieuses catholiques et protestantes qui n'entendent pas partager leurs prérogatives scolaires. Auparavant, les écoles privées juives avaient conclu avec les commissions scolaires des ententes d'associations, mais celles-ci ne remettaient pas en cause la mainmise des élites catholiques et protestantes sur la sphère éducative. Les présidents des deux commissions scolaires écrivent au premier ministre Taschereau pour lui faire part de leurs réticences vis-à-vis de la création d'un organisme scolaire qui échapperait au contrôle d'une administration chrétienne[37]. La réaction la plus violente vient de l'épiscopat catholique et de la presse clérico-nationaliste, qui voient dans cette loi une brèche dans le monopole exercé par les chrétiens sur le système d'éducation. Dans une campagne très agressive aux accents antisémites, les évêques dénoncent cette loi qui, selon eux, dénature le pacte scolaire entre les catholiques et les protestants et prépare le terrain à l'étatisation de l'éducation et à la création d'écoles neutres[38].

La commission scolaire ne verra pas le jour. Le gouvernement Taschereau a pris soin de nommer à la tête de la commission trois *uptowners* sur les cinq commissaires. Évincés du processus décisiónnel, les *downtowners* ne peuvent empêcher la signature d'une

---

36. *Bill/Loi concernant l'éducation de certains enfants dans Montréal et Outremont*, p. 3-5. Bill 32, Sujets : Non Catholiques Non Protestants, DHI 179. ACSDM.
37. Commission pédagogique, 4 avril 1930, *LDC*. ACSDM. 14 mars 1930, *Minute Book, PBSC*. AEMSB.
38. Voir le discours de l'archevêque de Montréal, Mgr Gauthier, « Discours de Mgr l'archevêque à l'oratoire Saint-Joseph. Projet de la commission scolaire juive », *La Semaine Religieuse*, LXXXXIX, 12 (20 mars 1930), p. 185. Face aux violences des attaques des évêques et de la presse clérico-nationaliste, le *Canadian Jewish Chronicle* ne tarde pas à réagir. Voir la réplique du *Canadian Jewish Chronicle* : « Cardinal Supervision », *Canadian Jewish Chronicle*, 13 juin 1930. « Reactions of the New School Law », *Canadian Jewish Chronicle*, 25 avril 1930. Pour un bilan de l'antisémitisme et notamment du rôle de la presse francophone, voir Jean-Philippe Croteau, « L'antisémitisme au Canada anglais et au Canada français (1900-1945) : similarités et distinctions », www.Uhearst.ca/pdf/antisémitisme.pdf. Pour les débats autour des écoles juives à l'Assemblée législative, voir Jocelyn Saint-Pierre, « Les écoles juives et les débats parlementaires de l'Assemblée législative du Québec », *Études juives canadiennes*, 9 (2001), p. 210-250.

entente entre la PBSCCM et la commission scolaire juive qui reprend un à un les éléments de la loi de 1903. La nouvelle loi adoptée en 1931 écarte complètement la possibilité de nommer des commissaires juifs. Bref, c'est le retour à la case départ. La PBSCCM parvient aussi à obtenir du gouvernement provincial un nouveau partage avantageux de la taxe scolaire[39]. Cet épisode laissera de profondes cicatrices au sein d'une communauté juive divisée. Amers et déçus, les *downtowners* désertent la place publique et se replient derrière leurs institutions communautaires.

L'émergence d'un acteur éducatif : les écoles privées (1931-1960)

Au lendemain de la Seconde Guerre mondiale, la communauté juive connaît un important processus de mobilité sociale. Scolarisés depuis deux générations dans les *high schools*, les membres de la communauté juive parviennent à se hisser au sommet de l'échelle sociale en accédant aux professions libérales. Cette fois-ci, la donne est complètement inversée. Depuis la fin des années 1930, les propriétaires juifs contribuent dans une proportion grandissante aux ressources financières de la PBSCCM. De la fin des années 1930 à la fin des années 1950, la proportion des taxes scolaires payées par les propriétaires juifs passe de 31 à 70 % et atteint même 74 % en 1962, ce qui permet à la PBSCCM d'engranger d'importants surplus (voir graphique 2)[40]. Ce rapport de force insuffle une nouvelle assurance à la communauté juive, qui n'hésite pas à revendiquer vigoureusement des changements dans la sphère scolaire.

La scolarisation dans les écoles publiques protestantes a consolidé la position sociale de la communauté juive, qui peut désormais investir des sommes d'argent considérables dans l'éducation de ses enfants au sein d'écoles privées. Ce mouvement prend de l'ampleur dès la fin des années 1930. À cette époque, moins de 1 % des enfants juifs fréquentaient une école privée. Vingt ans plus tard, ces institutions attirent le cinquième de la population scolaire juive (voir

---

39. *Bill Loi concernant l'éducation de certains enfants dans Montréal et Outremont.* Bill 32, Sujet: Non Catholiques Non Protestants, DHI 179. ACSDM.

40. Roméo Delcourt, *Relevé des taxes scolaires de la liste n° 2 de la Cité de Montréal, encaissées par The Protestant School Board of Greater Montreal, au cours des études 1945-1946 à 1958-1959 inclusivement. 24 octobre 1959.* Non-Catholiques Non-Protestants. DI 179. Archives de la Commission scolaire de Montréal (ACSDM).

graphique 3). Le nombre des écoles privées passe au cours de cette période de deux à treize[41].

Face à la multiplication de ces institutions privées, les représentants des écoles privées juives conviennent de la nécessité de créer un organisme central pour coordonner leurs activités. En février 1954, le Council of Jewish Educational Institutions est fondé. Il se voit immédiatement confier la question épineuse du financement des écoles privées basé essentiellement sur la générosité des donateurs et le sacrifice des parents. Dans une pétition adressée au gouvernement Duplessis en 1954, le Council dénonce le fait que les écoles privées juives ne reçoivent aucun denier de l'État même si les matières profanes enseignées sont inspirées du programme d'études de la PBSCCM. De plus, les parents sont doublement pénalisés, car ils doivent à la fois assumer des droits de scolarité onéreux pour envoyer leurs enfants à l'école privée et payer la taxe scolaire pour les écoles protestantes. Le Council réclame donc que les écoles privées juives reçoivent leur part des montants de la taxe scolaire et des subventions gouvernementales. Les promoteurs de l'école privée juive formulent une conception éducative toute nouvelle. Ils tendent à considérer leurs écoles comme « publiques », puisqu'elles jouent un rôle comparable aux écoles publiques catholiques et protestantes en assurant l'éducation de la communauté juive sans distinction de l'origine sociale. Ces écoles devraient avoir droit au financement de l'État au même titre que celles des commissions scolaires catholiques et protestantes[42].

Cependant, cette requête reste lettre morte auprès du gouvernement provincial. De surcroît, elle ne reçoit pas l'appui de l'organisme le plus important de la communauté juive, le Congrès juif canadien. Fondé en 1919, le Congrès juif canadien a constitué le fer de lance de la lutte contre l'antisémitisme au Canada dans les années 1930. Dans l'après-guerre, il regroupe une partie importante des élites politiques et sociales de la communauté juive. Celles-ci montrent

41. *Enrolment of Jewish Children in Protestant Schools & Jewish Day Schools in Metropolitan Montreal. Education Jewish Day Schools – Submissions to Quebec Gvt.*, p. 2-40. CJC Year ZA 1958 02931 ACJC.

42. « Council of Jewish Educational Institutions of Greater Montreal », *Inter-Office Information*, 1851, (25 août 1954), ACJC. « Jewish Day Schools in Montreal Asking Provincial Governement for Support », *Inter-Office Information*, (I.O.I) 1858 (13 septembre 1954). *Education Jewish Day Schools – Submissions to Quebec Gvt.*, p. 2-20. CJC Year ZA 1958 02931 ACJC.

peu de sympathie pour les écoles privées juives, associées principalement aux mouvements religieux orthodoxes et sionistes de gauche (travaillistes) ou aux promoteurs de la culture yiddish, qui sont à leurs yeux synonymes de ghettoïsation et de repli communautaire. Elles préfèrent promouvoir un régime scolaire public et sécularisé. La principale préoccupation du Congrès juif canadien reste surtout la question de la nomination des commissaires juifs à la PBSCCM[43]. Dans les années 1950, les promoteurs de l'école privée juive représentent un groupe minoritaire peu organisé et sans influence politique au sein de la communauté juive. Les débats sur la place des institutions privées dans le système scolaire québécois lors de la commission royale d'enquête sur l'éducation, une décennie plus tard, leur permettront d'asseoir leur légitimité.

À la recherche d'un nouveau *modus vivendi* (1960-1973)

Dans les années 1960, le Québec connaît un bouillonnement politique et social sans précédent. Le Congrès juif canadien est l'une des premières organisations de la communauté juive à prendre conscience de l'ampleur des changements qui s'annoncent. Enthousiaste, il n'entend pas rester à l'écart et joint sa voix aux réformistes canadiens-français qui réclament à l'unisson une réforme du système d'éducation. Le Congrès juif canadien n'hésite pas à prophétiser – à tort – la fin des frontières confessionnelles au sein du système scolaire québécois. L'abolition de l'article 93 de l'AANB, laquelle est son principal cheval de bataille, accorderait selon lui l'égalité aux Juifs sur le plan scolaire[44]. Dans ce contexte, le Congrès juif canadien engage une partie de bras de fer avec la PBSCCM au sujet de la nomination de commissaires juifs. D'abord fermement opposés à toute concession sur cette question litigieuse, les dirigeants de la PBSCCM doivent faire face à une opinion publique qui, dans les années 1960, souhaite une démocratisation des instances scolaires. De plus en plus isolée au sein même de la collectivité anglo-montréalaise, la PBSCCM doit traiter avec la communauté juive. Une entente survient en 1965, entérinée par le Parlement. Elle

---

43. *Submission to Judge Tremblay, Chairman and members of the Royal Commission of Inquiry of Constitutional Problems of Quebec by the Canadian Jewish Congress,* (December 1954): II.
44. « Quebec's New School System », *Congress Bulletin*, 22, 6 (juin 1966). (ACJC).

prévoit la nomination de 5 représentants de la communauté juive sur les 25 commissaires de la PBSCCM. En 1973, la longue lutte pour la démocratisation scolaire est parachevée par l'instauration de l'élection des commissaires au suffrage universel[45].

Les tentatives du Congrès juif canadien pour la démocratisation du système d'éducation se soldent par un succès après plus de 60 ans de revendications sur cette question. Toutefois, il en va autrement de la laïcisation du système scolaire. Des voix dissonantes s'élèvent au sein de la communauté juive pour contester la vision sécularisée du système scolaire qui adopte le Congrès juif canadien. Lors d'une vaste consultation publique, le Congrès juif canadien prend conscience des oppositions que suscite son projet d'école laïque parmi la communauté juive. De plus, le Congrès juif canadien fait face à une autre difficulté. Depuis les années 1950, un nouveau groupe d'immigrants, les Juifs sépharades, quitte le Maroc, protectorat français nouvellement indépendant, pour s'établir principalement en France, en Belgique et au Québec. D'abord accueillis au sein des structures d'accueil juives de langue anglaise et des écoles protestantes, les 8 000 Juifs sépharades établis à Montréal sont désireux, contre toute attente, de fournir à leurs enfants une instruction dans la langue de Molière et demandent la création d'écoles françaises non catholiques[46].

---

45. *Brief Submitted by the Canadian Jewish Congress to the Royal Commission of Inquiry on Education* (mars 1962), p. 21. *Recommendation of Protestant School Board of Greater Montreal of Education of Jewish Children*, Inter-Office Information (I. O. I.), 2635, 12 juin 1962, ACJC. 3 février 1965, 12 février 1965, *Minute Book. PBSC.* AEMSB. *Official Recognition for Jews in Educational System of Quebec*, Inter-Office Information (I. O. I.), 441 (11 juin 1965). ACJC.

46. *Mémoire sur l'éducation des Juifs de langue française.* Communauté Sépharade du Québec, ZA 1969 06 06 085. ACJC. Au sujet de la question scolaire des Juifs de langue française, voir Jean-Philippe Croteau, *Les relations entre les Canadiens français et les Juifs de langue française selon le* Bulletin du Cercle Juif *(1954-1968)*, M. A., mémoire de maîtrise (histoire), Université de Montréal, 1998, 2000. Jean-Philippe Croteau, « L'intégration scolaire des Juifs francophones et le *Bulletin du Cercle Juif* (1954-1968), *Bulletin d'histoire politique*, 10, 3 (été 2002): 152-164. Pour de plus amples informations au sujet de la communauté juive sépharade au Québec, voir Jean-Claude Lasry, «A Francophone Diaspora» dans Morton Weinfeld, W. Shaffir, I. Cotler (dir.), *The Canadian Jewish Mosaic*, Nexdale, John Wiley & Sons, 1981, p. 221-240. Jean-Claude Lasry, «Essor et traditions: la communauté juive nord-africaine», dans Jean-Claude Lasry (dir.), *Les Juifs du Maghreb: diasporas contemporaines*, collection: Histoire et perspectives méditerranéennes, Montréal, Presses de l'Université de Montréal, Paris, L'Harmattan, 1989, p. 17-54

Pour éviter un schisme communautaire, le Congrès juif canadien rédige un mémoire à l'intention de la Commission royale d'enquête sur l'enseignement dans la province de Québec – plus connue sous le nom de la commission Parent – et tente de prendre en considération les aspirations de tous les groupes d'intérêt. Il recommande à l'État de subventionner la formation profane offerte par les écoles privées juives au même coût par élève que celle en vigueur dans les écoles primaires publiques[47]. Pour surmonter la problématique linguistique, le Congrès juif canadien propose aussi la création d'écoles laïques et bilingues. Toutefois, les dirigeants juifs sépharades ne se montrent guère favorables à cette idée qui accentuerait, selon eux, l'anglicisation des immigrants francophones[48].

Le Congrès juif canadien souhaitait par ce mémoire ramener l'harmonie dans la communauté juive et faire taire les dissensions. Ses initiatives pour tendre la main aux autres intervenants de la communauté juive s'avèrent un échec. Un organisme est fondé en 1966, le Committee for Tax Supported Jewish Schools qui, comme son nom l'indique, exige que le même montant de la taxe scolaire et des subventions gouvernementales soit alloué aux écoles privées juives et aux écoles publiques[49]. L'organisme n'hésite pas à contester sur la place publique le leadership du Congrès juif canadien et à insister sur son manque de représentativité auprès de la communauté juive. Pour désamorcer la crise, le Congrès juif canadien accepte lors de son congrès d'avril 1967 d'avaliser la position du Committee for Tax Supported Jewish Schools. L'année suivante, tout aussi à contrecœur, il s'engage à soutenir les représentants des Juifs sépharades dans leur démarche visant à réclamer au gouvernement provincial la création d'une école juive de langue française[50].

En 1967, le gouvernement du Québec décide de répondre aux demandes de plusieurs acteurs de l'éducation qui souhaitent que les

---

47. *Brief Submitted by the Canadian Jewish Congress to the Royal Commission of Inquiry on Education*, (mars 1962), p. 16-17.

48. *Brief Submitted by the Canadian Jewish Congress to the Royal Commission of Inquiry on Education*, (mars 1962), p. 12-13. « Les Juifs et la Commission Parent », *Bulletin du Cercle Juif*, 73 (avril 1962).

49. *Committee for Tax Supported Jewish Schools. Brief Presented to the Superior Council of Education, November 7, 1966*, p. 2. Education. Study by Yetnikoff, S. 0239. CJC-CENT. CA. 00082. 00809.

50. *Committee for Tax Supported Jewish Schools. Brief Presented to the Superior Council of Education, November 7, 1966*, p. 2. Education. Study by Yetnikoff, S. 0239. CJC-CENT. CA. 00082. 00809.

écoles privées bénéficient du soutien financier de l'État. Il vote la loi 37, qui permet à des écoles de signer des contrats d'association avec les commissions scolaires. Celles-ci doivent allouer aux écoles associées un montant identique à celui dépensé pour les élèves de leurs propres écoles. Sept écoles privées juives s'associent à la PBSCCM, tandis que les représentants de la communauté sépharade négocient avec la CECM une entente pour aménager des classes à l'intention des enfants juifs dans l'une de ses écoles. Il reste que ces ententes coûtent extrêmement cher aux commissions scolaires, qui doivent en assumer le coût total[51].

Sous le poids des critiques, le gouvernement vote la loi 56 l'année suivante. Toutes les écoles privées, déclarées d'intérêt public, reçoivent maintenant de l'État 80 % de la somme allouée à chaque élève des écoles publiques. Cependant, pour éviter aux écoles privées une baisse de leurs revenus, le gouvernement les autorise à conserver leur contrat d'association avec les commissions scolaires jusqu'en 1973. Le gouvernement de l'époque n'est pas sans arrière-pensées lors de l'adoption de cette loi. Cette loi répond à certaines visées nationalistes qui cherchent à augmenter l'usage du français parmi les communautés culturelles issues de l'immigration. Les subventions sont versées directement aux écoles privées à condition que celles-ci respectent le nombre d'heures d'enseignement du français tel qu'il a été fixé par le gouvernement[52]. Dans ce contexte, le gouvernement accueille chaleureusement la demande d'une école juive française formulée par la communauté sépharade. L'école Maïmonide est la première école privée juive à obtenir le statut d'intérêt public en 1972, grâce à la bienveillance du gouvernement. Bien que les écoles privées juives de langue anglaise aient résisté plus longtemps aux exigences du gouvernement québécois, notamment en matière linguistique, elles ont fini par se rallier à lui au cours des années 1970[53].

---

51. « Protestant Hesitant, Private Debate », *Montreal Star* (22 septembre 1967).
52. En 1974, le nombre d'heures d'enseignement en français obligatoire pour être admissible aux subventions gouvernementales passe de cinq à huit heures par semaine. En 1977, le gouvernement du Parti Québécois, qui succède au gouvernement libéral, émet un nouvel énoncé politique. Seules les écoles qui offrent 17 heures d'enseignement en français par semaine pourront bénéficier des subventions du gouvernement. Enfin, le nombre d'heures est diminué à quatorze par semaine en 1980. Voir Corcos, *Montréal, les Juifs et l'école…*, *op. cit.*, p. 198-199.
53. Sur la question des relations entre la communauté juive et le gouvernement québécois pendant les années 1960, 1970 et 1980, voir Pierre Anctil, « En quête d'un partenariat fructueux : les Juifs de Montréal face à la législation linguistique québécoise », *Tur*

Tout compte fait, il s'agit d'une demi-victoire pour les promoteurs de l'école privée juive, car la nouvelle loi ne subventionne qu'en partie le secteur privé, alors qu'ils souhaitaient un financement intégral au même titre que celui des écoles publiques catholiques et protestantes. Le statut d'école publique leur a été refusé. De plus, ils ont dû se résigner à un processus de francisation partielle de leurs écoles, le seul moyen de bénéficier des assises financières tant convoitées et nécessaires à un développement durable. Il reste qu'aujourd'hui ces écoles se sont multipliées dans les dernières décennies et demeurent des acteurs incontournables au sein de la communauté juive. Elles ont même eu un effet d'entraînement auprès d'autres communautés de souche immigrante enracinées à Montréal, telles que les Grecs et les Arméniens, qui ont mis sur pied leurs propres écoles privées (voir graphique 4). Aujourd'hui, près de 11 000 élèves fréquentent ces écoles privées dites « ethniques », dont près de 7 000 sont inscrits dans les écoles juives[54]. Enfin, au Québec, sur les 29 écoles privées dites « ethniques », on en compte 16 juives, 7 musulmanes, 3 arméniennes, 2 grecques et 1 égyptienne[55].

* * *

La question des écoles privées peut surprendre par son enracinement historique et aussi par son caractère permanent dans les débats scolaires jusqu'à une période récente. L'absence d'une école

---

Malka..., *op. cit.*, p. 171-199. En 1978-1979, 22 écoles dites ethniques sont déclarées d'intérêt public : 19 juives, 2 arméniennes et une grecque. Les neuf dixièmes des élèves fréquentent les écoles juives, soit 5 799 sur 6 601. Les écoles arméniennes et grecque accueillent respectivement 473 et 329 élèves. En 1983-1984, le nombre des élèves dans les écoles privées dites ethniques atteint 9 171 élèves et ils fréquentent 28 écoles, dont 21 écoles juives. Voir Myriam Simard, *L'enseignement privé : 30 ans de débats. Les rapports de pouvoir dans la politique de l'enseignement privé de 1964 à 1983*, Montréal, Thémis, Université de Montréal, Centre de recherche en droit public, Québec, Institut québécois de recherche sur la culture, 1993, p. 122 et 131.

54. Marie McAndrew, *Immigration et diversité à l'école. Le débat québécois dans une perspective comparative*, Montréal, Presses de l'Université de Montréal, Paramètres, 2001, p. 180-181. En fait, pour l'année scolaire 1999-2000, 6 955 élèves fréquentent les écoles privées juives. *Focus on Jewish Day Schools in Montreal, Report to the Federation CJA*, Montréal, Bronfman Jewish Education Centre [BJEC] and the Association of Jewish Day Schools [AJDS], April 12, 2000.

55. *La Presse*, 19 janvier 2005. Le développement des écoles privées juives n'est pas propre au Québec, loin s'en faut. Il s'inscrit dans un vaste mouvement à l'échelle nord-américaine qui débute dans les années 1960 et 1970. Voir Jack Wertheimer, *Family Matters : Jewish Education in an Age of Choice*, Brandeis University Press, 2007.

véritablement publique, propice à l'accueil et à l'intégration des immigrants, a favorisé l'initiative privée de tiers groupes. Entre l'espace scolaire réservé aux catholiques et celui réservé aux protestants, une zone informelle de diffusion et de transmission de la culture et de la religion juives a été aménagée. Les dirigeants de la communauté juive ont tenté de s'associer aux commissions scolaires catholique et protestante pour bénéficier des montants du financement public et d'une certaine reconnaissance de fait. Les commissaires catholiques et protestants ont vu d'abord d'un bon œil ces ententes avec ces écoles privées qui contribuaient à alléger leur fardeau financier. Cependant, les milieux scolaires catholiques et protestants se sont montrés de farouches adversaires lorsque les promoteurs éducatifs de la communauté juive ont tenté d'obtenir une reconnaissance légale, notamment par la mise sur pied d'un réseau d'écoles publiques juives. Un projet qui menaçait l'espace scolaire que s'étaient approprié les élites éducatives et culturelles catholiques et protestantes.

Le troisième acteur, l'État, n'apparaît que dans les années 1960. Pendant près d'un siècle, le gouvernement provincial s'était contenté d'adopter une position laxiste dans les débats scolaires. Dans les années 1960 et 1970, le gouvernement provincial sort de sa torpeur et saisit au vol les revendications de la communauté juive afin d'instaurer l'une de ses premières mesures linguistiques – qui préfigure d'une certaine manière la loi 101 – dans l'intention de favoriser le français comme langue publique, du moins dans la sphère scolaire.

Aujourd'hui, plus de 60 % des enfants juifs d'âge scolaire fréquentent le secteur privé[56]. Si l'on peut conclure par une victoire des partisans de l'école privée juive, il n'en a pas toujours été ainsi. Pendant longtemps, les élites politiques et sociales de la communauté juive ont été franchement hostiles aux écoles privées, qu'elles voyaient comme une invitation à la ghettoïsation, au repli communautaire et à la marginalisation. Elles ont fini par se rallier bon gré mal gré au mouvement pour les écoles privées juives dans les années 1960.

Loin de résulter d'un dénouement purement conjoncturel, les écoles privées juives à Montréal s'inscrivent dans une trame historique presque centenaire. Le débat sur la laïcité, suite logique de

---

56. D'après l'enquête de Charles Shahar et Randal F. Schnoor, 61 % des répondants affirment envoyer leurs enfants dans une école privée juive et 6,5 % d'entre eux dans une école privée non juive. Charles Shahar et Randal F. Schnoor, *A Survey of Jewish Life in Montreal, Part II*, Montréal, Federation of Jewish Community Services, 1997, p. 26-33.

celui sur les accommodements raisonnables, devra nécessairement
tenir compte des racines historiques de ces écoles et de la vocation
sociale jouée au sein de la communauté par les écoles privées juives
depuis un siècle. Ignorer ces réalités historiques et sociologiques
ferait connaître aux rapports interculturels à Montréal des lendemains bien difficiles dans les années à venir.

Annexes
La communauté juive et l'éducation à Montréal

Graphique 1
**Fréquentation des élèves à la PBSCCM
d'après leur appartenance religieuse (1902-1968)**

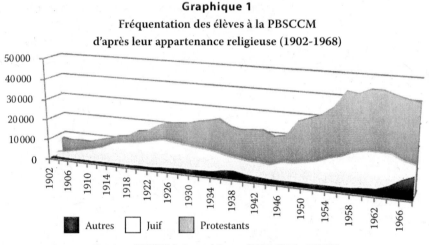

Sources: PBSCCM. *Annual Report* (1885-1962). AEMSB.

Graphique 2
**Proportion en pourcentage des montants de la taxe scolaire payés par la
communauté juive et du nombre des élèves juifs à la PBSCCM (1885-1962)**

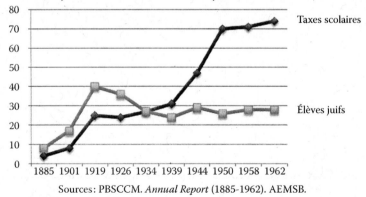

Sources: PBSCCM. *Annual Report* (1885-1962). AEMSB.

Graphique 3

Nombre des élèves juifs qui fréquentent les écoles privées juives
et les écoles de la PBSCCM (1938-1957)

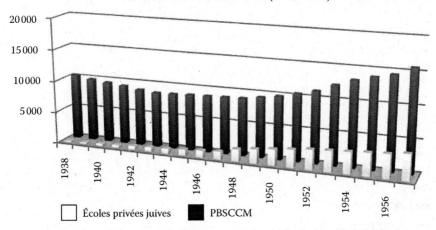

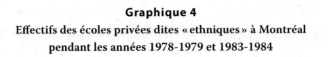

Sources : *Enrollment of Jewish Children in Protestant Schools & Jewish Day Schools in Metropolitan Montreal. Education Jewish Day Schools – Submissions to Quebec Gvt.* : 2-40. CJC Year ZA 1958 02931 ACJC.

Graphique 4

Effectifs des écoles privées dites « ethniques » à Montréal
pendant les années 1978-1979 et 1983-1984

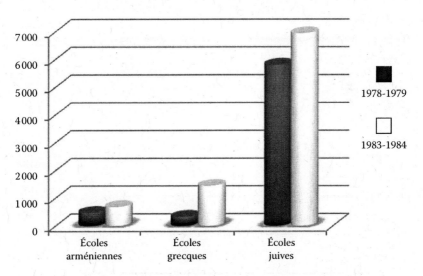

Source : Myriam Simard, *L'enseignement privé : 30 ans de débats*, Montréal, Les Éditions Thémis et l'Institut québécois de recherche sur la culture, 1993 : 122-130.

Le Montréal yiddish, un siècle d'évolution

Rebecca Margolis

Université d'Ottawa

DANS UN ARTICLE PUBLIÉ EN 2007, la chercheuse et traductrice Goldie Morgentaler attribuait sa connaissance de la langue yiddish au fait d'avoir grandi à Montréal : « Parce que les Juifs montréalais ont réussi à préserver leur héritage yiddish pendant si longtemps, à l'institutionnaliser et à lui accorder un certain appui organisationnel et culturel, la langue elle-même a conservé mieux qu'ailleurs sa vitalité[1]. » À une certaine époque la langue vernaculaire de millions de Juifs dispersés partout dans le monde et la langue première de la communauté immigrante juive de Montréal, le yiddish n'est plus tellement utilisé aujourd'hui, sauf au sein de la communauté ultra-orthodoxe. Malgré ce déclin, Montréal demeure la ville canadienne où le yiddish a le plus de visibilité et qui offre le plus d'activités dans cette langue. Ce texte propose une analyse de la place qu'a occupée le yiddish à Montréal au cours du siècle dernier et un aperçu des transformations que la langue a subies pendant cette période.

Le yiddish, qui était la langue de la plupart des immigrants juifs est-européens venus au Canada à partir de la fin du XIXᵉ siècle, a connu des pertes importantes sur tous les fronts, sauf au sein des milieux ultrareligieux. Même si les institutions qui soutiennent le yiddish demeurent bien vivantes, les données du recensement révèlent que la langue est parlée par de moins en moins de Canadiens. Le nombre d'individus qui se réclament de langue maternelle yiddish au Canada est passé d'un sommet de 149 500 sur un total de 155 700

---

1. Goldie Morgentaler, « Yiddish Montreal Lost and Regained : The Recuperative Power of the Translated Word », dans Pierre Anctil, Norman Ravvin et Sherry Simon (dir.), *Traduire le Montréal yiddish / New Readings of Yiddish*, Ottawa, Presses de l'Université d'Ottawa, p. 104.

en 1931 (96 %), à 17 300 sur un total de 373 000 en 2006 (4,5 %)[2]. Le recensement de 2006 est aussi le premier où le nombre de locuteurs de langue hébraïque a dépassé celui des yiddishophones[3]. Plusieurs facteurs peuvent expliquer ce déclin, dont l'acculturation de la population immigrante au Canada, la destruction du monde yiddish est-européen pendant l'Holocauste et le fait que l'hébreu soit la langue dominante de l'État d'Israël. Qui plus est, à la fin des années 1950, la population juive du Canada devint de plus en plus diversifiée et plusieurs parmi les individus qui la composaient n'avaient aucun lien avec le yiddish. Par exemple, l'importante immigration juive en provenance d'Afrique du Nord utilisait essentiellement au moment de son arrivée le français, l'arabe ou le judéo-espagnol.

Dans ce contexte de déclin, Montréal reste la ville canadienne où le yiddish est le plus parlé. En 2008, bien que la population juive de Montréal ne soit plus que la moitié de celle de Toronto (68 500 contre 141 700)[4], on y trouve tout de même plus de yiddishophones (13 500 contre 10 300)[5]. Montréal se démarque aussi par la manière dont la vie culturelle yiddish a été institutionnalisée et par l'intensité de son milieu de langue yiddish, en particulier dans les domaines de l'éducation, de la littérature et du théâtre. On trouve toujours dans la ville des organisations d'envergure qui continuent de soutenir la culture yiddish. Par exemple il existe à Montréal des écoles où l'on enseigne la langue, une bibliothèque qui offre des livres écrits en yiddish et met sur pied des événements dans cette langue ou portant sur elle, sans oublier un théâtre de langue yiddish.

En plus de servir à des fins souvent idéologiques, le yiddish a été employé de plusieurs façons au cours de l'histoire. La langue compte parmi les nombreux parlers vernaculaires qui ont émergé dans la diaspora juive, quand des populations en cours de migration

---

2. Statistique Canada définit la langue maternelle comme la première langue apprise à la maison dans l'enfance et encore comprise au moment où les données sont recueillies.

3. Jeff Heinrich, « Language of Past Sets Hasidim Apart Today », *Montreal Gazette*, 23 février 2008 ; David Lazarus, « Yiddish Speakers Drop by 10,000 in Five Years », *Canadian Jewish News*, 21 février 2008. Voir aussi Leo Davids, « Yiddish in Canada : Picture and Prospects », dans Robert J. Brym, William Shaffir et Morton Weinfeld (dir.), *The Jews in Canada*, Don Mills, Oxford University Press, 1993, p. 153-166.

4. Janice Arnold, « Census Shows Drop in Jewish Numbers », *Canadian Jewish News*, 10 avril 2008. Ces données sont celles où l'identité juive est considérée comme un phénomène religieux.

5. Ces données sont tirées du recensement de 2006. Elles reflètent une comparaison de l'utilisation du yiddish à Montréal et à Toronto au sein de différents groupes d'âge.

entraient en contact avec d'autres langues comme l'arabe, le français, l'allemand et l'espagnol. Ces parlers s'écrivaient avec un alphabet hébreu et évoluèrent en des formes langagières typiquement juives. Le yiddish a pris naissance il y a un millénaire dans les territoires germaniques, puis est devenu la langue commune du judaïsme ashkénaze. La langue a suivi cette population ashkénaze dans son expansion vers l'est et a fini par servir de moyen de communication à la majorité des Juifs à travers le monde[6]. À partir de la fin du XIXe siècle, le yiddish est passé du statut de langue vernaculaire à celui de véhicule culturel sophistiqué[7]. La langue a aussi servi de moyen de communication aux plus de 2,5 millions d'immigrants juifs qui quittèrent l'Europe de l'Est entre 1880 et 1920 pour échapper à la violence systémique, à la persécution organisée et à la paupérisation. Au cours des 100 dernières années, le yiddish a été utilisé de multiples manières : dans l'intimité des foyers, des communautés et des voisinages ; au sein des milieux politiques socialistes ou nationalistes et dans le contexte de la vie religieuse traditionnelle. Le yiddish a été le véhicule de la presse, de la littérature et du théâtre populaire juif. Il a de plus été une langue importante dans le domaine de l'éducation moderne séculière et dans diverses entreprises littéraires et artistiques. Plus récemment, le yiddish a traversé un processus de polarisation de plus en plus intense. D'une part, il représente un outil de communication culturelle séculier, particulièrement dans les arts de la scène, et d'autre part, les communautés ultra-orthodoxes s'en servent pour tenir à distance le monde moderne.

Cette étude divise le Montréal yiddish en trois périodes, chacune possédant ses propres caractéristiques. Pendant la migration de masse en provenance d'Europe de l'Est, de 1905 à 1920, le yiddish a servi de langue commune à l'ensemble de la communauté juive montréalaise. Au cours de ces années, l'avancement de la langue et de la culture yiddish s'est manifesté à un niveau plus utilitaire, sujet à des pressions idéologiques et politiques bien précises. À ce moment, la culture yiddish de Montréal bénéficiait déjà d'un journal quotidien, de librairies et d'un système d'écoles séculières modernes fondées à la veille de la Première Guerre mondiale. Au cours de

6. Au sujet de l'origine du yiddish, voir Max Weinreich, *History of the Yiddish Language*, New Haven (Connecticut), Yale University Press, 2008, 2 vol.
7. Voir Benjamin Harshav, *The Meaning of Yiddish*, Stanford (Californie), Stanford University Press, 1990.

la période qui s'étend de 1920 à 1950, soit de la fin de la Première Guerre mondiale aux années qui ont immédiatement suivi la fin de la Deuxième Guerre mondiale, la langue et la culture yiddish modernes ont fait l'objet d'une promotion constante au sein du monde juif. Les maisons d'éducation juives ont continué de croître, des revues publiées à Montréal ont fait paraître de la littérature et des tentatives ont eu lieu de créer un théâtre d'art dans cette langue. Dans la même foulée, le yiddish commençait déjà au cours de ces années à perdre son statut de langue vernaculaire dans la communauté. L'époque qui s'ouvre en 1950 est marquée par un déclin rapide du yiddish comme langue universelle des Juifs. Comme la majorité des yiddishophones avaient péri durant l'Holocauste et que la civilisation européenne de langue yiddish vieille de près de 1000 ans avait été détruite, le centre de la vie yiddish s'est déplacé vers des centres d'immigration comme Montréal. La ville a accueilli un grand nombre de yiddishophones qui étaient des survivants de l'Holocauste, incluant certains écrivains de grande réputation. Ces années sont aussi caractérisées par l'établissement d'un fossé de plus en plus grand entre ceux qui appuient la langue et la culture yiddish d'un point de vue séculier, mais ne se servent pas de la langue comme un moyen de communication habituel, et les membres des communautés ultra-orthodoxes qui l'utilisent couramment.

Commencements : 1905-1920

Au tournant du XXe siècle, la communauté de langue yiddish a subi à Montréal un processus de changement très intense. Au cours du siècle précédent, une petite population juive s'était intégrée au milieu anglo-canadien dans la ville, notamment en fréquentant les écoles de langue anglaise. Pour ces Juifs, il existait peu de barrières au sein de la société britannique montréalaise. Le début de l'immigration de masse en provenance d'Europe de l'Est a toutefois signifié une rupture abrupte avec la situation qui prévalait jusqu'à la fin du XIXe siècle. Entre 1891 et 1911, la population juive canadienne est passée de 6500 personnes à plus de 75 000, chiffre qui allait encore doubler au cours des 20 années suivantes. En 1931, Montréal abritait 60 000 Juifs, soit 6 % de la population totale. À cette époque, il s'agissait de la ville où s'était établie la plus importante communauté juive canadienne. La langue commune de tous ces immigrants était le yiddish. Cette année-là, à l'occasion du recensement fédéral, 99 % des

Juifs québécois déclaraient que le yiddish était leur langue maternelle[8]. En comparaison, un recensement effectué en Pologne révélait en 1931 que 91 % des Juifs de Varsovie avaient le yiddish comme langue maternelle. Dans cette ville, par contre, la communauté juive formait le tiers de la population totale[9]. La population juive de Montréal était constituée essentiellement d'immigrants est-européens récemment arrivés et hautement visibles, non seulement sur le plan linguistique, mais aussi pour ce qui est de leur affiliation religieuse et politique. Dans la ville, on rencontrait un grand nombre de positionnements juifs, allant de la pratique religieuse traditionnelle – soit l'adhésion à un système légal juif (*halakha*) qui gouverne tous les aspects de l'existence – jusqu'à la militance au sein d'organisations radicales de gauche. Un des partis politiques juifs les plus actifs à Montréal, le Poale-Zion [les travailleurs de Sion] – un groupe sioniste de gauche – avait émergé dans l'Empire russe au tournant du siècle puis avait établi ses quartiers généraux canadiens dans la ville à partir de 1905. Dans ce contexte, le Poale-Zion agissait comme fer de lance du développement d'une culture yiddish moderniste à Montréal[10]. Il en allait de même des sections locales de l'Arbeter Ring/Workmen's Circle, une organisation fraternelle juive fondée à New York en 1892 et qui mobilisait les énergies des immigrants juifs fraîchement arrivés dans la ville en plus d'être un centre d'activités en langue yiddish.

Les immigrants de langue yiddish se trouvèrent coincés à Montréal entre les « deux solitudes » qui dominaient la ville : les catholiques francophones et les anglo-protestants. Chacune de ces deux communautés possédait sa propre infrastructure, incluant un système scolaire séparé et divisé selon les affiliations confessionnelles. En tant que non-catholiques, les Juifs montréalais furent empêchés de s'inscrire dans les écoles de langue française. En 1903, une législation provinciale identifia les Juifs comme des protestants aux fins de l'éducation et leur ouvrit les portes des maisons d'enseignement protestantes. Ce geste légal assura aux enfants juifs de la seconde

---

8. Louis Rosenberg, *Canada's Jews – A Social and Economic Study of the Jews in Canada*, Montréal, Congrès juif canadien, 1939, p. 257.
9. Nathan Cohen, « The Jews of Independent Poland : Linguistic and Cultural Changes », dans Ernest Krausz et Gitta Tulea (dir.), *Starting the Twenty-first Century : Sociological Reflections and Challenges*, New Brunswick (New Jersey), Transaction Publishers, 2002, p. 163.
10. Pour un survol de l'idéologie prônée par le Poale-Zion et les autres mouvements ouvriers juifs d'Europe de l'Est, voir Ezra Mendelsohn, *The Jews of East Central Europe Between the World Wars*, Bloomington (Indiana), Indiana University Press, 1987.

génération un accès direct à la langue anglaise, sans toutefois assurer leur intégration au milieu social anglo-protestant. De fait, les Juifs n'obtinrent pas le droit d'être représentés au sein de la Commission protestante anglophone. Ils furent aussi exclus de certains quartiers résidentiels et des entreprises où l'anglais dominait, en plus d'être sujet à des quotas lors de l'admission à l'université[11]. Une des conséquences de ces pratiques discriminatoires fut d'encourager la création d'institutions où les immigrants juifs de toutes origines travailleraient à ériger une infrastructure religieuse, sociale et culturelle de langue yiddish. Au cours de la période de l'entre-deux-guerres, les Juifs de Montréal constituèrent une « troisième solitude » dotée d'un haut degré de complétude institutionnelle, incluant des bibliothèques de langue yiddish, des écoles, un milieu intéressé à l'édition et aux périodiques culturels, des cercles engagés dans les arts de la scène, le tout animé d'une certaine militance politique. Dans le milieu immigrant du boulevard Saint-Laurent – la *Main* – le yiddish était employé couramment comme une langue vernaculaire[12].

L'éducation n'a pas tardé à émerger comme une des sphères les plus dynamiques du milieu culturel yiddishophone de Montréal. Cet engagement se manifesta d'abord par la volonté de la part des immigrants de créer des bibliothèques informelles[13]. En vue de l'édification de ses membres, le mouvement sioniste amassa des livres qui étaient surtout écrits dans la langue commune des immigrants, le yiddish. Ces institutions furent consolidées pour former la Yidishe-folksbiblyotek de Montréal, l'actuelle Bibliothèque publique juive, qui fut fondée en 1914. Animée par un étudiant de l'Université McGill né en Ukraine et militant au sein du Poale-Zion, Yehuda Kaufman (1886-1976) – qui devint plus tard le réputé intellectuel israélien et lexicographie Even Shemuel –, la Bibliothèque publique juive fut établie comme une institution non partisane visant à prêter des livres et à organiser des événements culturels. Depuis ses débuts, la bibliothèque a été le lieu d'un grand nombre d'activités yiddishophones. On y a accueilli entre autres des écrivains montréalais et étrangers, puis préparé des

---

11. Garth Stevenson, *Community Besieged: The Anglophone Minority and the Politics of Quebec*, Montréal, McGill-Queen's University Press, 1999, p. 45-46.
12. À ce sujet, voir Pierre Anctil, *Saint-Laurent: la* Main *de Montréal*, Sillery, Septentrion, 2002.
13. Au sujet des habitudes de lecture des Juifs au début du XXᵉ siècle, voir Ellen Kellman, « *Dos yidishe bukh alarmirt!* Towards the History of Yiddish Reading in Interwar Poland », *Polin*, n° 16, 2003, p. 213-241.

lancements de livre et des fêtes en vue de mettre en valeur l'héritage du yiddish. La bibliothèque a aussi tenu à l'intérieur de ses murs des cours pour adultes et des conférences publiques[14].

Les mêmes activistes du Poale-Zion ont aussi mis sur pied un système d'écoles séculières modernes de langue yiddish, connu sous le nom de *shuln* (*shul* au singulier). Contrairement à d'autres domaines de la culture yiddish, comme l'édition ou le théâtre, où le Canada n'était pas de taille à faire compétition à des centres yiddish plus importants, la création de *shuln* a positionné Montréal – de même que Winnipeg et d'autres villes au pays – loin devant l'Europe et les États-Unis. Il a fallu attendre la période de l'entre-deux-guerres pour que des réseaux d'éducation séculiers en langue yiddish apparaissent dans des villes comme Varsovie et Vilnius, notamment parce que les autorités tsaristes s'y opposaient. Pendant ce temps, dans la ville de New York, siège d'une importante communauté yiddishophone, la création de maisons d'enseignement dans cette langue était entravée par des courants juifs de gauche. Il faut comprendre en effet qu'il existait au sein des premiers milieux immigrants des cercles prônant une attitude plus cosmopolite et faisant la promotion de l'assimila-tion linguistique au contexte ambiant[15]. Au contraire, l'orientation socialiste et nationaliste des immigrants arrivés au Canada dans la première décennie du XXᵉ siècle favorisa l'éclosion d'écoles yiddisho-phones dès le début de la Première Guerre mondiale.

Les premières *shuln* canadiennes ont été fondées au lendemain de la cinquième conférence nord-américaine du Poale-Zion, tenue à Montréal en 1910, et au cours de laquelle l'idéologue Chaim Zhitlowsky passa une résolution appelant à la création d'un réseau de *natsyonale-radikale-shuln* (écoles nationales radicales). Zhitlowsky voyait dans ces institutions une façon de transmettre les valeurs de base du mouvement. Dotées d'un programme d'études juif séculier, des écoles de ce type furent établies à Montréal, à Winnipeg et à Toronto dès 1914, comme des établissements d'éducation à temps partiel. Elles portèrent le nom de Peretz après la mort en 1915 du très apprécié écrivain yiddish I. L. Peretz. Le mouvement scolaire mis en place par le Poale-Zion refléta aussi la « guerre des langues »

---

14. Voir Naomi Caruso (dir.), *Folk's Lore: A History of the Jewish Public Library 1914-1989*, Montréal, Bibliothèque publique juive, 1989 ; on peut aussi consulter le site Internet de l'institution à l'adresse suivante : www.jewishpubliclibrary.org.

15. Tony Michels, *A Fire in Their Hearts: Yiddish Socialists in New York*, Cambridge, Harvard University Press, 2005.

qui sévissait relativement à la place que devait occuper le yiddish comme langue des masses populaires et l'hébreu comme langue de renaissance nationale juive. Peu après la fondation des écoles nationales-radicales, un groupe d'activistes fit sécession pour mettre sur pied des *yidishe-folkshuln* (écoles juives populaires), qui se distinguaient par l'importance que l'on accordait à l'hébreu dans le programme d'enseignement. D'autres *shuln*, basées sur le même modèle, virent le jour ailleurs au Canada.

En plus d'un certain nombre d'autres institutions au sein de la communauté juive, la Bibliothèque publique juive et les *shuln* furent soutenues par le premier quotidien de langue yiddish au Canada, le *Keneder Adler* [l'aigle canadien]. Après plusieurs tentatives infructueuses, un journal de langue yiddish fut lancé à Montréal en 1907 par l'homme d'affaires Hirsch Wolofsky (1878-1949), un immigrant récent originaire de Pologne. Le *Keneder Adler*, une publication communautaire modérée sur le plan idéologique, publiait des textes de toutes sortes destinées à un public immigrant assez diversifié. On y trouvait des nouvelles internationales et locales, des éditoriaux, des essais, des comptes rendus, des feuilletons, de la poésie et de la prose. Le *Keneder Adler* avait aussi comme vocation de former des écrivains montréalais récemment arrivés au pays, qui avaient alors l'occasion de publier leurs œuvres dans ses pages. Plusieurs individus s'illustrèrent dans le *Keneder Adler*, dont l'activiste communautaire et critique littéraire d'origine roumaine H. M. Caiserman[16] (1884-1950), le rabbin orthodoxe Chaim Kruger (1875-1933), né en Lituanie et auteur d'études savantes sur la tradition religieuse, ainsi que le journaliste Israël Medresh[17] (1894-1967), qui fit carrière dans le *Keneder Adler* pendant un demi-siècle. Parmi les littérateurs qui furent publiés dans les pages du quotidien yiddish, on trouve aussi Israël Rabinovitch (1894-1964), musicologue né à Grodno et responsable pendant une longue période de la direction du *Keneder Adler*; le poète Jacob-Isaac Segal[18] (1896-1954), qui naquit en Ukraine et

---

16. À propos de Caiserman, voir Pierre Anctil, « H. M. Caiserman: Yiddish as Passion », dans Ira Robinson, Pierre Anctil et Mervin Butovsky (dir.), *An Everyday Miracle: Yiddish Culture in Montreal*, Montréal, Véhicule Press, 1990, p. 69-100.

17. Au sujet de Medresh, voir Vivian Felsen, « Translating Israel Medresh », dans Pierre Anctil, Norman Ravvin, Sherry Simon (dir.), *Traduire le Montreal Yiddish*, *op. cit.*, p. 110-115.

18. Les œuvres de Segal ont paru dans de nombreuses anthologies et certaines ont été traduites. Voir les traductions de Pierre Anctil dans Jacob Isaac Segal, *Poèmes yiddish / Yidishe lider*, Montréal, Éditions du Noroît, 1992.

connut une longue carrière comme principal poète yiddish canadien – Segal fit même publier ses premières œuvres dans le *Keneder Adler* – et l'écrivain lituanien B.-G. Sack (1889-1967), qui se joignit au journal dès 1907 et rédigea au cours des années une série d'études sur l'histoire juive canadienne. En fait, le *Keneder Adler* publia au cours de son existence pratiquement tous les écrivains yiddish canadiens[19]. Le journal cessa d'être un quotidien en 1963 et parut de manière sporadique jusqu'en 1988, ce qui en faisait au moment de sa disparition l'organe de presse yiddish le plus ancien au Canada[20].

Durant cette période initiale, le yiddish a eu un rôle surtout utilitaire, c'est-à-dire qu'il a servi avant tout à communiquer dans le cadre de la vie quotidienne. Pendant que de l'autre côté de l'Atlantique le yiddish était déclaré, lors de la conférence de Czernovitz de 1908[21], « langue nationale du peuple juif », à Montréal il était utilisé dans la rue par les immigrants juifs et véhiculait toutes sortes d'informations autant pratiques qu'idéologiques. Pour la plupart des locuteurs du yiddish dans la ville, la langue apparaissait comme un instrument naturel du discours. Les Juifs montréalais n'étaient pas les seuls à réagir de cette manière. Une étude plus détaillée du mouvement en faveur de la culture yiddish moderne, connu sous le nom de « yiddishisme », montre en effet qu'au départ ce courant d'idées s'était appuyé avant tout sur la centralité de la langue comme moyen de communication universel des Juifs est-européens, plutôt que sur des notions idéologiques abstraites[22]. L'activisme yiddish du Poale-Zion montréalais offre un bon exemple de cette tendance. Dans *Di Poale Zion bavegung in Kanade, 1904-1920* [le Poale-Zion comme mouvement politique canadien, 1904-1920], l'activiste et historien Simon Belkin (1889-1969) discute de la langue yiddish seulement dans son rapport avec son programme politique,

19. Voir Haim-Leib Fuks, *Cent ans de littérature yiddish et hébraïque au Canada*, ouvrage traduit par Pierre Anctil, Sillery, Septentrion, 2005.

20. Voir Rebecca Margolis, « The Yiddish Press in Montreal, 1905-1950 », *Canadian Jewish Studies/Études juives canadiennes*, nº 15, à paraître. À propos de la presse juive au Canada, voir Lewis Levendel, *A Century of the Canadian Jewish Press: 1880s-1980s*, Ottawa, Borealis Press, 1989.

21. Emanuel S. Goldsmith, *Modern Yiddish Culture: The Story of the Yiddish Language Movement*, New York, Shapolsky Publishers, 1987.

22. Emanuel S. Goldsmith, « Yiddishism and Judaism », dans Dov-Ber Kerler (dir.), *The Politics of Yiddish: Studies in Language, Literature, and Society*, Walnut Creek (Californie), Altamira Press, 1998, p. 15-16.

notamment l'établissement de bibliothèques et d'écoles[23]. Ce choix reflète la réalité d'un mouvement dont l'engagement en faveur du yiddish n'était pas lié à la langue en soi, mais au fait qu'elle permettait de transmettre une idéologie dans le langage des masses laborieuses juives. Le statut du yiddish sera toutefois modifié en profondeur après la Première Guerre mondiale.

Vers une plus grande maturité : 1920-1950

La culture yiddish moderne a atteint à son apogée lors de la période de l'entre-deux-guerres. Au cours de ces années, la langue a connu un rayonnement mondial à travers la littérature et l'enseignement. Cette efflorescence a été rendue possible grâce à la libération ressentie au moment de la fin de l'Empire tsariste en Europe, après la révolution russe de 1917, et à la suite de la consolidation des communautés constituées d'immigrants dans plusieurs grandes villes à travers la planète, deux événements qui ont eu des répercussions sur l'ensemble de monde ashkénaze. La culture yiddish des années 1920 et 1930 était concentrée dans plusieurs centres urbains, dont surtout Varsovie, Vilnius et New York. On en retrouvait aussi l'influence dans des villes plus petites, autant dans l'Ancien Monde que dans le Nouveau.

À Montréal, une intelligentsia locale en pleine émergence s'attacha à élargir le rôle artistique et savant de la langue à l'intérieur d'un mouvement global de promotion du yiddish comme véhicule culturel. Ce milieu produisit des rédacteurs, des écrivains et des lecteurs qui s'intéressèrent à des revues littéraires élitistes ressemblant à celles qui paraissaient partout ailleurs dans le monde yiddish. Par exemple, un périodique yiddish de 1922, intitulé *Der kval* [la source] et dirigé par l'écrivain d'origine polonaise A. Almi (pseudonyme de Elyohu-Khaiym Sheps, 1892-1963), offrait un contenu littéraire rédigé par des auteurs établis aussi bien que par de nouvelles recrues. Dans ses pages, on pouvait lire de la poésie moderniste signée par Jacob-Isaac Segal, une traduction de l'Avesta[24] par le poète d'origine polonaise

23. Simon Belkin, *Di poale tsiyen bavegung in kanade, 1904-1920*, Montréal, Aktsions komitet fun der tsyonistisher arbeter bavegung in kanade, 1956. Traduit en français par Pierre Anctil sous le titre *Le mouvement ouvrier juif au Canada, 1904-1920*, Sillery, Septentrion, 1999.
24. Recueil des textes sacrés de la religion mazdéenne écrit en zend, une langue ancienne originaire d'Iran.

Yehuda Elzet (nom de plume de Yehuda-Leib Zlotnik, 1888-1962)[25] et un essai appelant à plus d'érudition dans l'étude du yiddish, écrit par un ancien Montréalais du nom de A.-A. Roback (1880-1965), plus tard devenu un psychologue de renom et un philologue de la langue yiddish. *Der kval* contenait aussi différents articles sur la littérature, la musique et le théâtre à travers le monde. Des entreprises littéraires comme celle-ci reflétaient une volonté ambitieuse de créer une culture englobante en langue yiddish, qui comprendrait à la fois des éléments populistes et un niveau plus élitiste.

Cette période vit aussi le développement accéléré du mouvement des écoles yiddish séculières partout au Canada. Même des centres plus petits comme Calgary, Edmonton et Vancouver furent témoins de la création de *shuln* qui offraient une éducation à temps partiel centrée sur le yiddish, autant dans le domaine de cette langue proprement dite que de la littérature, du folklore et de l'histoire juives. À la fin des années 1920, des *shuln* à Winnipeg et à Montréal offraient un programme à plein temps, bientôt suivies au milieu des années 1940 à Montréal par l'école d'orientation communiste connue sous le nom de Morris-Winchevsky. Dans les Amériques, outre au Canada, un programme d'éducation complet en yiddish fit son apparition dans certains pays d'Amérique latine. Aux États-Unis par contre, malgré leur expansion rapide, les écoles yiddish séculières ne dépassèrent pas le stade d'institutions à temps partiel[26].

Les *shuln* montréalaises soutenaient activement la langue et la culture yiddish[27]. Les écoles Peretz, les Écoles juives populaires et l'école Morris-Winchevsky offraient par exemple des cours où l'élève apprenait à écrire en yiddish et à apprécier la littérature dans cette langue. Chaque fois que cela était possible, les *shuln* invitaient des écrivains de passage dans la ville à se rendre dans les classes ou à participer à

---

25. À propos de la carrière d'Almi et de Zlotnik comme folkloristes à Varsovie avant leur immigration au Canada, voir Itzik-Nakhmen Gottesman, *Defining the Yiddish Nation: The Jewish Folklorists of Poland*, East Lansing (Michigan), Wayne State University Press, 2003.

26. Eugene Orenstein, «Yiddish Culture in Canada Yesterday and Today», dans Morton Weinfeld, William Shaffir and Irwin Cotler (dir.), *The Canadian Jewish Mosaic*, Rexdale (Ontario), John Wiley and Sons, 1981, p. 293-314; Melech Ravitch, «Yiddish Culture in Canada», *Canadian Jewish Reference Book and Directory*, Montréal, Mortimer Limited, 1963, p. 75-80.

27. Rebecca Margolis, «Choosing Yiddish in the Classroom: Montreal's National Secular Schools, 1910-50», dans Shiri T. Goren, Hannah Pressman et Lara Rabinovitch (dir.), *Choosing Yiddish: Studies on Yiddish Literature, Culture, and History*, East Lansing (Michigan), Wayne State University Press, à paraître.

des assemblées de parents. Les étudiants pouvaient ainsi rencontrer certains des grands noms de la vie littéraire yiddish, comme le dramaturge David Pinsky, le poète Aaron Glants-Leyeles et le critique Shmuel Niger. Les *shuln* appuyaient aussi la création de clubs et de périodiques afin d'encourager leurs protégés à utiliser le yiddish. Qui plus est, plusieurs parmi les activistes et les enseignants de ces institutions étaient des membres de l'intelligentsia yiddish, soit des poètes et des écrivains qui gagnaient leur vie grâce aux *shuln*, comme Shimshen Dunsky (1899-1981), traducteur de la Bible, Jacob-Isaac Segal, Sholem Shtern (1906-1991) et le nouvelliste Yaacov Zipper (pseudonyme de Yaacov Shtern, 1900-1983). Parce qu'elles se considéraient comme un rouage de la vie communautaire, les *shuln* offraient des cours pour les adultes et organisaient des événements scolaires qui étaient suivis avec attention par le public montréalais. Durant l'entre-deux-guerres, les cérémonies de graduation des *shuln* faisaient salle comble au Monument national. Pendant cette période, les *shuln* en particulier, mais aussi l'ensemble de la mouvance yiddish à Montréal, prenaient l'allure d'une « aventure utopiste » créée par un groupe de « révolutionnaires » cherchant à assurer le développement futur de la judéité[28].

Quel que soit le degré de succès du yiddish comme langue commune du monde juif, cette vision d'une éducation séculière yiddish ne faisait pas l'unanimité dans la communauté. Il en allait de même de l'autonomie nationale juive au sein de la société canadienne. On a pu percevoir la résistance à cette idée lorsque le projet du premier ministre Louis-Alexandre Taschereau qui visait à créer, au début des années 1930, une commission scolaire juive fut torpillé par des factions internes à la communauté juive montréalaise, dont celle des Juifs anglophones plus acculturés. Il y a aussi que le passage du yiddish à l'anglais était déjà bien engagé au cours des années 1920, un phénomène encore accentué par le resserrement des lois sur l'immigration. À partir de cette époque jusqu'à la fin des années 1940, le flot des immigrants yiddishophones au pays se trouva réduit à presque rien[29]. Pendant ce temps, la deuxième génération – inscrite en grande majorité à l'école de langue anglaise – était de moins en moins yiddis-

---

28. David G. Roskies, « A Hebrew-Yiddish Utopia in Montreal: Ideology in Bilingual Education », dans Alan Mintz (dir.), *Hebrew in America: Perspectives and Prospects*, East Lansing (Michigan), Wayne State University Press, 1993, p. 155-170.

29. Au sujet des politiques migratoires canadiennes, voir Irving Abella et Harold Troper, *None is Too Many: Canada and the Jews of Europe, 1933-1948*, New York, Random House, 1983.

hophone. Cette tendance se mesure par le fait que même si la plupart des Juifs québécois déclaraient au recensement que le yiddish était leur langue maternelle – et ce aussi tard que dans les années 1940 –, seulement 3 % d'entre eux se disaient incapables de parler anglais.

Un changement de paradigme eut lieu au sein des *shuln* et les fit cesser d'être un véhicule idéologique pour devenir plutôt un lieu de transmission d'une identité juive au sein d'une communauté de plus en plus canadianisée. Les activistes et pédagogues de ces écoles pensaient déjà, dès les années 1920, mettre en place des moyens novateurs pour faire la promotion du yiddish comme langue vivante. Les *shuln* valorisèrent de jeunes talents littéraires en émergence à travers leurs clubs et la publication de périodiques, même si la qualité littéraire du yiddish était déjà sur son déclin au sein de sa clientèle surtout anglophone. Le monde yiddish se réjouit par exemple quand Rivke Royzenblat (1906-2000), une Montréalaise qui avait étudié à l'école Peretz, publia en 1929 un recueil de poésie à New York[30]. L'écrivaine fut perçue, avec quelques autres lettrés yiddishophones formés au Canada, comme un signe annonciateur d'une culture yiddish viable. Même si les étudiants qui avaient gradué dans ces écoles ne firent pas carrière dans les belles-lettres yiddish, plusieurs restèrent associés à la langue pendant de longues périodes, tel Royzenblat qui laissa sa marque dans le domaine du folklore yiddish sous le nom de Ruth Rubin.

Tandis que Montréal s'illustrait comme centre important pour ce qui est de cet effort de promouvoir la culture yiddish à travers l'éducation, la ville restait marginale dans d'autres secteurs d'activité liés à la langue. Contrairement à Varsovie, Vilnius ou New York, où il existait des douzaines de théâtres et de journaux, Montréal ne possédait pas une population juive suffisamment grande pour développer un marché intérieur florissant. À Montréal, la culture yiddish était surtout soutenue par une classe ouvrière juive qui n'était pas en mesure d'appuyer des maisons d'édition de type commercial. La ville se trouvait aussi assez proche de New York sur le plan géographique, ce qui rendait plus facile l'importation d'une culture populaire yiddish[31], notamment dans le domaine des lettres et de la publication, puis pour ce qui a trait aux arts de la scène.

---

30. Rivke Royzenblat, *Lider* [*Poèmes*], New York, Y.L. Magid, 1929.
31. Voir Melech Ravitch, « Kanadisher tsvayg fun shtam : velt-literatur in yidish [Un rameau canadien : la littérature en yiddish à travers le monde] », dans Shlomo Bikl (dir.), *Pinkes*

Comparée à d'autres centres importants de la culture yiddish, la littérature yiddish canadienne – avec Montréal comme pivot principal – prit forme avec un certain retard et à une échelle relativement petite. Même après la fondation du *Keneder Adler*, plusieurs Montréalais continuèrent de lire un certain nombre de journaux importés de New York. Contrairement à d'autres villes où il existait un choix plus vaste, chaque titre occupant une niche idéologique précise, Montréal ne réussit jamais à soutenir plus d'un organe de presse yiddish, sauf pour de brèves périodes. Il en va de même des mouvements littéraires. Pendant la période de la grande migration, New York produisit plusieurs écoles littéraires, dont les Sweatshop Poets, Di Yunge [les jeunes] et Di Inskhistn [les introspectivistes]. Au même moment, Montréal n'accueillait que des talents individuels. Dans un des premiers essais parus sur la littérature yiddish canadienne, H. M. Caiserman écrivait en 1927, dans les pages du *Keneder Adler*, que le monde littéraire yiddish n'en était, malgré des débuts intéressants, qu'à ses premiers pas au pays[32]. En 1934, à l'heure où Caiserman publiait une étude portant sur la quarantaine d'écrivains juifs répertoriés au Canada[33], seul un petit nombre d'auteurs yiddish auraient pu prétendre laisser leur marque dans les lettres, la plupart des Montréalais. Parmi eux se trouvait Jacob-Isaac Segal, Ida Maza (aussi connue sous le nom de Maze et Massey, née Zhukovsky, 1893-1962), Sholem Shtern et Yaacov Zipper. Pendant ce temps, d'autres auteurs locaux exploraient différents genres littéraires, dont le rabbin orthodoxe Yudel Rosenberg (1859-1935) qui faisait paraître des traductions de textes mystiques juifs ainsi que des ouvrages didactiques en partie déguisés en fiction[34]. Tout comme la plupart des écrivains yiddish à travers le monde, les auteurs montréalais, autant les plus connus que ceux qui l'étaient moins, publiaient surtout dans des anthologies, des périodiques littéraires et des journaux[35]. Ce n'est

---

fun der forshung fun der yidisher literatur un prese [*Recueil de textes savants sur la littérature et la presse yiddish*], New York, Congress for Jewish Culture, 1965, p. 230-252.

32. H. M. Caiserman, « Yidish-literarishe tetikayt in kanade [L'activité littéraire yiddish au Canada] », *Keneder Adler*, 2 septembre 1927.

33. H. M. Caiserman, *Yidishe dikhter in kanade* [*Poètes yiddish au Canada*], Montréal, Farlag Nyuansn, 1934.

34. Ira Robinson, « "A Letter From the Sabbath Queen": Yudel Rosenberg Addresses Montreal Jewry », dans Richard Menkis et Norman Ravvin (dir.), *The Canadian Jewish Studies Reader*, Calgary, Red Deer Press, 2004, p. 126-140.

35. Voir Nathan Cohen, « The Yiddish Press as Distributor of Literature », *The Multiple Voices of Modern Yiddish Literature*, vol. 2, 2007, p. 7-29.

qu'après l'Holocauste que le livre devint un moyen courant de diffusion pour cette production littéraire.

Le développement des arts de la scène fut aussi affecté à Montréal par l'absence de moyens et la proximité de New York. Le théâtre yiddishophone soulevait l'enthousiasme des masses populaires juives, autant en Europe que dans les grands centres d'immigration. Cet engouement amena une prolifération de troupes professionnelles qui jouaient un répertoire très varié, allant du mélodrame aux interprétations de haut niveau artistique[36]. New York, qui possédait le statut de capitale du théâtre yiddish, constituait pour l'ensemble du monde yiddish un réservoir de talents et de ressources scéniques[37]. La plupart du théâtre yiddish qui était présenté à Montréal était fait de drames à caractère populaire, joués par des troupes le plus souvent issues de New York. Il était en effet moins onéreux de compter sur des acteurs qui circulaient d'une ville à l'autre que de cultiver des comédiens vivant sur place. Le bastion du théâtre yiddish à Montréal était le Monument national, érigé entre 1890 et 1894 comme symbole de la culture canadienne-française, puis loué subséquemment à des groupes communautaires locaux. On y voyait pour la plupart des troupes capables de jouer un vaste répertoire et qui comptaient des étoiles de la scène venues de l'extérieur de la ville[38]. Un théâtre de haut calibre émergea brièvement à la veille de la Deuxième Guerre mondiale quand une comédienne de formation soviétique, Chayele Grober (1894-1978), s'établit à Montréal et fonda un studio d'art dramatique. De 1939 à 1942, le YTEG (Yidishe-teater-grupe [groupe de théâtre yiddish]) forma des comédiens selon la méthode Stanislavski et donna quelques représentations novatrices. Il faut toutefois attendre la fin des années 1950 pour que Montréal se dote d'une troupe de théâtre permanente.

---

36. Voir Nehma Sandrow, *Vagabond Stars: A World History of Yiddish Theatre*, Syracuse (New York), Syracuse University Press, 1996.
37. Nina Warnke, « Going East: The Impact of American Yiddish Plays and Players on the Yiddish Stage in Czarist Russia, 1890-1914 », *American Jewish History*, vol. 92, n° 1, 2004, p. 1-29.
38. À ce sujet, voir Jean-Marc Larrue, *Le théâtre yiddish à Montréal / Yiddish Theatre in Montreal*, Montréal, Éditions Jeu, 1996.

Dans le sillage de l'Holocauste : de 1950 à aujourd'hui

Au cours des années qui ont suivi la Deuxième Guerre mondiale, le Montréal yiddish fut revivifié par l'arrivée d'un grand nombre de survivants yiddishophones. Cet afflux composé de plusieurs dizaines de milliers de personnes, le deuxième en importance en Amérique du Nord après celui de New York, fit de Montréal un centre yiddish de première importance à travers le monde. L'infrastructure considérable de langue yiddish dans la ville et l'accueil prodigué par des personnalités comme Ida Maza attirèrent plusieurs figures consacrées de la vie yiddish, autant à la veille de la guerre qu'au lendemain de l'Holocauste. Melech Ravitch (nom de plume de Zekharye-Khone Bergner, 1893-1976), un poète et essayiste yiddish, en plus d'avoir été un écrivain influent dans le Varsovie de l'entre-deux-guerres, devint après son arrivée à Montréal en 1941 un activiste culturel très écouté. Née en Galicie, Rachel Korn (1898-1982), une poète et nouvelliste qui avait survécu à l'Holocauste, arriva dans la ville en 1948. Une fois sur place, elle publia de nombreuses œuvres sur le thème de la mémoire et de la perte[39]. Il en va de même de Yehuda Elberg (1912-2003), qui a immigré à Montréal en 1956. Ce dernier avait fui le ghetto de Varsovie et pris part à la résistance en Pologne, en plus d'avoir participé à la reconstruction de la vie juive dans ce pays une fois la guerre terminée[40]. Mentionnons enfin Chava Rosenfarb (née en 1923), une survivante du ghetto de Lodz et des camps de concentration nazis. Arrivée à Montréal en 1950, Rosenfarb publia des nouvelles et une série de romans qui abordaient l'expérience de l'Holocauste[41]. Cette période fut aussi témoin de l'établissement

---

39. Au sujet de Korn, voir www.rachelkorn.com. L'œuvre de Korn est disponible en traduction anglaise grâce aux travaux de Seymour Mayne, *Generations: Selected Poems*, Oakville (Ontario), Mosaic, 1982 et de Seymour Levitan, *Paper Roses*, Toronto, Aya Press, 1985.

40. Deux œuvres d'Elberg ont été traduites en anglais sous le titre *The Ship of the Hunted* et *The Empire of Kalman the Cripple*, Syracuse (New York), Syracuse University Press, 1997. En français, on peut parcourir une traduction de Pierre Anctil, *L'empire de Kalman l'infirme / Kalman Kalikes imperye*, Montréal, Leméac/Actes Sud, 2001.

41. Une partie de l'œuvre de Rosenfarb a été traduite en anglais sous les titres *The Tree of Life*, Madison (Wisconsin), University of Wisconsin Press, 2004 ; *Bocainy*, Syracuse (New York), Syracuse University Press, 2000 ; *Of Lodz and Love*, Syracuse (New York), Syracuse University Press, 2000 ; *Survivors: Seven Short Stories*, Toronto, Cormorant Books, 2005. Au sujet d'Elberg et de Rosenfarb, voir aussi Elaine Kalman Naves, « Keeping the Flame Alight : Montreal as Home to Two Literary Starts », *Putting Down Roots : Montreal Immigrant Writers*, Montréal, Véhicule Press, 1998, p. 50-71.

dans la ville de leaders hassidiques, tels que le rebbe de Tasher, né en Hongrie (Meshulim Feish Lowy, né en 1921), et qui se consacra à la création d'une enclave orthodoxe de langue yiddish dans la région de Montréal.

Vers 1950, malgré l'arrivée de nouveaux locuteurs à Montréal et l'ampleur de l'assise institutionnelle yiddish dans la ville, la langue avait toutefois été remplacée par l'anglais en tant que *lingua franca* de la communauté juive canadienne. À cette date, le yiddish avait vu sa raison d'être modifiée par les changements démographiques sur la scène locale, par la destruction de la civilisation yiddish européenne au moment de l'Holocauste et par la prédominance de l'hébreu lors de la création de l'État d'Israël. Pendant que les yiddishistes maintenaient le cap dans leur promotion de la langue et de la culture, le yiddish était repoussé en marge. Aujourd'hui les yiddishophones se retrouvent surtout dans deux sphères, celle des individus nés en Europe avant l'Holocauste, puis au sein du monde juif ultra-orthodoxe, en particulier les *Hassidim*.

La plupart des Montréalais âgés de moins de 60 ans qui utilisent le yiddish de façon quotidienne vivent au sein d'enclaves hassidiques en expansion rapide. Aujourd'hui, les *Hassidim* (singulier: *Hassid*) regroupent la plupart des yiddishophones dans le monde, ce qui est en rupture complète avec la situation d'il y a un siècle, quand le yiddish était la langue commune de tous les Juifs ashkénazes, quelle que soit leur affiliation religieuse. Le mouvement dit hassidique est apparu au XVIIIᵉ siècle en Europe de l'Est lorsqu'un courant mystique populaire juif a donné naissance à une constellation de sectes caractérisées par une pratique religieuse stricte, l'allégeance à des rabbins (*rebbes*) charismatiques et un rejet du monde moderne séculier. Lorsque les bases premières de la vie hassidique ont été détruites, au cours de l'Holocauste, les adeptes de cette inter-prétation du judaïsme en sont venus à former des communautés transnationales insulaires. Au sein de ces milieux, les *Hassidim* prônent la rupture avec la société environnante. Ils sont aussi susceptibles de conserver des éléments de leur ancienne vie juive est-européenne, en particulier pour ce qui est de la manière de se vêtir et de parler. Les *Hassidim* ont conservé jusqu'à aujourd'hui une forme de bilinguisme juif traditionnel. Il est constitué d'une langue appelée *loshn-koydesh* (la langue sainte ou l'hébreu/araméen), qui sert de véhicule sacré pour l'étude et la prière, et d'autre part d'un vernaculaire juif – le yiddish – utilisé avant tout dans la sphère quotidienne et publique. Dans ce contexte, grâce entre autres à son déclin dans le monde juif séculier, le yiddish a fini par revêtir une fonction quasi sacrée comme marqueur de l'identité hassidique[42]. Au sein de la plupart des communautés hassidiques, le yiddish reflète des valeurs positives et permet d'ériger des barrières devant l'espace séculier[43]. Une résistance farouche à la culture dominante, combinée à l'existence d'un réseau scolaire ultra-orthodoxe très étendu, contribue à promouvoir le yiddish comme un véhicule linguistique de première importance pour cette communauté[44]. Contrairement aux cercles culturels yiddishistes, les *Hassidim* ont tendance à utiliser le yiddish à des fins purement pragmatiques. Tandis que le monde hassidique produit son propre domaine littéraire, on n'y trouve guère d'intérêt pour l'orthographe, le style d'écriture ou la création de vocabulaire nouveau en yiddish[45].

La région de Montréal compte la deuxième plus importante population hassidique en Amérique du Nord après New York. Plus de dix sectes originaires de localités différentes en Pologne, en Hongrie, en Roumanie, en Tchécoslovaquie et en Russie y forment une communauté en croissance rapide, dont le chiffre varierait selon les estimés entre 8 000 et 20 000 individus[46]. Il s'agit de plus d'une population dont le taux de naissance est élevé et en expansion rapide. Même si la plupart des *Hassidim* se sont établis au Canada après 1940, on trouve des traces de cette tradition dès les années 1880. Pour l'essentiel toutefois il faut attendre la période de l'entre-deux-guerres pour qu'une structure communautaire hassidique

42. Simeon Baumel, « Black Hats and Holy Tongues : Language and Culture among British Haredim », *European Judaism*, vol. 36, n° 2, 2003, p. 91-109.

43. Miriam Isaacs, « *Haredi, haymish and frim* : Yiddish Vitality and Language Choice in a Transnational, Multilingual Community », *International Journal of the Sociology of Language*, n° 138, 1998, p. 9-30.

44. Lewis H. Glinert, « We Never Changed our Language : Attitudes to Yiddish Acquisition among Hasidic Educators in Britain », *International Journal of the Sociology of Language*, n° 138, 1999, p. 31-52.

45. Voir Mark Abley, *Spoken Here : Travels among Threatened Languages*, Toronto, Vintage Canada, 2004, p. 201-228.

46. Le premier chiffre est cité par D. Deshaies *et al.*, « Immunization Against Hepatitis A During an Outbreak in a Jewish Community – Quebec 1997-1998 », *Canadian Communicable Disease Report*, vol. 24, n° 18, 1997, Health Canada. On peut aussi consulter cet article à l'adresse suivante : www.phac-aspc.gc.ca/publicat/ccdr-rmtc/98vol24/dr2418ea.html (consulté le 21 juin 2008) ; le second provient de Julie Châteauvert et Francis Dupuis-Déri, *Identités mosaïques. Entretiens sur l'identité culturelle des Québécois juifs*, Montréal, Boréal, 2004, p. 63.

se développe au pays[47]. Une population comptant en majorité des survivants de l'Holocauste ou leurs descendants, les *Hassidim* vivent dans des communautés tissées serré, au sein desquelles le lien avec le monde extérieur est minime. À part la secte des Chabad-Lubavitch, qui tente de rejoindre les Juifs séculiers en utilisant d'autres langues courantes, les *Hassidim* montréalais maintiennent des frontières très étanches entre eux et la culture séculière majoritaire[48]. L'usage du yiddish est une des manières de parvenir à ce but : le plus souvent, ils parlent cette langue sur une base régulière à la maison, avec leurs enfants et au sein de leur communauté. Par exemple, à Kiryas Tash, une communauté établie dans la ville de Boisbriand en 1963, le yiddish est la langue principale et celle dans laquelle l'affichage est fait[49]. Ces pratiques expliquent en partie le fossé qui s'est creusé entre Montréal et Toronto – qui abrite une population hassidique beaucoup plus petite – pour ce qui a trait à l'usage de cette langue.

Contrairement au monde hassidique, la communauté juive dominante s'achemine de plus en plus vers ce que Jeffrey Shandler appelle une utilisation « post-vernaculaire » du yiddish. Dans ce mode, la langue assume avant tout une fonction symbolique[50]. Les pertes massives dues à l'Holocauste, qui ont entraîné l'annihilation de millions de yiddishophones et l'oblitération de leur culture, ont provoqué une réorientation profonde face quant au yiddish. Dans beaucoup de milieux, le yiddish est devenu le véhicule d'une commémoration mémorielle[51]. Plus généralement, le yiddish, grâce à l'usage de termes et d'expressions isolées, est devenu un gage d'identité juive. Il en va de même avec la musique et d'autres formes

47. Voir Steven Lapidus, « The Forgotten Hasidim : Rabbis and Rebbes in Prewar Canada », *Canadian Jewish Studies*, n° 12, 2004, p. 1-30 ; Ira Robinson, *Rabbis and Their Community : Studies in the Eastern European Orthodox Rabbinate in Montreal, 1896-1930*, Calgary, University of Calgary Press, 2007.

48. William Shaffir, « Safeguarding a Distinctive Identity : Hassidic Jews in Montreal », dans Ira Robinson et Mervin Butovsky (dir.), *Renewing our days : Montreal Jews in the Twentieth Century*, Montréal, Véhicule Press, 1995, p. 74-94.

49. William Shaffir, « Social Boundaries and Institutional Development as Mechanisms of Identity Control », dans E. Krausz and G. Tulea (dir.), *Jewish Survival : The Identity Problem at the Close of the Twentieth Century*, New Brunswick (New Jersey), Transaction Publishers, 1998, p. 169-187. Voir aussi le site Internet de Shaffir à Kiryas Tash : www.kiryastash.ca/index.shtml (consulté le 22 juin 2008).

50. Jeffrey Shandler, *Adventures in Yiddishland : Postvernacular Language and Culture*, Berkeley (Californie), University of California Press, 2006.

51. Anita Norich, *Discovering Exile : Yiddish and Jewish American Culture During the Holocaust*, Stanford (Californie), Stanford University Press, 2007, p. 5.

d'art, même si de moins en moins de gens connaissent la langue. Le yiddish s'est aussi taillé un auditoire à l'extérieur du monde juif. Ce phénomène est entre autres observable pour ce qui est de la musique yiddish, notamment dans le domaine de plus en plus populaire de la musique klezmer[52]. En plus de festivals qui se déroulent dans la ville même, la région de Montréal offre aussi un événement annuel appelé KlezKanada, qui attire des participants de partout dans le monde et offre des séminaires ainsi que des spectacles en langue yiddish[53]. Malgré cela, en pareilles circonstances, la langue n'est généralement pas – ou même jamais – utilisée sur une base régulière par les festivaliers ou les musiciens, si même jamais.

Le théâtre yiddish offre un autre exemple de cette tendance. Au cours des 50 dernières années, Montréal est devenue un centre international reconnu des arts de la scène en langue yiddish, et la ville abrite une des rares troupes de théâtre permanentes dans cette langue : le Théâtre yiddish Dora-Wasserman. Cette institution a été fondée par Dora Wasserman (1919-2003), une comédienne née en Ukraine et formée au Théâtre yiddish d'État de Moscou. Survivante de l'Holocauste, elle est arrivée à Montréal en 1950. Dès le début des années 1950, Wasserman a mis sur pied des productions en langue yiddish, si bien qu'en 1973, sa troupe était rattachée au Centre Saidye-Bronfman. Depuis, le Théâtre yiddish Dora-Wasserman a présenté plus de 70 pièces du répertoire yiddish classique, en plus de se lancer dans des traductions novatrices de textes bien connus, comme *Les belles-sœurs* de Michel Tremblay. Le Théâtre possède aussi une section jeunesse appelée YAYA (Young Actors for Young Audiences)[54]. Par contre, à mesure que le yiddish cesse d'être un véhicule linguistique courant, les comédiens qui œuvrent dans ce théâtre et les auditoires qui les accompagnent comprennent de moins en moins cette langue.

Tout comme le théâtre, les autres institutions qui soutenaient la vie séculaire en langue yiddish traversent présentement une période de transformation. La Bibliothèque publique juive de Montréal poursuit son travail de préservation de l'imprimé yiddish, et offre toujours

---

52. Au sujet du rôle de la langue yiddish dans la musique klezmer contemporaine, voir Abigail Wood, « The Multiple Voices of American Klezmer », *Journal of the Society for American Music*, vol. 1, n° 3, 2007, p. 367-392.
53. Voir le site Internet de KlezKanada : www.klezkanada.com.
54. Voir Jean-Marc Larrue, *Le théâtre yiddish à Montréal/Yiddish Theatre in Montreal*, Montréal, Éditions Jeu, 1996.

des classes ainsi que des conférences dans cette langue. Les livres en yiddish sont toutefois empruntés moins souvent qu'auparavant et la bibliothèque a de plus en plus tendance à présenter des conférences à ce sujet en anglais ou en français. Cette orientation se voit aussi au sein des *shuln*, qui ont continué à faire la promotion de l'héritage yiddish. Dans ce milieu, l'abandon progressif du yiddish a cependant signifié pour la langue une perte de statut dans le réseau scolaire. Malgré cela, Montréal possède quelques-unes des rares maisons d'éducation dans le monde où le yiddish est toujours enseigné sur une base régulière[55]. Les Écoles juives populaires et écoles Peretz (JPPS), qui sont le résultat de la fusion en 1971 de deux institutions distinctes, proposent encore aujourd'hui à leurs élèves des niveaux primaire et secondaire un cours de langue yiddish qui occupe plusieurs heures chaque semaine. Ailleurs au Canada, la plupart des *shuln* ont soit fermé leurs portes soit fusionné avec d'autres écoles juives. Comme aucun des élèves de JPPS n'utilise le yiddish sur une base régulière, la langue occupe dorénavant une place plus symbolique comme aspect de la culture ashkénaze. Dans cet environnement scolaire, l'aisance à parler le yiddish n'est plus un objectif pédagogique important, surtout en comparaison de l'hébreu[56]. Le yiddish est devenu pour ces étudiants un héritage patrimonial qui n'a de sens que comme un point de référence culturel dont ils doivent connaître l'existence[57]. Tout comme les manifestations plus visibles de la culture yiddish séculière, l'utilisation du yiddish dans ces écoles découle d'un parti pris délibéré, souvent manifesté d'une manière fragmentée et performative[58].

Une étude comparative récente de l'enseignement du yiddish dans les écoles montréalaises séculières, puis dans les maisons d'enseignement hassidiques, a mis en lumière la manière dont chaque

---

55. Située à Toronto et créée en 1961 comme un prolongement de l'École juive populaire, la Bialik Hebrew Day School offre aussi des cours obligatoires de langue yiddish.
56. Voir Jewish People's and Peretz Schools (JPPS), « Languages », [en ligne]. www.jppsbialik.ca/en/jpps/academics/languages [Page Web consultée le 22 juin 2008].
57. Jeffrey Shandler, « Beyond the Mother-tongue : Learning the Meaning of Yiddish in America », *Jewish Social Studies*, vol. 6, n° 3, 2000, p. 97-123. Barbara Kirshenblatt-Gimblett propose la définition suivante du mot *heritage* : « a mode of cultural production that gives the disappearing and gone a second life ». Barbara Kirshenblatt-Gimblett, « Sounds of Sensibility », dans Mark Slobin (dir.), *American Klezmer: Its Roots and Offshoots*, Berkeley (Californie), University of California Press, 2002, p. 133.
58. Jeffrey Shandler, « Postvernacular Yiddish : Language as a Performance Art », *TDR: The Drama Review*, vol. 48, n° 1, 2004, p. 28-29.

communauté utilise la langue[59]. Les auteurs ont montré que l'enseignement du yiddish aux JPPS est entré dans une période de déclin. Dans ce contexte, les enseignants doivent sans cesse lutter contre les coupures budgétaires imposées par les administrateurs scolaires au programme de langue yiddish. Au même moment, l'école Beys Tsirl pour filles de la communauté hassidique de Kiryas Tash augmentait le nombre d'heures consacrées au yiddish. Les élèves de cette institution reçoivent une formation dans cette langue comme partie intégrante du programme régulier, incluant le vocabulaire yiddish, la lecture et l'écriture. Par contre, on porte peu d'attention dans ce contexte au maintien d'une orthographe standard ou à l'accentuation de la langue. Ultimement, au sein des écoles hassidiques, l'enseignement du yiddish demeure un choix intentionnel et bien pesé, mais à l'intérieur d'une vision du monde très différente de celle défendue par le réseau éducatif séculier. Dans le premier cas, la langue yiddish est associée de très près aux grands principes du hassidisme, tandis que dans le second il s'agit d'un véhicule linguistique parmi d'autres et dont l'utilité immédiate semble en déclin.

Conclusion

Seul un engagement de tous les jours a pu permettre à la langue et à la culture yiddish de résister à Montréal au déclin qui se manifeste partout ailleurs dans le monde. À l'heure actuelle, le yiddish moderne reste fermement ancré dans la vie juive canadienne, même si ce positionnement prend de plus en plus la forme d'un « héritage » défini de manière nébuleuse. On assiste maintenant au départ annoncé de la dernière génération, à l'extérieur du monde ultra-orthodoxe, qui pouvait encore parler le yiddish comme une langue maternelle. Ce crépuscule signifie aussi la fin des activistes et des artistes qui avaient fait de Montréal, après l'Holocauste, un centre important de vie yiddish. Pendant que la communauté juive dominante s'interroge sérieusement sur les chances de survie du yiddish[60], on trouve de plus en plus de yiddishophones au sein de l'univers hassidique, même s'ils

---

59. Anna Fishman Gonshor et William Shaffir, « Commitment to a Language : Teaching Yiddish in a Hasidic and Secular School », dans Joseph Sherman (dir.), *Yiddish after the Holocaust*, Oxford, Boulevard Books, The Oxford Centre for Hebrew and Judaic Studies, 2004, p. 149-178.
60. Voir Jack Thiessen, *Yiddish in Canada : The Death of a Language*, Leer (Allemagne), Verlag Schuster, 1973.

ne portent aucune attention à la culture yiddish séculière. De plus en plus, les auditoires intéressés à la culture yiddish moderne, que ce soit sous la forme du théâtre ou de la littérature, doivent avoir recours à des traductions pour accéder au texte lui-même. Un certain nombre d'ouvrages d'auteurs montréalais yiddishophones ont paru récemment autant en français qu'en anglais, ce qui a tout à la fois créé et soutenu une demande dans la ville pour une littérature yiddish de la part d'un lectorat non-juif[61]. Au même moment, des conférences ont lieu et des ouvrages savants qui paraissent ouvrent de nouvelles perspectives et élargissent l'intérêt pour le yiddish[62]. Qui plus est, on note maintenant qu'il y a un engouement pour la littérature et la culture yiddish au sein de la population montréalaise de langue française, ce qui a donné naissance à des collaborations inédites[63]. Deux individus se détachent particulièrement du lot sous ce rapport, soit l'anthropologue et historien québécois Pierre Anctil, auteur d'études novatrices sur les Juifs du Québec et de nombreuses traductions du yiddish au français[64], et Régine Robin, une romancière et essayiste née à Paris en 1939 de parents juifs, auteure de *L'amour du Yiddish : écriture juive et sentiment de la langue, 1830-1930*[65]. La langue anglaise au Canada

---

61. Voir Rebecca Margolis, « Yiddish Translation in Canada : A Litmus Test for Continuity », *TTR (Traduction Terminologie Rédaction)*, vol. 19, n° 2, 2008, p. 149-189.

62. Voir Ira Robinson, Pierre Anctil et Mervin Butovsky (dir.), *An Everyday Miracle : Yiddish Culture in Montreal*; Pierre Anctil, Norman Ravvin et Sherry Simon (dir.), *Traduire le Montréal yiddish / New readings of Yiddish Montreal*, *op. cit.*

63. Voir Sherry Simon, « Bifurcations : Yiddish Turned to French », *Translating Montreal : Episodes in the Life of a Divided City*, Montréal et Kingston, McGill-Queen's University Press, 2006, p. 90-118. L'ouvrage a été publié en français sous le titre *Traverser Montréal, une histoire culturelle par la traduction*, Montréal, Fides, 2008.

64. Anctil a traduit les ouvrages suivants du yiddish au français : Israël Medresh, *Montreal foun nekhtn / Le Montréal juif d'autrefois*, Sillery, Septentrion, 1997 (1947); *Tsvishn tsvey velt milkhomes / Le Montréal juif entre les deux guerres*, Sillery, Septentrion, 2001 (1964); Simon Belkin, *Di Poale Zion bavegung in Kanade, 1904-1920 / Le mouvement ouvrier juif au Canada, 1904-1920*, Sillery, Septentrion, 1999 (1956); Hirsch Wolofsky, *Mayn lebns rayze / Un demi-siècle de vie yiddish à Montréal*, Sillery, Septentrion, 2000 (1946); Yehuda Elberg, *Kalman Kalikes Imperye / L'Empire de Kalman l'infirme*, Montréal, Leméac/Actes Sud (coll. « Le cabinet de lecture »), 2001 (1983); Haim-Leib Fuks, *Hundert yor yidishe oun hebreyshe literatur in Kanade / Cent ans de littérature yiddish et hébraïque au Canada*, Sillery, Septentrion, 2005 (1980); Sholem Shtern, *Yidishe shrayber vos ikh hob gekent / Nostalgie et tristesse, mémoires littéraires du Montréal yiddish*, Montréal, Éditions du Noroît, 2006 (1982) et Hershl Novak, *Mayne yunge yorn / La Première École yiddish de Montréal, 1911-1914*, Sillery, Septentrion, 2009 (1957).

65. Régine Robin, *L'amour du yiddish : écriture juive et sentiment de la langue, 1830-1930*, Paris, Éditions du Sorbier, 1984.

se montre par ailleurs de plus en plus ouverte à des emprunts au yiddish, comme on peut le voir par exemple dans les expressions *shmooze* et *shlep*[66]. Nul ne sait exactement quel sera le futur de la langue yiddish à Montréal. Il est évident cependant que le yiddish a connu des transformations très importantes en quelques décennies. Langue la plus parlée au sein du judaïsme avant la Deuxième Guerre mondiale, le yiddish n'est presque plus utilisé aujourd'hui, sauf au sein du monde ultra-orthodoxe. Ce déclin n'a toutefois pas empêché le yiddish de rester un thème de discussion très répandu, même à l'extérieur de la vie juive[67].

---

66. Au sujet des mots anglais empruntés du yiddish au Canada, voir Elaine Gold, « Yiddish Words in Canadian English : Spread and Change », dans Joseph Sherman (dir.), *Yiddish after the Holocaust, op. cit.*, p. 198-216.
67. Voir Rebecca Margolis, « Culture in motion : Yiddish in Canadian Jewish Life », *Journal of Religion and Popular Culture*, nº 21, 2009, [en ligne], http://www.usask.ca/relst/jrpc [Page Web consultée le 15 octobre 2010].

L'apport des créateurs juifs à la vie culturelle et littéraire montréalaise
Chantal Ringuet

NOMBREUX SONT LES CRÉATEURS JUIFS qui se sont illustrés à Montréal depuis le siècle dernier. De tous les groupes culturels dits « minoritaires » qui ont contribué au développement de la vie culturelle et littéraire de la ville, les Juifs se situent au premier plan en raison du nombre élevé d'auteurs et d'œuvres qui sont issus de leur communauté. Dès leur arrivée au Québec au début du XXe siècle les immigrants yiddishophones ont mis sur pied une presse yiddish (1907) ainsi que des institutions d'envergure, tels la Bibliothèque publique juive (1914), les écoles juives (1913-1914) et les syndicats dans le domaine de la confection. En outre, l'émergence d'une littérature yiddish, dont l'âge d'or se situe entre 1919 et 1939, ainsi que le développement de l'activisme social, ont donné lieu à l'implantation rapide de la culture yiddish dans la métropole[1]. À partir de ce moment, les Juifs est-européens ont participé aux grands courants culturels et artistiques montréalais.

Le présent article constitue une mise en situation des œuvres et des pratiques littéraires et culturelles de Montréal qui sont associées à des créateurs juifs, des années 1930 à nos jours. Si plusieurs travaux ont fait découvrir l'importante contribution de personnalités juives à la vie montréalaise depuis les dernières années (Anctil, 2005, 2007, 2009 ; Dupuis-Déri et Châteauvert, 2004 ; Larrue, 1996 ; Trépanier, 2008 ; Simon, 2009), une vue d'ensemble de leurs réalisations fait présentement défaut. Nous souhaitons remédier partiellement à cette lacune en brossant à grands traits le tableau des principaux créateurs juifs qui ont laissé leur marque dans la sphère culturelle

---

1. À ce sujet, voir Haim-Leib Fuks, *Cent ans de littérature yiddish et hébraïque au Canada*, traduit du yiddish par Pierre Anctil, Sillery, Septentrion, 2005.

québécoise, en nous appuyant sur le principe suivant : l'identité étant un phénomène complexe, sans cesse en mouvance et, par ce fait, riche en nuances, on ne saurait faire référence à une identité juive en particulier, mais plutôt à des « identités mosaïques[2] » dont la judéité est l'une des caractéristiques.

Compte tenu du nombre élevé d'auteurs qui sont convoqués ici et de l'horizon diversifié dans lequel s'inscrivent leurs productions, nous sommes appelés d'entrée de jeu à faire le deuil de l'exhaustivité. Nous nous bornerons donc à mentionner les principales figures qui se sont illustrées dans les disciplines littéraires et artistiques par leur contribution originale, en commençant par celles qui comportent le plus grand nombre de contributions.

La littérature

À Montréal comme dans l'ensemble du pays, l'émergence de la littérature juive est intimement liée au phénomène de l'immigration et à différents contacts linguistiques et culturels. Au début du XXe siècle, la majorité des Ashkénazes écrivent en yiddish ; certains utilisent l'hébreu et, dans de rares cas, le polonais et le russe. Toutefois, les Ashkénazes délaissent rapidement le yiddish au profit de la langue anglaise. Comme l'a souligné Michael Grenstein, les écrivains juifs anglophones forment dès lors une « troisième solitude au Canada[3] ».

Les écrivains anglo-montréalais

Dès les années 1930 apparaît au Québec une tradition littéraire illustrant la division culturelle de la métropole : les écrivains anglo-montréalais[4]. Abraham Moses Klein (1909-1972) amorce un tournant dans les lettres juives montréalaises lorsqu'il se lance dans l'écriture

---

2. Nous faisons référence ici à l'ouvrage de Julie Châteauvert et Francis Dupuis-Déry (dir.), *Identités mosaïques. Entretiens sur l'identité culturelle des Québécois juifs*, Montréal, Boréal, 2004.
3. Michael Greenstein, *Third Solidude. Tradition and Discontinuity in Jewish-Canadian Literature*, McGill-Queen's University Press, 1989.
4. Parmi les travaux qui ont été réalisés en ce domaine, signalons la parution des dossiers « Écrire en anglais au Québec : un devenir minoritaire ? » dans la revue *Québec Studies* (1999), « La littérature anglo-québécoise » dans la revue *Voix et images* (printemps 2005), « Write Here, Write Now. Les écritures anglo-montréalaises » dans le magazine culturel *Spirale* (n° 210, septembre-octobre 2006), et « Textes, territoires, traduction :

en langue anglaise. Le premier à s'assimiler à la langue dominante de son pays d'adoption, Klein s'associe au groupe du magazine littéraire *Preview*, qui jouera un rôle décisif dans le développement de la poésie canadienne-anglaise. Durant la décennie 1940, il publie les recueils de poésies *Hath Not a Jew* (1940), *Poems* (1944) et *The Hitleriad* (1944), œuvres qui portent l'empreinte du choc que représente le génocide des Juifs d'Europe. Il fait paraître ensuite *The Rocking Chair and Other Poems* (1948), recueil qui s'intéresse à la culture traditionnelle canadienne-française et pour lequel il remporte le Prix du Gouverneur général du Canada, section poésie. Klein atteint ensuite l'apogée de son art avec *The Second Scroll* (1951), son unique roman. Dans cette œuvre complexe réunissant la prose, la poésie, la dramaturgie et le commentaire, il retrace la création de l'État d'Israël depuis les violences commises envers le peuple juif en Europe. Empruntant à James Joyce différentes techniques littéraires, ce livre brosse le portrait de l'histoire juive contemporaine, à travers la réalisation d'aspirations religieuses et nationales ancestrales. Perçu comme une brillante expérimentation moderne, *The Second Scroll* a représenté, pour certains, une nouvelle *Haggadah*, une liturgie de *Pessah* (la Pâque juive) pour la judéité contemporaine ; pour d'autres, il été reçu comme un roman « canadien », car il exprime la collision de divers héritages. Reconnu tardivement comme l'un des premiers textes appartenant au genre de la « littérature de l'Holocauste », il confirma le statut de Klein en tant qu'écrivain juif, à la fois pour son public et pour lui-même. En même temps, il signa la fin de l'élan littéraire de l'auteur, qui sombra ensuite dans une dépression qui dura plusieurs années, jusqu'à sa mort en 1972. En somme, à titre de figure de proue de la littérature juive montréalaise et canadienne, Klein a produit une œuvre à la fois exigeante et complexe, qui lui a valu plusieurs prix et honneurs durant sa carrière (Prix David, 1952 ; Prix du gouvernement du Québec, 1957 ; médaille Lorne-Pierce de la Société royale du Canada, 1957). En 1988, la Quebec Writers' Federation a créé le prix A. M. Klein en son honneur, afin de promouvoir la littérature de langue anglaise au Québec.

(dé)localisations/dislocations de la littérature anglo-québécoise » dans la revue *Québec Studies*, n° 44, (hiver 2007/printemps 2008).

La postérité de Klein

À partir des années 1950, la postérité de Klein s'affirme grâce à la présence d'Irving Layton, de Leonard Cohen et de Mordecai Richler. Partageant avec Klein et les premiers immigrants juifs de Montréal certaines préoccupations telles que l'Holocauste, la naissance de l'État hébreu, le sionisme et la crainte de l'assimilation, ces auteurs figurent parmi les plus importants de la scène littéraire canadienne de langue anglaise.

D'origine roumaine, Irving Peter Layton (1912-2006) arrive jeune enfant à Montréal, où il passera sa jeunesse dans le « ghetto » juif de la ville. À ses débuts, il joint le groupe de poètes de la revue *First Statement* (1942-1945), qui s'inscrit dans le sillage de *Preview* tout en s'y opposant : une rivalité amicale se tisse entre les poètes établis et internationalistes de la première génération et les jeunes poètes exubérants et politisés de la seconde. Il devient ensuite membre du comité de rédaction de la revue *Northern Review*, née de la fusion de *First Statement* et de *Preview* puis, en 1953, il fonde la revue *CIV/n* (abréviation de *civilization* d'Ezra Pound) avec Aileen Collins et Louis Dudek.

Son premier recueil de poésie, *Here and Now* (1945), suscite une critique d'A. M. Klein, son mentor et ancien professeur de latin qui loue son talent tout en regrettant que son héritage juif s'y exprime trop discrètement. Une quarantaine d'œuvres – surtout des recueils de poésie et de prose diversifiés – succéderont à ce premier ouvrage : mentionnons au passage *The Black Huntsman* (1951), *A Red Carpet for the Sun* (1959, Prix du Gouverneur général du Canada), *The Laughing Rooster* (1964), *Engagements : The Prose of Irving Layton* (1972) et *Fortunate Exile* (1987). Tantôt satires dans lesquelles il critique la bourgeoisie, tantôt poèmes d'amour affichant un érotisme explicite, elles expriment le caractère intense, pénétrant et dramatique que Layton attribuait à la poésie. Poète, essayiste, nouvelliste et professeur prolifique jusqu'en 1990, Layton sera proposé comme candidat au prix Nobel par la Corée et l'Italie en 1981.

Né à Montréal en 1931, Leonard Cohen privilégie également le genre poétique à ses débuts. Dès les années 1950, il joint le groupe des « McGill poets » et publie ses premiers poèmes dans la revue *CIV/n* fondée par Layton. À l'instar de l'ami et du mentor que Klein avait été pour celui-ci, Layton deviendra l'ami et le conseiller de

Cohen pendant de nombreuses années. Les recueils poétiques *Let Us Compare Mythologies* (1956) et *Flowers for Hitler* (1964) ainsi que le roman *Beautiful Losers* (1966) révèlent un talent prolifique qui se confirmera au cours des décennies suivantes. Dès 1967, un tournant s'amorce dans sa carrière : dorénavant, Cohen se consacrera surtout à la musique. Son premier album, *Songs of Leonard Cohen* (1967), qui s'inspire de la musique folk européenne, comprend les succès « Suzanne » et « So long Marianne ». Réunissant une diversité de styles, tels la musique pop, le cabaret et la musique du monde, il annonce la carrière exceptionnelle que l'auteur-compositeur poursuivra en Grèce, à New York, en Angleterre et ailleurs dans le monde. Les chansons de Cohen se caractérisent par une charge émotive intense : elles abordent la rencontre amoureuse, la sexualité, la religion, la solitude et la complexité des relations humaines, thèmes déjà présents dans ses œuvres littéraires. Aujourd'hui, Cohen est sans nul doute le plus connu de tous les créateurs juifs qui se sont illustrés à Montréal : auteur-compositeur-interprète de renommée internationale, il a influencé beaucoup d'artistes canadiens et étrangers et ses chansons ont été reprises par plusieurs. Parmi les nombreux honneurs musicaux et littéraires qui lui ont été décernés, signalons le Prix du Gouverneur général du Canada (1969) pour *Selected poems, 1956-1968*, un prix qu'il a refusé ; un doctorat honorifique en droit de l'Université Dalhousie (1971) et un doctorat honorifique de littérature à l'Université McGill (1992). Comme pour rappeler la filiation littéraire à laquelle il appartient, le prix Segal de la Bibliothèque publique juive de Montréal (2008), nommé en l'honneur de Jacob-Isaac Segal, grand poète yiddish montréalais qui influença Klein, lui a été remis pour son livre *Book of Longing* (2006). Cohen est également membre du Canadian Music Hall of Fame (1991), compagnon de l'Ordre national du Canada (2003), membre du Canadian Songwriters Hall of Fame (2006) et membre du Rock and Roll Hall of Fame (2008). En 2008, à l'âge de 73 ans, il effectuait un retour sur scène dans le cadre d'une tournée internationale.

Autre figure canonique appartenant à la postérité de Klein, Mordecai Richler (1931-2001) brosse le portrait du « ghetto » juif montréalais de son enfance dans plusieurs œuvres, telles *Son of a Smaller Hero* (1955) et *The Street* (1969), qui s'attachent à représenter de jeunes protagonistes du Mile-End en quête de valeurs solides dans un monde dépravé. Mais il faut attendre la parution, en 1959, de *The Apprenticeship of Duddy Kravitz*, pour que Richler s'impose comme l'un des romanciers les plus en vue de sa génération. Cette œuvre, qui connaît un succès immédiat, retrace les aventures de l'ambitieux Duddy, un Juif montréalais qui deviendra un entrepreneur sans scrupule. Réunissant le tragicomique et le satirique, le roman se caractérise par une ambivalence qui annonce, à plusieurs égards, les œuvres ultérieures de Richler. Son talent d'humoriste s'affirme dans *The Incomparable Atuk* (1963) et dans *Cocksure* (1968, Prix du Gouverneur général du Canada), ouvrages dans lesquels il ridiculise les milieux culturels torontois et londoniens. Son refus des nationalismes l'incite à brosser un portrait satirique de la société québécoise dans *Oh Canada! Oh Québec! Requiem for a Divided Country* (1992), ouvrage pamphlétaire dans lequel il dénonce les lois linguistiques du Québec et le nationalisme québécois. Avec *Saint-Urbain's Horseman* (1972, Prix du Gouverneur général du Canada) et *Joshua Then and Now* (1980), Richler propose des romans plus ambitieux, qui le mèneront aux œuvres de maturité *Solomon Gursky Was Here* (1989) et *Barney's Version* (1997). Ses derniers ouvrages, *This Year in Jerusalem* (1995) et *On Snooker* (2001), puisent davantage du côté de l'autobiographie.

En plus d'être l'un des romanciers canadiens les plus importants, Richler a aussi travaillé comme journaliste et scénariste. Il a écrit plus de trois cents articles dans la presse écrite du Canada, des États-Unis et d'Angleterre. Parmi les nombreux honneurs qu'il a reçus, mentionnons le Prix du Gouverneur général du Canada (1968 et 1972) et le prix Hugh-MacLennan (1990 et 1998). En 2000, quelques mois avant son décès, Richler est devenu compagnon de l'Ordre du Canada.

Moins connus que Cohen et Richler, d'autres écrivains d'origine juive ont également participé au développement de la littérature anglo-montréalaise. C'est le cas, notamment, de David Solway (né en 1941), Robert Majzels (né en 1950) et David Homel (né en 1952). Professeur de littérature anglaise au John Abbott College de Montréal, Solway a publié des recueils poétiques (dont *Modern Marriage*, en 1987, et *Reaching for Clear: The Poetry of Rhys Savarin*, récipiendaire du prix A. M. Klein en 2007, section poésie), des essais sur l'éducation (*Education Lost*, 1989; *Lying about the Wolf: Essays in Culture & Education*, 1997), la littérature (*Director's Cut*, 2003) et le règne de la terreur (*The Big Lie: On Terror, Antisemitism, and Identity*, 2007). En 2003, il fut le premier écrivain anglophone à recevoir le Grand Prix du livre de la Ville de Montréal pour *Franklin's Passage* (2003), dans lequel il retrace le parcours du navigateur anglais John Franklin, qui a trouvé la mort dans l'Arctique en 1847 lorsqu'il cherchait un passage maritime au nord-ouest du Canada. Influencé par Leonard Cohen, Solway s'est aussi intéressé à la poésie québécoise de langue française, notamment à Gaston Miron. Son œuvre, à la fois ludique et polémique, se caractérise par une grande diversité de formes et de préoccupations.

Romancier, dramaturge, poète et traducteur, Robert Majzels a enseigné à l'Université Concordia avant de devenir professeur au Département d'anglais de l'Université de Calgary. Auteur de romans (dont *Apikoros Sleuth*, 2005), d'une pièce de théâtre et de recueils poétiques, l'auteur a également traduit plusieurs textes du français vers l'anglais, dont *Museum of Bone and Water* (2002) de Nicole Brossard. En collaboration avec Erin Mouré, il a aussi traduit *Installations* (Prix du Gouverneur général, 2000) et *Notebook of Roses & Civilization* de l'écrivaine québécoise (Quebec Writers' Federation Award for Translation, 2007).

Quant au romancier et journaliste David Homel, qui s'est installé à Montréal au début des années 1980, son activité littéraire a débuté par la création littéraire et la traduction. À ses romans, qui se déroulent dans sa terre natale américaine (*Electrical Storms*, 1988 ; *Rat Palms*, 1992 ; *Sonia and Jack*, 1995), s'ajoutent la traduction d'œuvres francophones (*Fairy Ring* de Martine Desjardins, en collaboration avec Fred A. Reed, Prix du Gouverneur général, 2001) et *Why Must a Black Writer Write About Sex* de Danny Laferrière (Prix du Gouverneur général, 1995). Il est également l'auteur de *The Speaking Cure* (prix Segal de la Bibliothèque publique juive, 2004), roman qui met en scène un psychologue serbe contraint de participer à une guerre civile. Très critique des courants littéraires contemporains, Homel met l'accent sur le caractère vindicateur de l'écrivain minoritaire dans ses textes.

Longtemps ignorée par l'institution littéraire francophone, la littérature anglo-montréalaise s'inscrit, depuis les années 1970, à la fois dans le vaste ensemble de la littérature canadienne anglaise et dans celui de la littérature québécoise. C'est dans le sillage des études portant sur l'écriture migrante au Québec, l'hybridité culturelle et la judéité que les critiques francophones se sont intéressés, à partir des années 1980, aux auteurs anglophones.

Les écrivains migrants juifs

Les années 1960 sont marquées par l'arrivée des écrivaines d'origine européenne Alice Parizeau (1930-1990) et Monique Bosco (1927-2007), qui poursuivront une activité littéraire en français. S'inspirant de leur expérience de la Deuxième Guerre mondiale, ces auteures renouvellent le discours sur la judéité au Québec. D'origine polonaise, Parizeau, qui a été internée dans un camp de travail allemand pendant la Seconde Guerre mondiale, met en scène un passé européen douloureux dans des textes tels *Voyage en Pologne* (1962), *Survivre* (1964) et *La Québécoise en Europe « rouge »* (1965). Au cours des années 1980, l'auteure poursuit son entreprise dans une trilogie composée des ouvrages *Les lilas fleurissent à Varsovie* (1981), *La charge des sangliers* (1982) et *Ils se sont connus à Lwow* (1985), qui la rendra célèbre en Amérique du Nord et en Europe. Ces ouvrages à caractère autobiographique mettent en scène une saga polonaise marquée par l'expérience tragique de la guerre.

Monique Bosco, auteure d'origine viennoise, prend le relais de Parizeau avec des romans qui renouent avec ses origines juives et avec les figures de la Bible, tels *La femme de Loth* (1970) et *Jéricho* (1971). Professeure titulaire à l'Université de Montréal pendant plusieurs années, Bosco aura une grande influence dans cette institution, où elle sera responsable du cours de création littéraire. Bref, toutes deux éduquées en français, Parizeau et Bosco ont produit une œuvre qui annonce, parmi d'autres, l'essor de deux courants littéraires qui connaîtront un important essor durant les décennies 1970 et 1980 : l'écriture des femmes et l'écriture migrante.

Pendant les années 1980, l'émergence de « l'écriture migrante[5] » enrichit la littérature québécoise de nouvelles voix. Naïm Kattan (né en 1928), d'origine irakienne, et Régine Robin (née en 1939), d'origine française, participent activement à son développement. Émigré au Québec en 1954, Kattan produit une œuvre littéraire qui s'inscrira à rebours dans ce courant. Dès son arrivée à Montréal, il devient l'animateur du Cercle juif de langue française et, de 1960

---

5. Cette expression, que l'on doit à Robert Berrouët-Oriol, désigne « à la fois la production des écrivains immigrants et une nouvelle esthétique littéraire, essentiellement fondée sur des critères thématiques (récits de migration ou d'exil, espace identitaire, deuil de l'origine, inscription de personnages étrangers, etc.), mais aussi sur la présence de plusieurs langues ou plusieurs niveaux de langue à l'intérieur du texte ». Michel Biron, François Dumont et Élisabeth Nardout-Lafarge (dir.), *Histoire de la littérature québécoise*, Montréal, Boréal, 2007, p. 561.

à 1967, le rédacteur en chef de son *Bulletin*, qui sera la première publication communautaire juive écrite en français au Québec. En 1967, il est nommé responsable des lettres et de l'édition au Conseil des Arts du Canada, organisme au sein duquel il œuvrera pendant vingt-cinq ans. Pendant tout ce temps, il collabore régulièrement au journal *Le Devoir*. Il est l'auteur d'une trentaine de romans et d'essais qui abordent les rapports entre l'Orient et l'Occident, le judaïsme et la situation de l'écrivain émigré, dont *Le réel et le théâtral* (1970, prix France-Canada en 1971), *Adieu Babylone* (1975), *La fortune du passager* (1989), *Figures bibliques. Des patriarches aux prophètes* (1997). En 1994, il a publié une biographie romancée de Klein qui s'intitule *A. M. Klein, la réconciliation des races et des religions* (1994). Modèle de l'écrivain migrant québécois, Kattan a produit un essai sur le sujet (*L'écrivain migrant*, 2001), dans lequel il examine les conditions et les fonctions de l'écriture de l'exil, tout en proposant ses propres réflexions sur la politique, la tragédie humaine et les espoirs du XXe siècle.

Naïm Kattan est le récipiendaire de nombreux hommages et honneurs. Membre de la Société royale du Canada et de l'Académie des lettres du Québec (1983), il a été fait officier de l'Ordre du Canada (1983) et de l'Ordre des Arts et des Lettres de France (1989). Il a aussi été nommé chevalier national du Québec (1991) et chevalier de la Légion d'honneur (2002). En 2004, le prix Athanase-David (2004) lui a été décerné par le gouvernement du Québec pour l'ensemble de sa carrière et de son œuvre ; trois ans plus tard, il a reçu le prix Hervé-Deluen de l'Académie française (2007) pour avoir contribué à la défense et à la promotion du français comme langue internationale.

Émigrée à Montréal en 1977, Régine Robin, historienne, linguiste et sociologue, est l'auteure du roman *La Québécoite* (1983), texte canonique de l'écriture migrante au Québec qui a suscité un abondant travail critique. Optant pour la position de la « migrance », l'auteure y déploie le trajet d'une intellectuelle française dans les divers quartiers de Montréal. Le travail mémoriel, qui joue un rôle déterminant dans ce récit en trois parties, opère une juxtaposition des lieux et des événements qui ont structuré le parcours de la narratrice, du Paris des cafés à celui de la déportation. L'auteure, qui a enseigné la sociologie à l'Université du Québec à Montréal à partir de 1982, a aussi proposé une théorie de l'écriture migrante et elle s'est distinguée dans les domaines de l'analyse du discours et de la sociologie de la littérature. À ses premiers travaux issus de sa période française ont succédé plusieurs ouvrages théoriques et romanesques, dont *Le réalisme socialiste: une esthétique impossible* (1987, Prix du Gouverneur général du Canada), *Berlin chantiers* (2001, Grand Prix du livre de la Ville de Montréal), *La mémoire saturée* (2003), *Cybermigrances: traversées fugitives* (2004) et *Mégapolis* (2009). Robin a également reçu une bourse Killam du Conseil des Arts (1990), le prix Jacques-Rousseau (1994) et le prix *Spirale* Eva-Le-Grand (1999).

Robin partage certaines préoccupations avec l'auteure Ann Charney (née en 1940 en Pologne), romancière, journaliste et scénariste qui s'inscrit davantage dans le corpus des écrivains anglo-montréalais. Son texte le plus connu, *Dobryd*, relate le parcours d'une jeune Juive polonaise durant la Deuxième Guerre mondiale. Charney a reçu, entre autres, le Canadian Author's Award (1988) et le Prix littéraire Radio-Canada (1998). Enfin, parmi les œuvres qui ont été publiées au cours des dernières années, mentionnons *Kippour* (2006) et *Sauver le monde* (2010) de Marc-Alain Wolf, ainsi que *Lekhaïm!* de l'auteure hassidique Malka Zipora (2006). Ce dernier ouvrage a été traduit de l'anglais vers le français par Pierre Anctil.

La traduction littéraire

À partir des années 1940, la traduction contribue à faire connaître les écrivains anglo-montréalais aux francophones. En parallèle, il faut attendre les années 1970 pour que les auteurs francophones soient traduits vers l'anglais. Pionnière en ce domaine, Sheila Fischman (née en Saskatchewan en 1937) traduit plus de 80 œuvres d'auteurs québécois tels que Hubert Aquin, Marie-Claire Blais, Roch Carrier, Élise Turcotte, Michel Tremblay et Gaétan Soucy. Cofondatrice du périodique *Ellipse: Writers in Translation/Œuvres en traduction*, Fischman est aussi l'un des membres fondateurs de l'Association des traducteurs littéraires du Canada (Literary Translators' Association of Canada). Elle a reçu de nombreux prix, dont le Prix de traduction du Conseil des Arts du Canada (1974, 1984), le Prix du Gouverneur général du Canada (1998), pour lequel elle a été finaliste à huit autres reprises, et le Prix de traduction Félix-Antoine-Savard (1989, 1990).

Durant les années 1980, le réalisateur et scénariste Donald Winkler (né à Winnipeg en 1940) a traduit une vingtaine d'écrivains francophones, dont Pierre Nepveu, Roland Giguère et Daniel Poliquin. En 1994, pour *The Lyric Generation* de François Rivard, il a reçu le Prix du Gouverneur général en traduction et a été finaliste à ce même prix à deux autres occasions. Lazer Lederhendler (né à Montréal en 1950) est finaliste au Prix du Gouverneur général du Canada à trois reprises, entre autres pour l'ouvrage *The Immaculate Conception* (1996) de Gaétan Soucy. Shelley Tepperman (née à Toronto en 1961) a traduit vers l'anglais plus de vingt-cinq pièces de théâtre de dramaturges québécois, dont Serge Boucher, Wajdi Mouawad et Dominic Champagne. À ces traducteurs s'en ajoutent d'autres, qui sont également connus pour leur travail d'écrivain, dont David Homel et Robert Majzels.

Enfin, Phyllis Aronoff (date de naissance inconnue) et Jonathan Kaplansky (né à Saint-John en 1960) ont aussi contribué à faire connaître des écrivains francophones montréalais dans l'espace anglophone. Présidente de l'Association des traducteurs et traductrices littéraires du Canada, Aronoff a publié une quinzaine de traductions d'œuvres de fiction et d'essais littéraires. Parmi les ouvrages traduits, signalons *La Québécoite* de Régine Robin sous le titre *The Wanderer* (1998), ouvrage récipiendaire du Jewish Book Award en 1998 et, en collaboration avec Howard Scott, *My Name is Bosnia* (2006) (*Je m'appelle Bosnia*) de Madeleine Gagnon; *Women in a World at War: Seven Dispatches from the Front* (2003) (*Les femmes et la guerre*) de Madeleine Gagnon et *The Great Peace of Montreal of 1701* (2001) (*La Grande paix de Montréal en 1701*) de Gilles Havard, ouvrage récipiendaire du prix de traduction de la Quebec Writers' Federation en 2001. Kaplansky a quant à lui traduit les romanciers et poètes Annie Ernaux (*Things Seen*, 2010), Hélène Dorion (*Days of Sand*, 2008), Hélène Rioux (*Wednesday Night at the End of the World*, 2009; *Intimate Dialogues*, 2008; *Room with Bath*, 2005 et *Reading Nijinsky*, 2001) et Serge Patrice Thibodeau (*Let Rest*, 2005).

Dans une perspective théorique, les travaux de Sherry Simon (née à Montréal en 1948) ont contribué au renouvellement du plurilinguisme à Montréal. De ses recherches consacrées à l'analyse littéraire et sociohistorique des mécanismes de traduction et d'hybridation dans la littérature et les pratiques multilingues ont résulté plusieurs travaux, dont les ouvrages *Le trafic des langues: traduction et culture dans la littérature québécoise* (1994) et *Translation Montreal. Episodes in the Life of a Divided City* (2007). Ce dernier livre a remporté le Gabrielle Roy Prize for English-language criticism de l'Association of Quebec and Canadian Literatures et le Mavis Gallant Prize for Non-Fiction de la Quebec

Writers' Federation, en plus d'avoir été finaliste au Prix *Spirale* Eva-Le-Grand, au Raymond Klibansky Prize (Canadian Federation for the Humanities and Social Sciences), et au Grand Prix du livre de la Ville de Montréal. En 2008, Sherry Simon est devenue membre de la Société royale du Canada et en 2009, elle a reçu une bourse Killam du Conseil des Arts du Canada.

Peintres et artistes visuels

L'émergence de la peinture succède à celle de la littérature dans la communauté juive montréalaise. Il faut attendre les années 1930, en effet, pour que certaines figures émergent sur la scène artistique, dont Ernst Neumann, Jack Beder, Alexander Bercovitch, Herman Heimlich et Louis Muhlstock[6]. Aux lendemains de la crise économique de 1929, ces artistes de l'entre-deux-guerres rompent avec la tradition. En plus d'introduire de nouvelles préoccupations dans l'art québécois et canadien, ils proposent une redéfinition du modernisme : au lieu d'être associé à des paysages post-impressionnistes impliquant des visées nationalistes, comme c'était le cas des productions associées au Groupe des Sept, le modernisme s'incarne dorénavant dans l'univers urbain montréalais, qui est abordé selon des avenues multiples (approche des scènes de rues, paysages laurentiens, travailleurs et portraits).

Il faut rappeler que ces peintres, qui sont de la même génération que les premiers écrivains yiddish de Montréal (Jacob-Isaac Segal, Noah-Isaac Gotlib, Ida Maze, Abraham Shkolnikov, etc.), sont d'abord des immigrants. Issus du même milieu socioéconomique que les précédents, ils ont été privés d'accès aux institutions dominantes du Québec, de sorte qu'ils ont œuvré en marge de l'Église catholique et des canons picturaux de l'époque. Fortement marqués par des idéologies de gauche, ils dénoncent l'injustice à travers des tableaux dépeignant le désespoir et la misère de personnages lourdement atteints par la crise économique, ou encore par des toiles montrant des ouvriers qui participent à l'effort de guerre. N'ayant pas une vision de la réalité pancanadienne, ils dépeignent leur milieu d'insertion avec intérêt : il en résulte une valorisation des divers recoins de la ville, de la montagne et du port qui construit une

---

6. À ce sujet, voir l'ouvrage d'Esther Trépanier intitulé *Peintres juifs de Montréal, témoins de leur époque, 1930-1948*, Montréal, Éditions de l'Homme, 2008.

nouvelle esthétique dans le milieu de l'art contemporain québécois et canadien. Les peintres juifs de Montréal ont constitué un mouvement très diversifié, qui est cependant demeuré peu connu jusqu'aux années 1980.

Avec Eric Goldberg (1890-1959) et Bernard Mayman (1885-1966), Alexander Bercovitch (Ukraine, 1891-Montréal, 1951) appartient à la première génération de peintres juifs de Montréal. Arrivés au Canada à l'âge adulte, tous trois ont reçu leur formation artistique en Europe et sont membres de la Société d'art contemporain fondée par John Lyman (1886-1967), artiste ayant ouvert la voie à la modernité artistique au Québec. Avec Goldberg, Bercovitch est perçu comme un artiste appartenant à une nouvelle tendance de l'art canadien, plus formaliste, et qui s'inscrit dans le sillage des travaux de Lyman. Au début des années 1920, Bercovitch a enseigné à l'École de choc de l'art d'Orient, l'un des centres de l'avant-garde d'Asie centrale située à Achgabat (la capitale actuelle du Turkménistan), où il a réalisé la série turkestanaise. Il a ensuite travaillé comme concepteur de décors et de costumes pour des troupes de théâtre juives de gauche en Europe, puis comme décorateur dans certains théâtres, cabarets et cinémas de Montréal au début des années 1930. Sa première exposition solo est présentée au Carter Studio de Montréal en 1933. En plus d'enseigner les beaux-arts à partir de 1935, Bercovitch participe ensuite à plusieurs projets novateurs avec Lyman, dont la fondation de l'Eastern Group (1938), qui a pour objectif d'opposer au nationalisme du Canadian Group of Painters une quête centrée non sur l'idéologie mais sur la peinture même, puis la fondation de la Contemporary Arts Society (1939), qui a pour vice-président Paul-Émile Borduas. En 1951, l'artiste décède de façon inattendue à Montréal.

Chez Bercovitch, comme chez d'autres peintres qui lui succéderont – Beder, Muhlstock, Borenstein –, les représentations des rues sont dépouillées de personnages et de signes propres au « ghetto ». L'évacuation de la narrativité au profit du travail formel dans les scènes de rues rend compte d'une véritable approche moderne. En cela, les peintres montréalais rompent également avec la tradition des peintres juifs américains – tels Jack Levine, William Gropper, Harry Sternberg et quelques autres –, qui s'adonnent à la satire et au réalisme sociaux. Sur ce point, l'exemple de Bercovitch est intéressant, car sa peinture s'apparente davantage, par moments, à celle des artistes canadiens. Certains de ses paysages évoquent en effet le travail du Groupe des Sept : c'est le cas, entre autres, de *Paysage (mont Royal)* (1938), dont le rythme des couleurs rappelle les œuvres de Tom Thomson. Ailleurs, son approche artistique se rapproche de celle d'un Marc-Aurèle Fortin, par exemple dans ses interprétations de la nature gaspésienne (*Promontoire, Gaspésie*, non daté). Oscillant par moments entre une audace tirée de sa formation en Europe et une approche réaliste inspirée des peintres canadiens de son époque, Bercovitch a privilégié une recherche formelle tout au long de sa carrière. Une telle recherche s'est affirmée, à la fin des années 1940, dans sa murale *Petrouschka* (1948), œuvre qui renoue avec une tradition moderniste européenne. Bercovitch a réalisé trois expositions en solo au Québec (1933, Montréal ; 1945, Joliette ; 1951, Montréal) et il a participé à une cinquantaine d'expositions collectives, principalement au Canada. Robert Adams retrace le parcours du peintre dans son ouvrage *The Life and Work of Alexander Bercovitch* (1988), qui a été finaliste pour le QSPELL Prize for Non-Fiction en 1988.

Une deuxième génération d'artistes, qui sont nés entre 1900 et 1910, regroupe à la fois des immigrants qui arrivent au Canada durant l'enfance ou l'adolescence et des enfants d'immigrants. Elle comprend Louis Muhlstock (1904-2001), Fanny Wiselberg (1906-1986), Ernst Neumann (1907-1956), Sam Borenstein (1908-1969), Jack Beder (1910-1987) et Harry Mayerovitch (1910-2004). Tous reçoivent une formation artistique au Canada, que certains d'entre eux (Mayerovitch et Louis Muhlstock) compléteront en Europe. La plupart connaissent des conditions économiques difficiles et doivent gagner leur vie en pratiquant des métiers à l'extérieur du monde de l'art. Toutefois, ils sont en général bien intégrés au milieu artistique : ils exposent régulièrement aux « salons » de l'Art Association, et bon nombre d'entre eux sont membres de la Société d'art contemporain et de la Fédération des artistes canadiens.

Parmi eux, Louis Muhlstock arrive à Montréal de sa Galicie natale en 1911, à l'âge de sept ans. Après une formation au Monument national (1918), à la Art Association of Montreal et à l'École des beaux-arts, où il étudie avec Joseph Saint-Charles, Edmond Dyonnet et William Brymner, il séjourne pendant trois années à l'atelier du peintre Louis-François Biloul. Dès son retour à Montréal, en 1931, il devient peintre professionnel à temps plein et se distingue de ses contemporains en refusant la « peinture de commande » et l'enseignement. En plus de participer au mouvement de l'Art vivant, l'artiste devient membre du

Canadian Group of Painters (qui succède au Groupe des Sept) et de la Canadian Society of Graphic Arts (CSGA). Il sera également un membre fondateur de la Contemporary Arts Society de Montréal (1939), puis de la Federation of Canadian Artists. Tout au long de sa carrière, Muhlstock s'est fortement engagé dans la promotion de l'art contemporain et de la reconnaissance de l'art et des artistes dans la société québécoise ; en même temps, il est demeuré indépendant de toute forme d'école et des groupes de peintres. Il s'est aussi impliqué au sein de la Fondation Saint-Denys-Garneau et il a contribué financiè-rement à un prix destiné aux étudiants universitaires qui remportent un concours de rédaction sur le poète québécois.

Comme ses contemporains, Muhlstock s'est aussi intéressé à l'en-vironnement urbain et il a porté une attention particulière à l'effet des couleurs et de la lumière dans ses toiles (*Coin Sainte-Famille et Sherbrooke*, 1939 ; *Après-midi d'hiver, place Sainte-Famille*, 1940 ; *Scène urbaine (palissade et ombres)*, non daté). Il est reconnu pour ses toiles illustrant des taudis dans le contexte de la Grande Dépression (*Sous-sol au mannequin de tailleur*, 1938 ; *Chambres vides*, 1938). L'artiste a participé à plusieurs expositions indivi-duelles et collectives au Canada et à l'étranger. En 1995, le Musée national des beaux-arts de Québec lui consacrait une rétrospective ; la même année, la Galerie d'art de l'Université Concordia organisait une exposition sur son œuvre, suivie du Musée des beaux-arts de Sherbrooke (1996), puis du Musée de Joliette. En 1978, Muhlstock a reçu un doctorat *honoris causa* de l'Université Concordia. Il est devenu officier de l'Ordre du Canada en 1990 et chevalier de l'Ordre national du Québec en 1998.

De la même génération que Muhlstock, Sam Borenstein émigre à Montréal en 1921 ; sa famille quitte alors la Pologne décimée par la guerre. Le futur peintre exerce d'abord de petits métiers traditionnels : il devient apprenti chez un fourreur à Ottawa, puis coupeur dans une usine de vêtements à Montréal. Par la suite, il suit des cours du soir en arts visuels (il étudie la sculpture avec Elzéar Soucy et le dessin avec Adam Sheriff Scott et John Y. Johnstone), tout en fréquentant les artistes montréalais de l'époque (Alexandre Bercovitch, Fritz Brandter, Herman Heimlich et Louis Muhlstock). Il réalise une première exposition solo en 1934, au Coffee House de Montréal. Après un voyage en Bretagne axé sur la peinture (1939), au cours duquel il rencontre plusieurs artistes qu'il admire, son œuvre acquiert plus de détermination.

Intéressé par la vie qui l'entoure, Borenstein peint des fragments de la vie quotidienne dans les rues de Montréal (*Vue de Montréal*) et dans les villages des Laurentides (*L'été* et *Sainte-Lucie*), tout en produisant des portraits de sa famille, de ses amis et de lui-même (*Composition autoportrait*). D'un style exubérant, propre à retenir l'attention, ses œuvres se caractérisent par des couleurs vives, une perspective tordue et un sens du mouvement qui rappellent l'influence de ses maîtres européens, tels que Van Gogh, Vlaminck, Utrillo et Soutine.

En 1966, une première rétrospective de son œuvre a été présentée à la Galerie d'art de l'Université Sir George Williams (aujourd'hui l'Université Concordia). En 2005, l'œuvre du peintre faisait l'objet d'une deuxième rétrospective au Musée des beaux-arts de Montréal, qui s'est ensuite rendue à la Justina Barnicke Gallery, Hart House de l'Université de Toronto, puis à l'Owens Gallery de l'Université Mount Allison, à Sackville au Nouveau-Brunswick au début de l'année 2006. L'œuvre de Borenstein, qui comprend certaines des plus belles pièces du patrimoine de l'art canadien, a fait l'objet d'un film intitulé *Les couleurs de mon père: un portrait de Sam Borenstein* (1991) réalisé et animé par Joyce Borenstein, la fille de l'artiste. Récipiendaire de neuf prix internationaux, y compris une nomination aux Oscars (1991) et un Genie Award (1992), ce film alliant la peinture et le cinéma d'animation a été réédité en 2005 en format DVD.

Une troisième génération de peintres juifs à Montréal, qui est née aux lendemains du Deuxième conflit mondial, se compose de Sylvia Ary (née en 1923), Rita Briansky (née en 1925), Ghitta Caiserman-Roth (1923-2005), Alfred Pinsky (1921-2000) et Moe Reinblatt (1917-1979). Ayant reçu une formation à Montréal, que certains ont parfait aux États-Unis, cette génération inscrit le contexte social de la guerre et les questions politiques qui en découlent dans ses œuvres de jeunesse.

Bref, l'apport des peintres juifs de Montréal a été décisif dès le début des années 1930. Preuve en est que le critique et activiste H. M. Caiserman, qui voyait en 1930 Montréal comme une «ville provinciale[7]» associée à une peinture conventionnelle, écrivit trois années plus tard: «Il faut reconnaître qu'il [le Canada] a tous les

---

7. H. M. Caiserman, «Modern Art in Montreal: An Objective Appraisal of the Artists' Colony», *The Jewish Standard*, vol. 2, nº 7, 1930, p. 183-184, cité par Esther Trépanier, *Peintres juifs de Montréal. Témoins de leur époque*, Montréal, Hachette, 2008, p. 19.

droits d'être fier du nombre d'éminents représentants de l'art moderne qu'il possède[8]. »

Au cours des générations suivantes, plusieurs artistes privilégient l'interdisciplinarité, dont Melvin Charney (né en 1935). Artiste, architecte, théoricien et professeur, Charney a élaboré une œuvre intégrant divers médiums, tels que la photographie, la sculpture, l'architecture, la peinture, l'installation et l'architecture du paysage. Son œuvre, qui propose une réflexion sur les formes de la ville ainsi que sur la mémoire collective et ses représentations, comporte un nombre important de réalisations, dont *Maisons de la rue Sherbrooke* (1976), créé dans le cadre des Jeux olympiques de Montréal, *Monument national pour les droits de la personne* à Ottawa, *Gratte-ciel, cascades d'eau/rues, ruisseaux... une construction*, place Berri, à Montréal, et *Le jardin* du Centre canadien d'architecture. Plusieurs ouvrages lui ont été consacrés.

Référence incontournable dans le domaine des arts visuels à Montréal et au Canada, Melvin Charney a également fondé puis dirigé pendant quinze ans l'Unité d'architecture urbaine de l'École d'architecture de l'Université de Montréal. Il a reçu de nombreux prix au Québec et à l'étranger, dont le Berliner Kunstlerprogramme (1982) et le prix Paul-Émile-Borduas (1996). Chevalier de l'Ordre national du Québec (2003) et commandeur de l'Ordre des Arts et des Lettres (2006), l'artiste est également membre de l'Académie royale des arts du Canada.

Théâtre et arts de la scène

Montréal accueille le théâtre yiddish dès 1897, mais celui-ci est produit, le plus souvent, par des troupes américaines. Il faut attendre les années 1950 pour que l'essor de la culture yiddish à Montréal prenne un nouveau tournant, grâce à la création d'un théâtre qui occupera une place considérable dans la vie culturelle de la métropole. Fondé par Dora Wasserman (1919, Ukraine-2003, Montréal), actrice et directrice de troupe de théâtre ayant reçu une formation à l'École de théâtre juif de Moscou, le GOSET, ce théâtre unique en son genre au Canada produit deux spectacles par année depuis la fondation du Groupe de théâtre yiddish (GTY) en 1957. Il a

---

8. H. M. Caiserman, « The Art of Bercovitch and Muhlstock », *The Jewish Standard*, vol. 7, n⁰ 11, 1933, p. 169, cité par Esther Trépanier, *ibid.*

entrepris plusieurs tournées en Israël, aux États-Unis, en Autriche et en Russie.

D'un talent remarquable, Wasserman a été l'élève de Shloyme Mikhoels, célèbre metteur en scène, formateur, acteur principal du Théâtre juif de Moscou (dont il fut aussi le directeur) et président du Comité juif antifasciste, à qui l'on doit une synthèse remarquable des travaux de Stanislavski et de Meyerhold. Fuyant la Russie staliniste, Wasserman a émigré avec son mari et leurs filles en 1949 à Montréal, où elle s'est engagée activement dans le développement de ce théâtre. Avec l'appui de la communauté juive et de Gratien Gélinas, elle a mis sur pied des spectacles en yiddish avec des comédiens amateurs. Renouant avec une tradition amorcée en Europe en 1896, Wasserman a fait de Montréal l'une des seules villes au monde qui possède un théâtre yiddish depuis plus de 100 ans. « Le théâtre yiddish n'est pas que du théâtre ; il reflète tout le panorama de la vie juive : langue et littérature, traditions et turbulence de l'Histoire, humour, sagesse populaire et musique[9] », affirmait-elle.

En plus de s'intéresser au répertoire yiddish traditionnel et d'en faire découvrir les grandes œuvres internationales, l'artiste a eu le souci de commander de nouvelles œuvres et de faire connaître le théâtre yiddish aux non-Juifs. C'est ainsi qu'en 1992, la pièce *Les belles-sœurs* de Michel Tremblay fut présentée en yiddish au Centre Saidye-Bronfman. Dans ses diverses productions, Wasserman a transmis les valeurs qu'elle avait acquises en fréquentant les grands maîtres du théâtre juif russe, dont la direction d'acteurs rigoureuse, un jeu d'ensemble soigné ainsi que la présence du chant et de la musique. Femme de théâtre chevronnée, elle est devenue membre de l'Ordre du Canada en 1992, année où elle a aussi reçu l'Ordre du Québec. Elle a œuvré à son théâtre jusqu'en 1996.

Une autre figure importante du théâtre yiddish est Chayele Grober (Bialystok, 1896–Tel-Aviv, 1978). Durant la Première Guerre mondiale, l'auteure a fui vers Moscou, où elle a amorcé une carrière dans le domaine du théâtre, entre autres dans le groupe Habimah (« La scène »), qui était patronné par Stanislavski et auquel participait Mikhoels. Cette troupe présentait des pièces centrées sur les divers problèmes du monde juif en hébreu. Grober a poursuivi une carrière en yiddish et en hébreu qui lui a valu un rayonnement dans

---

9. Dora Wasserman, « Préface », dans Jean-Marc Larrue, *Le théâtre yiddish à Montréal/ Yiddish Theater in Montreal*, Montréal, Éditions Jeu, 1996, p. 11.

un nombre important de villes européennes comptant une population juive. À partir des années 1930, elle émigre à Montréal, où elle devient collaboratrice au *Keneder Odler* (section théâtre), en plus de publier des articles dans plusieurs autres périodiques. Grober est aussi l'auteure de quelques ouvrages à caractère autobiographique, tels que *Tsu der groyser velt* [À travers le vaste monde] (1952) et *Mayn veg aleyn* [Mon propre chemin] (1968), dans lesquels elle fait le récit de ses rencontres avec des artistes, tout en proposant des réflexions sur le théâtre. L'artiste a écrit une seule pièce de théâtre, *Oyf fremder erd* [Sur une terre étrangère] (date inconnue).

Durant les années 1950, l'arrivée des Sépharades à Montréal enrichit la vie littéraire et artistique de la métropole. Originaires du Maroc pour la plupart, ces Juifs francophones s'illustrent particulièrement dans le domaine des arts de la scène. Attachés au ladino et au hakétia, judéo-langues qu'ils font revivre dans leurs productions, les artistes Solly Lévy (né en 1939 à Tanger) et Judith R. Cohen (née en 1949) ont tous deux été membres du groupe musical Gerineldo, dédié à la diffusion du patrimoine judéo-espagnol. Humoriste, metteur en scène et écrivain, Lévy a adapté en judéo-marocain *Le bourgeois gentilhomme* (*Le boujadi gentleman*) et *Le malade imaginaire* (*La balade imaginaire*) de Molière, la comédie musicale *My Fair Lady* de George Cukor, ainsi que *Les belles-sœurs* de l'écrivain québécois Michel Tremblay. L'artiste a également écrit un recueil en judéo-espagnol, *Yahasra* [« C'était le bon vieux temps »], des textes comiques et un texte autobiographique en hakétia, judéo-langue vernaculaire autrefois utilisée dans les localités hispanophones du nord du Maroc, qui s'intitule *El libro de Selomo* (2008). Le cinéaste Donald Winkler lui a consacré un film, *Le voyage sépharade: Solly Lévy... du Maroc à Montréal* (1999). Levy a joué dans le documentaire *Les Juifs de Québec: une histoire à raconter* (2008), où il interprète le rôle d'un propriétaire d'une boutique d'antiquités située sur la rue Saint-Joseph.

Ethnomusicologue, chanteuse et artiste de la scène, Judith R. Cohen s'intéresse depuis plusieurs années à la chanson judéo-espagnole ou ladino. Sa musique allie les courants médiévaux à ceux, traditionnels, des Balkans et du Portugal, ainsi qu'aux folklores yiddish et canadien-français. Elle donne souvent des spectacles en compagnie de sa fille, Tamar Ilana Cohen Adams, avec qui elle a notamment réalisé l'album *Sefarad en Diáspora/Sepharad in Diaspora* (2005).

Autre figure importante des arts de la scène, Serge Ouaknine (né au Maroc en 1943) a été pendant plusieurs années professeur à l'École de théâtre de l'Université du Québec à Montréal. Concepteur visuel, metteur en scène, auteur et poète, il est l'auteur de la première étude exhaustive du chef-d'œuvre de Jerzy Grotowski, *Le Prince Constant* (1971), d'un essai sur Ryszard Cieslak et d'un recueil de poésie intitulé *Poèmes désorientés* (1993). On lui doit également l'ouvrage *Café Prague et autres récits de voyage* (1999). Enfin, il est intéressant de signaler la parution récente de l'*Anthologie des écrivains sépharades au Québec*[10], ouvrage faisant découvrir l'ensemble des écrivains de cette communauté.

Enfin, les travaux de l'historienne Yolande Cohen sur la communauté sépharade montréalaise ont permis de découvrir les racines culturelles et historiques des Juifs originaires du Maroc. Des ouvrages collectifs tels *Les Juifs marocains à Montréal* (en collaboration avec M. Berdugo-Cohen et J. Lévy, 1987), *Itinéraires sépharades. L'odyssée des Juifs sépharades de l'Inquisition à nos jours* (avec J. Y. Lévy, 1992) et *Identités sépharades et modernité* (en collaboration avec Jean-Claude Lasry et Joseph Lévy, 2007) ont révélé que l'horizon du judaïsme montréalais, loin de se limiter au monde du Yiddishland, regroupe deux traditions distinctes, la deuxième étant influencée à la fois par l'Islam et la France.

Cinéma

Au cinéma, l'apport des créateurs juifs est associé, entre autres, à quatre personnalités: Don Winkler, Shelley Tepperman, Joyce Borenstein et Ina Fishman. Directeur et scénariste à l'Office national du film du Canada (ONF) de 1967 à 1995, Don Winkler, qui est aussi traducteur, a réalisé des courts métrages expérimentaux (*Doodle Film* et *Journal de voyage*), des films sur l'artisanat et les arts visuels (*Hommage aux mains* et *Bannerfilm*), le théâtre (*Breaking a Leg-Robert Lepage and the Echo Project*) et les mœurs sociales (*The Summer of '67*). On lui doit une série importante de documentaires consacrés à des personnages littéraires canadiens, dont F. R. Scott (*F.R. Scott: Rhyme and Reason*) et Irving Layton (*Poet: Irving Layton Observed*), Al Purdy, Earle Birney, Ralph Gustafson, et P. K. Page.

---

10. David Bensoussan (dir.), *Anthologie des écrivains sépharades au Québec*, Côte-Saint-Luc, Éditions du Marais, 2010.

Ses œuvres de maturité comportent des films portant sur diverses personnalités du monde artistique (*Tomson Highway: Thank You for the Love You Gave; La diva en hiver*, un documentaire sur la vie et carrière de Maureen Forrester; *A Red Carpet for the Sun*, sur le poète montréalais Irving Layton; *Une voix humaine*, sur la jeune contralto québécoise Marie-Nicole Lemieux). Parmi ses films les plus récents se trouve *Moshe Safdie: le pouvoir de l'architecture*, qui constitue un portrait de l'architecte canadien et israélien. Présenté au Festival international du film sur l'art à Montréal en 2005, ce film a reçu le Prix du meilleur film éducatif.

À l'instar de Winkler, Shelley Tepperman est à la fois traductrice et réalisatrice de films documentaires et de fictions. Elle a réalisé, entre autres, le documentaire *Les Juifs de Québec: une histoire à raconter* (2008), qui a été présenté dans le cadre de l'exposition *Shalom Québec!*, qui s'est tenue à la Gare du Palais de la capitale nationale à l'occasion des festivités du 400ᵉ anniversaire de la ville.

La productrice Ina Fishman (née à Montréal en 1961), quant à elle, a livré plusieurs réalisations depuis les vingt dernières années, dont le long métrage *The Return of Tommy Tricker*, la série dramatique et historique *Terre d'espoir*, le court métrage *Moïse*, le téléfilm *La force de l'âge*, la série pour adolescents *Vampire High* et le documentaire *Moving Mountains: The Montreal Yiddish Theater Group in the USSR*. Fishman a fondé *Instinct Films*, en 2003, ainsi que la fondation Devorah du Women in Film and Television International (WIFTI). Elle a remporté plusieurs distinctions, dont un prix Gémeaux pour le meilleur programme historique avec le documentaire *Undying Love* (2002) et le prix Michael-Moskovitz de la Bibliothèque publique juive de Montréal pour son film *Six Days in June* (2008).

Du côté du cinéma d'animation, Joyce Borenstein (1950) a réalisé plusieurs films, dont *Five Billion Years*, qui relate l'évolution de l'Amérique du Nord, du big bang à l'apparition des humains, *The Colours of My Father* qui porte, comme on l'a vu dans une section précédente, sur la vie du père de l'artiste, Sam Borenstein. Son film le plus récent, *One Divided by Two: Kids and Divorce*, qui se penche sur les enfants du divorce, a remporté trois distinctions: le Prix de la meilleure animation au *Santa Barbara International Film Festival*, le Prix de bronze au *Houston International Film Festival* et la Plaque de bronze au *Columbus International Film Festival*. À ces personnalités s'ajoute Jacques Bensimon (date de naissance inconnue), commissaire du gouvernement à la cinématographie et président de l'Office national du film (ONF) depuis plusieurs années.

Musique

L'une des figures les plus marquantes du monde musical canadien, le violoncelliste, chef d'orchestre et professeur Yuli Turovsky est né à Moscou en 1939 et a été naturalisé canadien en 1980. Son parcours, amorcé à l'âge de sept ans avec des études de violoncelle, s'est poursuivi à l'âge adulte à l'École centrale de musique de Moscou (1946-1957), puis au Conservatoire de Moscou (1957-1969). Récipiendaire du premier prix au Concours de violoncelle de l'URSS en 1969 et deuxième prix du 22e concours international Printemps de Prague en 1970, Turovsky fut nommé violoncelle solo de l'Orchestre de chambre de Moscou dirigé par Rudolf Barshaï. À cette période, l'artiste enseigna à l'École centrale de musique de Moscou et au Conservatoire de Moscou, en plus de diriger l'orchestre de chambre du collège de musique Gnesin dans la capitale soviétique. En 1976, il quitte l'URSS avec sa femme Eleanora et le couple s'installe à Montréal l'année suivante. En 1983, il fonde l'ensemble I musici de Montréal, qu'il dirige depuis cette période. À titre de soliste, Turovsky a joué avec l'Orchestre symphonique de Montréal, l'Orchestre métropolitain et l'Orchestre symphonique de Vancouver. Avec sa femme, il a fondé le Duo Turovsky. Il a aussi enseigné au Conservatoire de musique de Montréal (1977-1985) et à l'Université de Montréal depuis 1981.

Un autre grand nom de la musique classique à Montréal est le chef d'orchestre, compositeur, violoniste et professeur Alexander Brott (Montréal, 1915-Montréal, 2005), réputé pour son talent artistique et sa programmation originale. Entre autres fonctions, Brott a été violon solo et assistant chef d'orchestre à l'Orchestre symphonique de Montréal et à la Faculté de musique de l'Université McGill, de 1939 à 1980. Brott est récipiendaire de nombreuses distinctions, dont, à deux reprises, le Loeb Memorial Award pour l'interprétation de la musique de chambre (1938 et 1939), deux médailles de bronze pour la compétition lors des Olympiades de Londres (1948) et d'Helsinki (1952). Fellow de la Royal Society of Arts de Londres (1961), il a aussi été membre de l'Ordre du Canada (1979) et chevalier de l'Ordre national du Québec (1987). En 1993, il fut nommé « Grand Montréalais » par la Ville de Montréal.

Dans un registre différent, celui de la musique contemporaine nommée «nouveau klezmer», qui mélange le folklore yiddish d'Europe de l'Est avec des styles urbains ou contemporains tels que le rap, le reggae ou la musique techno, le musicien Socalled (nom d'artiste de Joshua David Charles Dolgin) connaît un grand succès depuis les dernières années. Né à Ottawa en 1976, Socalled est également un photographe et écrivain montréalais. Marqué par l'influence de D^r Du et Aaron Lebedeff, il produit une musique intégrant diverses influences qu'il qualifie lui-même de «turbo folk gang-bang». L'originalité de l'artiste réside notamment dans le hip-hop yiddish qu'il a inventé, un style à la fois très contemporain et ancré dans le folklore juif est-européen traditionnel. Souvent présent sur la scène artistique montréalaise et nord-américaine, il joue en compagnie de plusieurs groupes et musiciens, dont le David Krakauer's Klezmer Madness!, Beyond the Pale et Shtreiml.

Architecture

Enfin, l'on ne saurait passer sous silence les noms de Phyllis Lambert et de Moishe Safdie, personnalités de renom qui se sont illustrées dans le domaine de l'architecture. Fille du célèbre homme d'affaires Samuel Bronfman et de Saidye Bronfman, Phyllis Barbara Lambert (née à Montréal en 1927) étudie l'architecture aux États-Unis durant les années 1950. Une dizaine d'années plus tard, elle revient à Montréal, où elle inaugure le Centre des Arts Saydie Bronfman, nommé en l'honneur de sa mère. Très engagée dans la promotion de l'architecture et du patrimoine montréalais, Phyllis Lambert fonde en 1979 le Centre canadien d'architecture, un centre international de recherche et un musée dont la mission consiste à sensibiliser le public au rôle de l'architecture dans la société, à promouvoir la recherche de haut niveau dans ce domaine et à favoriser l'innovation dans la pratique du design. Phyllis Lambert a également participé à la fondation de l'organisme Héritage Montréal dont la mission vise la protection du patrimoine. Au cours de sa carrière d'architecte et de mécène, elle s'est impliquée activement dans plusieurs projets, dont la revitalisation du Canal Lachine durant les années 1990. Avec l'architecte allemand Ludwig Mies van der Rohe, Lambert a participé à la conception des plans de deux gratte-ciels célèbres: le Seagram Building à New York et la TD Tower à Toronto. En 1985, Phyllis Lambert a été nommée membre de l'Ordre du Canada et chevalier de l'Ordre du Québec. Officier de l'Ordre des Arts et Lettres depuis 1992, elle est aujourd'hui compagnon de l'Ordre du Canada depuis 2001, et grand officier de l'Ordre national du Québec depuis 2005.

Moshe Safdie, né en 1938 à Haïfa (alors la Palestine mandataire), est un urbaniste et architecte de renommée internationale. Installé à Montréal avec sa famille dès l'adolescence, Safdie a étudié l'architecture à l'Université McGill. Sa carrière a été lancée grâce au projet « Habitat 67 » dont il est l'instigateur. Ensemble de logements situés sur le quai Drouin, en bordure du fleuve Saint-Laurent, ce projet a été initié durant les années 1960 dans le cadre de l'Exposition universelle 1967. Safdie, qui a enseigné aux universités McGill à Montréal, Harvard aux États-Unis et Ben Gurion en Israël, a réalisé de grands projets sur la scène internationale, dont les suivants : le Musée des beaux-arts d'Ottawa, le plan de la ville de Modi'in en Israël, plusieurs édifices du Musée Yad Vashem de Jérusalem, la restauration de plusieurs sections de la vieille ville de Jérusalem, les bibliothèques de Vancouver et de Salt Lake City, le United States Institute of Peace Headquarters on the Mall, à Washington, D. C., le Khalsa Memorial Heritage Complex, le Musée national des Sikh de Punjab en Inde, le deuxième bâtiment du Musée des beaux-arts de Montréal et le Musée de la civilisation de Québec. Auteur de nombreux articles et de plusieurs livres, dont *Beyond Habitat* (1970), *Form and Purpose* (1974) et *Jerusalem : The Future of the Past* (1989), il a également participé à plusieurs films portant sur l'architecture, dont *Moshe Safdie : The Power of Architecture* (2004) dirigé par Donald Winkler. Au cours de ses quarante années de carrière, Safdie a reçu de nombreux honneurs. En 2004, il est devenu compagnon de l'Ordre du Canada et en 1995, il a reçu la médaille d'or de l'Institut d'architecture royale du Canada. Safdie est l'instigateur de la firme Safdie Architects, basée aux États-Unis et qui a des bureaux à Toronto, Boston, Jérusalem et Singapour.

Enjeux et perspectives

La liste est longue des personnalités juives qui ont contribué au développement de la vie culturelle et artistique et montréalaise. Quelles que soient leur origine et leur génération, les créateurs de ce vaste groupe comportant d'importantes divisions internes (Ashkénazes et Sépharades ; laïques, orthodoxes et ultra-orthodoxes) ont souvent été des pionniers dans leur domaine. Longtemps en marge des institutions littéraires et artistiques québécoises à la fois francophones et anglophones, ils sont désormais intégrés au sein de celles-ci, qui reconnaissent de plus en plus la richesse de leur travail et leur valeur significative dans l'espace montréalais.

Il est aussi important de souligner la multiplicité des pratiques artistiques que l'on retrouve chez plusieurs d'entre eux. Par exemple, Klein, Majzels et Homel ont été à la fois écrivains et traducteurs ; Cohen, poète et artiste-compositeur-interprète ; Winkler et Tepperman sont tous deux traducteurs et cinéastes. À certains égards, cet aspect singulier reflète la diaspora, au sein de laquelle les Juifs ont longtemps vécu, et qui fut un contexte favorable à l'apprentissage des langues et à l'exercice de plusieurs métiers. Enfin, nous aimerions insister sur l'intérêt qu'offre cette étude, tant pour une histoire des Juifs canadiens que pour celle de la vie littéraire et culturelle de Montréal. Compte tenu de l'abondance des travaux et des ressources documentaires dont nous disposons à propos de la communauté juive montréalaise, il serait intéressant que des études similaires portant sur l'apport des créateurs d'origine juive dans les autres grandes villes canadiennes (Toronto et Winnipeg) voient le jour. De même, il serait souhaitable que les recherches futures portant sur l'histoire littéraire et culturelle de Montréal examinent davantage de la présence juive, une composante déterminante au sein de la société québécoise, dont nous ne mesurons pas suffisamment l'ampleur encore aujourd'hui.

La contribution juive à la sphère économique et syndicale jusqu'à la Deuxième Guerre mondiale

Bernard Dansereau, Ph. D.

CETTE ÉTUDE PORTE plus spécifiquement sur la période qui va du tournant du XXᵉ siècle à la fin de la Deuxième Guerre mondiale. Avant la grande vague d'immigration juive, qui débute vers 1905, la communauté juive était restreinte en nombre et fortement intégrée à la société anglo-canadienne en gestation. Après la Deuxième Guerre mondiale, les Juifs montréalais élargissent leurs activités économiques et occupent des emplois nouveaux, de moins en moins limités à certains ghettos traditionnels d'emplois. La période de 1905 à 1945 marque donc l'arrivée massive de travailleurs juifs au Québec, principalement en provenance d'Europe de l'Est. C'est durant cette période que la communauté juive montréalaise se structure, se dote d'institutions représentatives et marque profondément sa société d'accueil.

Le marché du travail

Tout comme en Europe de l'Est, les Juifs forment au Québec une population essentiellement urbaine. Le recensement canadien de 1871 indique qu'il y avait 1 115 Juifs au Canada, dont 409 à Montréal. En 1931, 96,5 % des Juifs du Québec vivent dans la grande région métropolitaine, surtout dans la ville de Montréal ainsi que dans les municipalités limitrophes de Westmount et d'Outremont. Dans cette dernière ville, ils constituent près du quart de la population (23,7 %). La région montréalaise, porte d'entrée au pays des Juifs est-européen, comptait de plus des institutions communautaires qui venaient en aide aux immigrants récemment arrivés, dont le Young Men's Hebrew Benevolent Society, renommé Baron de Hirsch Institute en 1890.

Installé à Montréal, le gros de la population juive ouvrière vit dans une zone urbaine où sont regroupées les institutions communautaires du réseau institutionnel juif[1]. Cette enclave est située dans le couloir traditionnel des immigrants. Partant des quais, elle s'allonge vers le nord suivant un front étroit constitué des rues Saint-Urbain et Clark, du boulevard Saint-Laurent et de l'avenue du Parc en bordure du Mont-Royal. La zone s'arrête, dans un premier temps, à la hauteur de la rue Sherbrooke, pour être repoussée au fil des ans jusqu'à la rue Jean-Talon. En 1931, les Juifs forment la majorité de la population dans les quartiers Saint-Louis et Laurier et plus du tiers des habitants dans ceux de Saint-Michel et de Saint-Jean-Baptiste[2]. Cette concentration géographique a permis que Saint-Louis soit représenté à l'Hôtel de Ville par un conseiller d'origine juive de 1912 jusqu'à la réforme municipale de 1940, qui modifie les limites des quartiers sur le plan électoral[3].

Ces Juifs originaires d'Europe orientale ont des antécédents professionnels, des orientations politiques et idéologiques, de même que des pratiques et des attitudes religieuses variées. Mais compte tenu des conditions qu'ils ont connues en Europe, une majorité d'entre eux correspond à un certain profil socioéconomique. En étudiant les Juifs du Pletzl de Paris, Nancy Green[4] a constaté certaines caractéristiques qui, croyons-nous, peuvent s'appliquer aux Juifs qui émigrent à Montréal à la même époque. Les immigrants juifs sont généralement jeunes et célibataires dans trois cas sur cinq. La très grande majorité sait lire et écrire et 65 % d'entre eux possèdent un métier. Pratiquement aucun Juif n'a de connaissances importantes en agriculture et dans l'industrie minière. Ces traits les distinguent des autres groupes d'immigrants européens qui viennent en Amérique comme les Polonais, les Ukrainiens ou les Italiens.

---

1. Voir Bernard Dansereau, *Le mouvement ouvrier montréalais, 1918-1929: structure et conjoncture*, thèse de doctorat en histoire, Université de Montréal, 2000.
2. Pierre Anctil, *Le rendez-vous manqué. Les Juifs de Montréal face au Québec de l'entre-deux-guerres*, Québec, Institut québécois de recherche sur la culture, 1988, p. 34-35.
3. À Abraham Blumenthal, élu en 1912, succèdent Lyon W. Jacobs en 1918 et Joseph Schubert à partir de 1924.
4. Nancy L. Green, *Les travailleurs immigrés juifs à la Belle Époque. Le « Pletzl »*, Paris, Fayard, 1985, 360 p. et N. L. Green, « Éléments pour une étude du mouvement ouvrier juif à Paris au début du siècle », *Le Mouvement social*, n° 110, janvier-mars 1980, p. 51-65.

Conditions de travail : les *sweatshops*

L'industrie de la confection constitue le bastion principal de la classe ouvrière juive. En 1931, plus des deux tiers des travailleuses et travailleurs juifs œuvrent dans le secteur du vêtement (67,45 %). Ce chiffre atteint près de 80 % si on inclut les secteurs de la chapellerie et de la fourrure. Ces statistiques illustrent la forte concentration de la population ouvrière juive, d'autant plus qu'à l'époque le secteur de la confection retient moins de 6 % de l'ensemble de la force ouvrière montréalaise[5]. Or cette réalité a des racines historiques. Les travailleurs juifs ont vécu, en Europe de l'Est, les problèmes spécifiques liés à l'industrialisation. Ils ont été confrontés aux réalités du chômage et de l'encombrement de la population dans les villes russes, polonaises et lituaniennes après que le machinisme eut pris racine dans l'industrie de la confection. Cette mécanisation des ateliers de confection a eu pour conséquence le rejet des métiers traditionnels de nombreux Juifs qualifiés et leur remplacement par des opératrices[6].

Dans les régions d'Europe de l'Est, les Juifs vivaient soit dans de petites villes (*shtetl*) où ils représentaient souvent la majorité de la population, soit dans des centres urbains où leur pourcentage de la population était significatif, atteignant quelquefois la moitié de la masse démographique totale[7]. Dans ces villes, les travailleurs juifs sont particulièrement nombreux dans l'industrie du vêtement, secteur de l'économie où ils représentent plus de la moitié des ouvriers. Le reste de la force de travail juive trouvait à s'employer dans la construction, l'alimentation, le commerce et dans d'autres activités connexes. Ces conditions d'existence ont forgé une des caractéristiques fondamentales du prolétariat juif: son exclusion de la grande industrie. Le mode de vie des travailleurs juifs est marqué par le travail de type artisanal. Ils sont donc embauchés dans une multitude de petits ateliers qui emploient exclusivement une

---

5. Louis Rosenberg, *Canada's Jews. A Social and Economic Study of the Jews in Canada*, Montréal, Bureau of Social and Economic Research, Canadian Jewish Congress, 1939, tableau 116, p. 176. L'ouvrage a été réédité par Morton Weinfeld sous le titre *Canada's Jews: A Social and Economic Study of Jews in Canada in the 1930s*, Montréal, McGill-Queen's University Press, 1993, 424 p.
6. Miriam Judith Leyton, *The Struggle for a Working-Class Consciousness: Jewish Garment Workers in Montreal. 1880-1920*, mémoire de maîtrise en sociologie et anthropologie, Ottawa, Carleton University, 1987.
7. Pierre Anctil, *op. cit.*, p. 58-62.

main-d'œuvre juive et qui fonctionnent en parallèle au développement économique dominant. Cette concentration des travailleurs juifs dans un quasi-ghetto économique favorise l'apparition d'un prolétariat typiquement juif, caractérisé par une langue, une culture et une religion communes.

La plupart des immigrants juifs d'Europe de l'Est arrivent en Amérique sans le sou. L'industrie de la confection, qu'ils retrouvent sur ce continent, permet à ces immigrants de s'établir sans trop de difficultés. C'est le plus souvent grâce à l'aide de compatriotes qu'ils trouvent du travail. Le développement de l'industrie de la confection procure donc de l'embauche à ces nombreux nouveaux immigrants. Cependant, la vie dans cette industrie n'est pas facile. Au début, l'industrie de la confection ne jouit pas encore d'une demande suffisante pour assurer une production continue tout au long de l'année. Le chômage de la morte-saison et les conditions épouvantables qu'elle impose aux travailleurs caractérisent ce secteur de l'économie. Le chômage saisonnier n'est jamais remis en cause par les fabricants, qui se déclarent impuissants devant les caprices de leur clientèle, ni par la majorité des travailleurs[8], qui se résignent à de longues heures supplémentaires en pleine saison pour compenser la période de chômage forcé.

Les conditions économiques dans ces ateliers façonnent la vie de milliers d'ouvriers juifs. Plusieurs parmi ces travailleurs avaient d'ailleurs appris le métier de tailleur avant d'émigrer au Canada. Cette compétence, ils peuvent la mettre au service d'employeurs qui parlent la même langue qu'eux et dont les ateliers sont situés dans le quartier qu'ils habitent. Pour beaucoup de travailleurs juifs, la prépondérance du travail à domicile, généré par le système des « entrepreneurs » (sous-traitants), facilite leur intégration. Ils peuvent vivre chez une connaissance et y faire leur apprentissage, jusqu'à ce qu'ils aient amassé la somme nécessaire à l'achat d'une machine à coudre. La division du travail, assez poussée dans cette industrie, permet à l'immigrant juif d'acquérir rapidement l'habileté requise pour certaines tâches. L'arrivée de ces nouveaux venus présente de nombreux avantages pour les entrepreneurs. Elle permet à l'industrie vestimentaire de combler un besoin de main-d'œuvre particulièrement souple. Elle rend aussi possible la réduction des coûts de

8.   Pierre Anctil, *op. cit.*, p. 421 et Israël Medresh, *Le Montréal juif d'autrefois*, Sillery, Septentrion, 1997, p. 77-78.

production en embauchant et en débauchant les travailleurs au gré des besoins, tout en utilisant des sous-contractants responsables de leurs propres coûts de production.

L'organisation de cette industrie est propice à l'apparition de nouveaux entrepreneurs qui agissent comme sous-traitants, grâce à la faible mise de fonds nécessaire pour se lancer en affaires. La sous-traitance permet de réagir avec souplesse et offre une grande capacité d'adaptation aux fluctuations du marché. Les petits entrepreneurs immigrés embauchent dans leur communauté d'origine la main-d'œuvre nécessaire, qu'ils regroupent ensuite dans de petites unités de production. Ce sont ces petits entrepreneurs qui assument les tâches les moins qualifiées. Le procès de travail de l'industrie de la confection comprend deux niveaux de production. Au départ, le fabricant, c'est-à-dire celui qui crée et commercialise le produit. Propriétaire du matériel, il s'occupe de la coupe des tissus. Ensuite vient le sous-contractant, auquel le fabricant laisse les travaux de couture non spécialisés, qu'il effectue soit dans un petit atelier soit en les répartissant entre de nombreux travailleurs et travailleuses à domicile.

Finalement, une dernière raison lie l'immigrant juif à l'industrie vestimentaire. La pratique de la religion prend ici toute son importance[9]. Des différences de rites distinguent le judaïsme des autres pratiques religieuses en Amérique. Or travailler pour des coreligionnaires comporte des avantages. Les employeurs juifs acceptaient les pratiques religieuses de leurs coreligionnaires et pouvaient déplacer la journée de congé traditionnelle au jour du sabbat, ce qui permettait aux ouvriers de travailler plutôt le dimanche que le samedi.

Le militantisme

À cette concentration physique et industrielle s'ajoutent les expériences passées des travailleurs juifs. La culture juive avait joué un rôle important dans la capacité de résistance de la communauté juive

---

9. Bien que la pratique du judaïsme ait revêtu une certaine importance pour les ouvriers juifs à cette époque, un mode de vie orthodoxe leur apparaissait le plus souvent impossible. Au sein de la communauté juive, il était généralement convenu qu'une telle situation était inévitable. Les travailleurs industriels qui désiraient néanmoins maintenir une pratique religieuse stricte et observer le sabbat devaient souvent accepter une rémunération moindre.

européenne[10]. La tradition d'entraide développée par les travailleurs juifs, qui leur avait permis de survivre dans les conditions difficiles, a été transplantée en Amérique[11]. Le travailleur juif combine donc à la fois le statut de travailleur avec celui de Juif. Ces éléments sont fondamentaux pour expliquer le haut taux de militantisme qui caractérise ces ouvriers. L'engagement des travailleurs juifs dans les luttes politiques et sociales au sein de la Zone de résidence[12] a contribué à forger une conscience de classe et une conscience nationale qu'ils ont par la suite transposées en sol américain. En Russie, en Pologne et dans les autres pays européens, les Juifs entrent en contact avec les courants révolutionnaires. Partisan du changement social, le mouvement révolutionnaire représente l'espoir d'une vie meilleure pour des milliers de travailleuses et de travailleurs juifs qui y voient la seule alternative à leur situation. La révolution avait pris plusieurs directions parallèles en Europe de l'Est. La polémique autour de ces options est le lieu d'affrontements à l'intérieur même de la communauté politique juive. Ces diverses tendances vont se retrouver en Amérique, importées par les militants et intellectuels juifs, ce qui explique qu'ils aient largement contribué à importer les idées révolutionnaires en Amérique à partir des années 1860.

Le mouvement syndical

Les travailleurs juifs adhèrent au mouvement syndical parce qu'ils subissent comme les autres travailleurs les affres de l'oppression capitaliste. Dans plusieurs industries, ils font partie des mêmes organisations syndicales que leurs camarades de toutes origines. Par contre, leur concentration dans l'industrie vestimentaire et dans

---

10. Sans tomber dans une explication de type essentialiste, nous pouvons constater avec Pierre Vidal-Naquet qu'une minorité persécutée fournit des penseurs et des idéologues qui, lorsqu'elle est placée dans des conditions historiques en marge de la société, associent fréquemment émancipation et bouleversement social. Il serait par contre abusif d'affirmer que de tout temps cette minorité serait porteuse d'espérance révolutionnaire. Voir la préface de Pierre Vidal-Naquet à Enzo Traverso, *Les marxistes et la question juive: histoire d'un débat, 1843-1943*, Paris, La Brèche-PEC, 1990, p. 14.

11. Miriam Judith Leyton, *op. cit.*, p. 43-67 et 93-121.

12. La « Zone de résidence » est un terme qui désignait dans l'Empire russe une région où une présence juive permanente était légalement tolérée, soit dans les limites géographiques actuelles de la Pologne, de la Biélorussie, de la Lituanie et de l'Ukraine. La Révolution russe de 1917 mit fin à ce type de discrimination territoriale.

certaines activités reliées à la vie communautaire juive a donné naissance à la formation d'un authentique mouvement syndical juif.

Les travailleurs juifs ont joué un rôle de premier plan dans le mouvement syndical canadien, québécois et montréalais. En plus de former la majorité des dirigeants des syndicats du vêtement, ils ont été actifs dans les syndicats de la fourrure, de l'alimentation et de la construction[13]. Certains syndicats ont même été qualifiés de « syndicats juifs », parce que leurs dirigeants durant de nombreuses années ont été Juifs et que le yiddish était la langue courante de l'organisation[14]. On peut décrire sommairement ces « syndicats juifs » de la manière suivante : l'ensemble des syndicats de la couture et parfois ceux d'autres secteurs qui comptent soit une majorité de Juifs soit une direction généralement assumée par des militants juifs. Minimalement le terme englobe les sections des syndicats de la confection féminine et masculine, celles des syndicats de la fourrure et de la chapellerie. Ces syndicats ont été formés par des militants juifs et leurs organismes de direction sont principalement ou majoritairement composés de militants juifs, et ce sur une longue période.

Des changements profonds affectent l'industrie du vêtement et la composition de sa force de travail au début du XXe siècle. Le tailleur était, au siècle dernier, un travailleur hautement spécialisé. Le développement de l'industrie du prêt-à-porter modifie considérablement le procès de travail. Une division du travail de plus en plus poussée réduit le niveau de qualification de la majorité des travailleurs de l'industrie. Aux côtés de quelques travailleurs de métier se retrouvent une masse d'ouvriers et d'ouvrières très peu qualifiés. Ces modifications vont se refléter dans les organisations syndicales.

Dans l'industrie vestimentaire canadienne, des organisations embryonnaires se mettent sur pied à la fin du XIXe et au début du XXe siècle. Les tailleurs sur commande se regroupent les premiers. Viennent ensuite les premières organisations dans l'industrie du prêt-à-porter alors que deux assemblées de travailleurs de la confection sont formées par les Chevaliers du travail en 1893. Ce sont l'Assemblée des coupeurs de hardes et l'Assemblée anglaise des

---

13. A. Rhinewine, « The Jewish Labour Movement in Canada », dans Arthur Daniel Hart, *The Jew in Canada : A Complete Record of Canadian Jewry from the Days of the French Régime to the Present Time*, Montréal, Jewish Publications, 1926, p. 460.

14. Par exemple, les premiers procès-verbaux de la section locale du syndicat de la chapellerie sont rédigés exclusivement en yiddish. Voir les archives du Congrès juif canadien, Montréal.

tailleurs de hardes[15]. À partir de 1904, les tailleurs se joignent au Journeymen Taylors' Union of America. Une éphémère branche juive voit le jour en 1907[16]. Les effectifs de ce syndicat resteront toutefois toujours limités.

L'organisation syndicale juive prend véritablement son envol avec l'arrivée de la vague migratoire qui suit l'échec de la révolution de 1905 en Russie. Dès les premières années du siècle, les travailleurs juifs forment leurs premières associations syndicales dans l'industrie du prêt-à-porter. Les relations de travail y sont difficiles et les affrontements fréquents. De nombreuses grèves jalonnent ces premières années d'organisation syndicale, qui visent l'amélioration des conditions de travail mais aussi la reconnaissance syndicale.

Les premières organisations ouvrières dans ce secteur de l'économie apparaissent à Montréal en 1897 parmi les tailleurs juifs de la confection pour hommes[17]. D'autres organisations vont suivre. L'United Garment Workers of America (UGWA) et l'Amalgamated Clothing Workers of America (ACWA) organisent les travailleurs du vêtement pour hommes et l'International Ladies Garment Workers Union (ILGWU) ceux du vêtement pour dames. Les travailleurs juifs montrent leur combativité de façon éloquente dans les divers syndicats de l'industrie vestimentaire. Que ce soit dans l'ACWA, l'ILGWU, l'International Fur Workers' Union of the United States and Canada (syndicat de la fourrure) et le United Cloth, Hat and Cap Makers of North America (celui de la chapellerie), les militants juifs occupent de nombreux postes de direction tout en étant parmi les ouvriers les plus actifs dans la promotion des revendications et des actions. Dès le début du siècle, de nombreuses grèves illustrent la combativité à Montréal du prolétariat juif, notamment les grèves générales de l'UGWA de 1912 et de l'ACWA de 1917, qui ont permis l'obtention de meilleures conditions de travail.

Le Congrès juif canadien

H. M. Caiserman rappelle dans un article datant de 1926 le rôle joué par les organisations ouvrières dans la formation du Congrès

---

15. Elles sont formées respectivement le 19 mai et le 11 juillet 1893.
16. *La Gazette du travail*, 19 février 1907, p. 966.
17. *La Minerve* du 14 septembre 1897, citée par Jacques Rouillard, « Les travailleurs juifs de la confection à Montréal (1910-1980) », *Labour/Le Travailleur*, n°s 8/9, automne-printemps 1981-1982, p. 256.

juif canadien. L'organisation mutuelle de secours socialiste-sioniste, le Yidisher Natsyonaler Arbeter Farband, ou en anglais le Jewish National Workers' Alliance, avait lancé, dès 1915, un appel pour la création d'une organisation juive canadienne vouée à la défense des intérêts de la communauté juive[18].

L'ensemble des organisations ouvrières juives participe au congrès de fondation du Congrès juif canadien qui se tient à Montréal en mars 1919[19]. Le Congrès juif canadien réunit donc dès sa fondation des membres des diverses tendances existant au sein de la communauté juive[20]. Plusieurs organisations syndicales montréalaises s'activent au sein de cette organisation, notamment les sections 167, 277 et le Comité de ville de l'ACWA, la section 115 de la Bakery and Confectionary Workers International Union, les sections de l'ILGWU, Joint Board Cloak and Skirt Makers Unions, la section 112 du Raincoat Makers Union, la section 659 du Journeymen Barbers' International Union, la section 1270 de la Fraternité unie des charpentiers-menuisiers d'Amérique et la section 33 du United Cloth, Hat and Cap Makers of North America. Des regroupements politiques prennent aussi part à l'événement, dont le Jewish Socialist Labor Party Poale-Zion et la section juive n° 4 du Social Democratic Party of Canada, tout comme les divers organismes communautaires et d'entraide comme la Yidishe Folks Shule, ou en anglais la Jewish People's School; la Peretz Shule, ou l'école Peretz; la Yidishe Folks Biblyotek oun Folks Universitet ou la Jewish People's Library and People's University; diverses sections (151, 204 et 455) de l'Arbeter Ring ou Workmen's Circle et finalement le Folks Hilf far di Milkhome Korbones ou en anglais le Peoples Relief for Jewish War Sufferers.

De nombreux militants ouvriers[21] occupent des fonctions officielles lors du congrès de 1919. Le militant du Poale-Zion [les

---

18. La conférence du 7 mars 1915 adopte une résolution qui stipule : « The elected delegates of organizations assembled here today agree wholeheartedly with the resolution adopted by the previous Conference to the effect that a Canadian Jewish Organization be formed to represent and defend all Jewish interests and we declare to stand with our Committee and assist in every way to call a Convention of all Canadian Jews to give effect to the mentioned decision. » H. M. Caiserman, « The History of the First Canadian Jewish Congress », dans Arthur Daniel Hart, *op. cit.*, p. 405.

19. Fonds CJC, archives du Congrès juif canadien, Montréal.

20. Le congrès, qui se tient au Monument national au milieu du mois de mars 1919, réunissait 209 délégués élus par l'ensemble des Juifs canadiens lors d'un scrutin tenu les 2 et 3 mars 1919.

21. Leib Zuker, H. Hershman, H. M. Caiserman, H. Barsky, S. Belkin, N. Cheifetz et M. Dickstein, notamment, font partie du comité organisateur. H. M. Caiserman,

travailleurs de Sion] H. M. Caiserman est élu secrétaire de l'organisme. Hirsch Hershman et Joseph Schubert travaillent aussi activement lors du congrès, bien qu'ils ne soient pas militants sionistes. Les organisations ouvrières juives font donc cause commune et, malgré des divergences profondes sur plusieurs de leurs orientations fonda-mentales, s'entendent en vue de la formation d'un organisme central de la communauté juive et entendent y participer.

L'assemblée de fondation du Congrès traita de plusieurs sujets, mais la question de l'immigration juive et de la Palestine a été au centre des discussions. Les délégués approuvèrent la création d'un organe représentatif permanent pour la communauté juive cana-dienne, et l'envoi de représentants indépendants aux pourparlers de paix de Versailles. La déclaration Balfour[22] de 1917 fut applaudie et un vote fut pris en appui à la création d'un État juif en Palestine. Les délégués socialistes s'abstinrent lors de ce vote[23].

Dans l'après-guerre immédiate, le mouvement ouvrier juif, tout en continuant à s'investir au sein du mouvement syndical, notamment dans les syndicats de la confection, s'engage aussi dans deux voies qui vont rallier l'appui des travailleurs juifs et de leurs organisations tant syndicales que politiques : le soutien aux victimes de la guerre et la formation du Congrès juif canadien. Durant la Première Guerre mondiale, la communauté juive met sur pied des organismes pour venir en aide aux Juifs victimes du conflit militaire en Europe[24]. Les travailleurs organisent le People's Relief For Jewish War Sufferers[25]

« The History of the First Canadian Jewish Congress », dans Arthur Daniel Hart, *op. cit.*, p. 405-406.

22. La déclaration Balfour est une prise de position du gouvernement britannique contenue dans une lettre du secrétaire du Foreign Office, Arthur James Balfour, adressée le 2 novembre 1917 au baron Lionel Walter Rothschild, chef de la Fédération juive britan-nique. La déclaration endosse « l'établissement en Palestine d'un foyer national pour le peuple juif ». Elle stipule que ce foyer national ne doit pas porter atteinte aux non-Juifs. Elle mentionne les Arabes palestiniens, formant la majeure partie de la population, comme des « communautés existantes non juives » et garantit leurs droits religieux, civiques et politiques.

23. L'assemblée de fondation du Congrès juif canadien se termina le 19 mars 1919 et ne se réunit de nouveau que 15 ans plus tard.

24. Israël Medresh, *op. cit.*, p. 224-225.

25. Fondé à l'été 1915 dans le but de recueillir de l'argent pour venir en aide aux victimes juives de la guerre, le People's Relief for Jewish War Sufferers était une des trois organisations juives consacrées à cette tâche. Les Juifs religieux avaient le Tsentral Relif Komite fir Milkhome Laydende, ou en anglais le Central Relief Committee in Aid for the Jewish War Sufferers Through the War, et les Juifs de plus vieille souche, le Canadian Jewish Committee. Les premiers dirigeants du People's Relief for Jewish

dont sont membres plusieurs syndicats ainsi que des organisations politiques et sociales[26]. Ses bureaux sont situés dans l'édifice des Travailleurs amalgamés du vêtement d'Amérique (ACWA) sur la rue Prince-Arthur, ce qui illustre l'appui syndical à cet organisme.

En 1919, la situation des Juifs s'améliore en Russie, où le Parti bolchevique a abrogé la Zone de résidence et octroyé des droits sociaux à la population juive. Par ailleurs, la situation de ceux qui habitent la Pologne et l'Ukraine empire alors que sévit dans ces pays un antisémitisme violent. L'Armée rouge, lorsqu'elle intervient en Pologne, réprime les pogroms. Ces développements attisent la ferveur des Juifs les plus radicaux qui manifestent des sentiments prosoviétiques. Une campagne est lancée en 1920 pour faire venir au Canada des orphelins juifs d'Ukraine[27], victimes des pogroms de 1919. Hirsch Hershman et Simon Belkin se rendent en Ukraine pour diriger l'opération[28]. Les associations de secours juives aident du mieux qu'elles peuvent les populations juives de ces régions. Des groupes d'orphelins juifs arrivent au Canada en août et septembre 1921.

Les années 1920

Les années 1920-1925 constituent des années de consolidation pour le mouvement ouvrier juif montréalais. Après avoir formé leurs principales organisations au sein de la communauté montréalaise, les militants juifs s'activent à les fortifier. Malgré les difficultés économiques, les syndicats juifs continuent de représenter les travailleurs dans différentes industries, principalement le secteur vestimentaire. Les nombreuses grèves dans ce secteur de l'économie témoignent de la vitalité de ces organisations syndicales. Dans les abattoirs de

---

War Sufferers furent Reuben Brainin (président), Leib Zuker (vice-président), Yehuda Kaufman (secrétaire), George Rabinovitch (trésorier) et J. Figler (secrétaire-financier). Voir S. K. B., « Jewish War Relief Activities in Canada », dans Arthur Daniel Hart, *op. cit.*, p. 524.

26. On y retrouve les syndicats des barbiers, des charpentiers, des chapeliers, des livreurs de pain, les sections 167 et 209 de l'ACWA et des sections de l'ILGWU. Parmi les groupes politiques et sociaux, on note la présence de la section n° 4 du Social Democratic Party of Canada, le Poale-Zion, les sections 151, 204 et le Comité de ville de l'Arbeter Ring, le Jewish National Workers Alliance et le Literarish-Dramatisher Farayn Hazamir.

27. La campagne est sous la direction du Jewish War Orphans Committee of Canada, fondé le 8 août 1920.

28. Israël Medresh, *op. cit.*, p. 252; Simon Belkin, *Le mouvement ouvrier juif au Canada. 1904-1920*, Sillery, Septentrion, 1999, p. 15.

Montréal, des bouchers juifs membres de l'Amalgamated Meat Cutter and Butcher Workmen participent à une grève en 1921[29]. Celle-ci s'inscrit vraisemblablement dans la querelle que se livrent certains rabbins pour le contrôle de l'industrie cachère[30].

La place occupée par les travailleurs juifs à Montréal se voit consacrée par le rôle important qu'y joue Joseph Schubert. Délégué de l'Union internationale des ouvriers du vêtement pour dames (ILGWU), ce dernier accède à la vice-présidence du Conseil des métiers et du travail de Montréal (CMTM) en avril 1924 et est réélu l'année suivant pour un mandat complet[31]. Il devient ainsi un des rares militants juifs à siéger au bureau de direction de l'organisme syndical montréalais[32]. Schubert entreprend parallèlement à son travail syndical une carrière de conseiller municipal, se faisant élire la première fois le 7 avril 1924 dans le quartier Saint-Louis, où se concentre une importante communauté ouvrière juive. Il sera réélu sans interruption jusqu'en 1940, dont à deux occasions par acclamation.

Les organisations ouvrières juives montréalaises, soucieuses d'utiliser la langue commune des travailleurs juifs, publient des journaux en yiddish. L'Arbeter Ring fait paraître *Der Yidisher Arbayter* [l'ouvrier juif][33], publié de 1919 à 1922 sous la direction de Leiser Meltzer, et *Arbayt* [le travail][34], qui prend la relève en 1922. Le Parti communiste canadien, conscient qu'une partie de son membership est d'origine juive, édite un journal en yiddish, *Der Kamf* [le combat][35], à partir de novembre 1924. La direction du *Kamf* est confiée à Michael Buhay, qui en est le rédacteur pendant de nombreuses années. Dans le monde syndical, l'ACWA publie *Forshrift* [directive] pour rejoindre les militants yiddishophones.

29. *La Presse*, 14 avril 1921, p. 11 et 19 avril 1921, p. 11.
30. Voir le chapitre intitulé « The Kosher Meat Wars of the 1920s and their Aftermath », dans Ira Robinson, *Rabbis and their Community. Studies in the Eastern European Orthodox Rabbinate in Montreal, 1896-1930*, Calgary, University of Calgary Press, 2007, p. 103-117.
31. *Le Monde ouvrier/The Labor World*, 17 janvier 1925, p. 1.
32. *La Presse*, 19 avril 1924, p. 31 et *Le Monde ouvrier/The Labor World*, 19 avril 1924, p. 1. Schubert remplace le policier Joseph Duguay comme vice-président lorsque ce dernier démissionne. Avant Schubert, Jake Segal (syndicat des forgerons) avait occupé le poste de vice-président en 1908.
33. André Beaulieu et Jean Hamelin, *La presse québécoise des origines à nos jours*, tome 5: *1911-1919*, Québec, Presses de l'Université Laval, 1982, p. 300-301.
34. *Idem.*
35. André Beaulieu et collab., *La presse québécoise des origines à nos jours*, tome 6: *1920-1934*, Québec, Presses de l'Université Laval, 1984, p. 83.

Durant toute la période, le mouvement ouvrier juif continue donc de progresser en occupant une place de plus en plus importante dans l'ensemble de la communauté juive montréalaise. L'importance de sa contribution lors de la réflexion autour de la question scolaire marque bien l'espace qu'il occupe. Le radicalisme des organisations ouvrières tend toutefois à s'estomper peu à peu au profit d'attitudes plus modérées. L'ACWA par exemple adopte un plan de standardisation, tandis que Schubert rejette le bolchevisme, ce qui rehausse quelque peu sa légitimité face à l'ensemble de la communauté juive montréalaise.

Poursuivant leur tradition de militantisme, les travailleurs juifs montrent leur combativité de façon éloquente dans les divers syndicats de l'industrie vestimentaire. Ils demeurent tout aussi combatifs dans des industries plus spécialement reliées à la vie communautaire juive. Pour illustrer notre propos, nous retiendrons le secteur de la boulangerie[36]. Durant la période de 1925 à 1928, les boulangers sont au cœur des luttes incessantes dans la communauté juive, car toute hausse du prix du pain est suivie d'une riposte des ménagères et des travailleurs[37]. Les conditions de travail des boulangers se sont détériorées durant la crise économique du début de la décennie. Avec la reprise, les boulangers juifs cherchent à améliorer leurs conditions. Plusieurs adhèrent à la section 115 du Syndicat international des travailleurs de la boulangerie et de confiserie d'Amérique. Cette section, qui ne regroupe que des boulangers juifs, déclenche une grève en janvier 1925 pour protester contre une hausse du prix du pain dans les ateliers où ils travaillent[38]. Après une grève de quatre jours, et comptant sur l'appui

---

36. À ce sujet, voir Eve Lerner, *Making and Breaking Bread in Jewish Montreal: 1920-1940*, mémoire de maîtrise, Université Concordia, 2003.

37. Israël Medresh décrit ces rapports délicats dans *Le Montréal juif d'autrefois, op. cit.*, p. 108-109. Il raconte que « de temps à autre, les boulangers décidaient de hausser le prix du pain. Un tel événement provoquait une réaction terrible au sein de la communauté juive et il s'ensuivait une lutte épique. Une tempête de protestations se déchaînait aussi quand les bouchers décidaient de hausser le prix de la viande. D'abord une campagne se déclenchait autour des commerces concernés, sous la direction des tailleurs et des ouvriers de la confection féminine. Puis de jeunes enfants distribuaient des pamphlets qui appelaient à la révolte contre des prix plus élevés. Ces pamphlets invitaient aussi les passants à un rassemblement de masse au Labor Temple [Temple du travail, rue Saint-Dominique] ou au Prince Arthur Hall. »

38. Ces batailles contre les hausses de prix du pain et de la viande mobilisent généralement l'ensemble de la communauté juive montréalaise. Voir Israël Medresh, *op. cit.*, p. 109.

de la communauté, ils obtiennent que les maîtres boulangers juifs réduisent le prix du pain et signent avec eux un contrat de travail[39].

Le 1er mai 1927, les membres de la section 115 revendiquent une augmentation salariale et une diminution de la semaine de travail, soit un salaire hebdomadaire de 44 $ pour une semaine de 51 heures[40]. Devant une fin de non-recevoir des maîtres boulangers, plus de 70 boulangers déclenchent une grève contre six maîtres-boulangers. Le conflit est difficile et traîne en longueur. À la fin de l'été, deux patrons seulement ont conclu des ententes avec leurs employés syndiqués[41]. La situation est telle que certains boulangers grévistes n'ont d'autre solution que de s'engager dans des boulangeries toujours en opération[42]. À la fin de septembre, le tiers des boulangers poursuivent toujours la grève[43]. La situation se détériore alors que les grévistes dénoncent certains employeurs qui ne respectent pas l'entente intervenue dans certaines boulangeries. C'est la raison pour laquelle de nouveaux boulangers rejoignent les rangs des grévistes, dont le nombre passe de 22 qu'il était en octobre à 73 en novembre[44]. Au début de 1928, les parties encore en conflit décident de recourir à un tribunal d'arbitrage dont le président serait nommé par la Cour supérieure[45]. Mais au printemps, reconnaissant son échec, le syndicat déclare la grève terminée[46].

Les boulangers vont se reprendre l'année suivante. Des négociations entamées dès mai 1929 n'aboutissent toutefois pas. Les boulangers revendiquent de meilleurs salaires, une diminution des heures de travail, la reconnaissance syndicale et une amélioration générale de leurs conditions de travail. En septembre, seules quatre boulangeries, parmi les plus importantes, ont conclu des ententes. Dans les autres boulangeries la situation se détériore. Les policiers interviennent sur les lignes de piquetage et procèdent à des arrestations dénoncées avec véhémence par les communistes[47].

---

39. *La Presse*, 12 décembre 1925, p. 53 et *La Gazette du travail*, février 1925, p. 137 et septembre 1925, p. 1008-1009.
40. *La Presse*, 15 décembre 1928, p. 45.
41. *La Gazette du travail*, août 1927, p. 917.
42. *Ibid.*, juin 1927, p. 677.
43. *La Presse*, 20 août 1927, p. 50 et *La Gazette du travail*, octobre 1927, p. 1138.
44. *La Gazette du travail*, décembre 1927, p. 1404.
45. *Ibid.*, février 1928, p. 127.
46. Il semble que le tribunal n'ait pas siégé et que les derniers grévistes aient été embauchés dans d'autres ateliers. À la fin du printemps, le syndicat déclare la grève terminée.
47. « The police are trying to smash the strike by using terrorist methods, and protecting the scabs. On Friday, three strikers' wives and a member of the Women's Labor League were arrested for picketing. They were later released on bail. On Monday, another

Les sociétés d'entraide ouvrière

La situation désastreuse des masses ouvrières dans la Zone de peuplement en Russie avait entraîné la formation de groupes d'entraide. De nombreux regroupements de travailleurs, imprimeurs, tailleurs, menuisiers, serruriers et cigariers suivent l'exemple. Ces caisses (*kassi*) reproduisent les anciennes formes d'organisation traditionnelle des artisans juifs. Elles ne sont pas le simple prolongement des organisations corporatives, car elles ne peuvent se confondre avec les fonds d'entraide créés par les employeurs. Il s'agit de nouvelles organisations de type syndical. Rapidement, à la fin du siècle, ces caisses se transforment en organisations de combat.

La première organisation formée par les militants socialistes est l'Arbeter Ring (Workmen's Circle)[48]. Une première section montréalaise est formée en 1907. Elle est principalement composée de militants socio-démocrates originaires d'Europe de l'Est. Les anciens militants du Bund sont particulièrement actifs dans l'organisation de l'Arbeter Ring. Par la suite, d'autres sections du Workmen's Circle vont être créées : la section 204 et, en 1925, la section 615, produit de la scission entre les sociaux-démocrates et les communistes. Ces derniers gardent pour un temps le contrôle de la section 151 avant de former l'United Jewish People Order (UJPO), ou en yiddish Faraynikter Yidisher Folks Ordn. Certains cercles sont réservés aux femmes comme la section 151-B et la section 829.

En 1912, les travailleurs juifs socialistes-sionistes, partisans du Poale-Zion, fondent la Yidisher Natsyonaler Arbeter Farband (Jewish National Workers' Alliance), fraternité ouvrière qui cherche à concurrencer l'Arbeter Ring. La première organisation est formée dans le Mile-End, à l'époque une banlieue au nord de Montréal. Une des premières réalisations du Farband est la parution, à partir du 30 avril 1912, de l'hebdomadaire ouvrier *Di Folkstsaytung* [le journal du peuple], qui coïncide avec la grève menée par l'ACWA en 1912 dans l'industrie de la confection.

---

striker's wife was arrested on the framed up charge of hitting a saleslady in one of the bakeries. » *The Worker*, 12 octobre, 1929, p. 1 et 3.

48. Sarah Filotas, « Le repos du guerrier, la retraite du "Workmen" » *Bulletin du RCHTQ*, vol. 22, n° 2, p. 5-8.

Le mouvement ouvrier politique

Le socialisme, importé d'Europe occidentale par des intellectuels juifs après les années 1860, rallie facilement les ouvriers juifs. Dans l'Europe du XIXe siècle, le socialisme intègre plusieurs approches de la participation des ouvriers juifs à la lutte politique. Si plusieurs militants adhèrent à l'attitude assimilationniste presque unanime des marxistes allemands et autrichiens, que reprennent la Deuxième internationale et la social-démocratie russe, d'autres adoptent la politique de l'autonomisme culturel défendue par le Bund. D'autres encore se rallient au nationalisme des socialistes-sionistes.

Plusieurs immigrés juifs américains adhèrent à la fin du siècle dernier aux thèses de la Première internationale et par la suite de la Deuxième internationale. Ils organisent les sections américaines de ces organisations. En regard du développement de la communauté juive, les socialistes de la Deuxième internationale défendent l'idée de l'assimilation des Juifs comme l'aboutissement inévitable et souhaitable de l'évolution sociale. Le capitalisme, porteur de l'assimilation, intègre les Juifs dans la société. Le commerce, comme fonction socioéconomique par laquelle les Juifs ont historiquement assuré leur survie, représente à leurs yeux l'explication scientifique du processus d'assimilation. Aux yeux des militants de la Deuxième internationale, les défenseurs d'une conscience socioculturelle juive sont perçus comme rétrogrades et réactionnaires, et combattus au nom de l'orthodoxie socialiste. Si cette position rallie beaucoup de socialistes juifs, bon nombre d'entre eux se méfient du marxisme orthodoxe et tentent d'établir une fusion entre leur judéité et le socialisme.

L'anarchisme

À la fin des années 1880 et au début des années 1890, l'anarchisme devient un courant de pensée qui se propage parmi les travailleurs juifs. Irving Howe identifie l'apparition de ce courant à la situation de déracinement des immigrants juifs qui auraient eu le sentiment d'être à la dérive, sans aucune attache ni dans l'Ancien ni dans le Nouveau Monde. L'anarchisme aurait ainsi produit un milieu clos dans lequel les Juifs pouvaient intérioriser leur isolement, loin des considérations plus prosaïques que sont les revendications salariales du syndicalisme et des luttes électorales. À cette époque, à Londres, le mouvement anarchiste représente le courant hégémonique du mouvement ouvrier juif. Ses militants sont à l'origine de la constitution de tous les syndicats juifs. Bien qu'un courant social-démocrate existe, renforcé par l'arrivée de militants du Bund, les anarchistes, dirigés par Rudolf Rocker, regroupent alors la majorité des militants ouvriers juifs.

Beaucoup d'anarchistes juifs originaires d'Europe de l'Est sont arrivés à Montréal après avoir transité par Londres ou New York[49]. Ce sont des firmes de vêtement qui sont allées les chercher pour combler un besoin de main-d'œuvre spécialisée dans la fabrication des vêtements féminins et de la corseterie. Ces ouvriers parlaient un anglais correct et avaient une bonne connaissance des idées radicales qui avaient cours tant en Europe qu'aux États-Unis. Les anarchistes montréalais ont tenu de nombreuses librairies. Parmi les plus célèbres, signalons celle de Hirsch Hershman, située au 406, Main Street[50], et celle de J. Lazarus, logée au 480, Main Street[51]. Hershman ouvre sa librairie en 1902. Il y vend le *Forverts* de New York ainsi que des journaux et des livres en yiddish, mais aussi des traductions d'auteurs russes et français comme Tolstoï et Zola. La librairie devient un véritable centre culturel où, après leur journée de travail, les travailleurs viennent discuter.

Lors des fêtes juives, la librairie vend des publications et du matériel religieux. Cette situation indispose certains militants juifs plus radicaux. Réprouvant cette pratique d'offrir quelques jours durant l'année des objets religieux, ils veulent une librairie destinée uniquement à la promotion de la littérature socialiste. Cette seconde librairie, le Elstein's Book Store, était le lieu de réunion du Hebrew Workingmen's Debating Club et du Mutual Aid Group (une société de secours mutuel). Il devient aussi le lieu de rencontre des militants du syndicat connu sous le nom d'Industrial Workers of the World (IWW). Les militants y débattent de théories socialistes et de politique, ainsi que d'organisation syndicale. De nombreux anarchistes viennent à Montréal faire la promotion de leur idéal. C'est dans ce contexte que la militante Emma Goldman donne des conférences au début du siècle. En 1905, elle aborde à Montréal le rôle des

---

49. Rebecca Margolis, « A Tempest in Three Teapots: Yom Kippur Balls in London, New York and Montreal », dans Richard Menkis et Norman Ravvin (dir.), *The Canadian Jewish Reader*, Calgary, Red Deer Press, 2004, p. 141-163.
50. Il s'agit du nom populaire donné au boulevard Saint-Laurent.
51. Ces deux librairies étaient situées à la hauteur de la rue Ontario.

organisations ouvrières dans la Révolution russe. Trois années plus tard, elle reviendra à Montréal pour une série de conférences, dont deux sont données en yiddish les 14 et 15 février au St-Joseph Hall et une en anglais au Temple du travail le 16 février.

Le développement du mouvement socialiste ralentira considérablement la progression des idées anarchistes dans la communauté juive montréalaise. Seuls quelques individus continueront pendant un certain temps à se faire les porte-parole de l'anarchisme. Succédant à l'idéal anarchiste, le socialisme a rapidement conquis les travailleurs juifs montréalais. En Europe de l'Est, les militants juifs ont connu trois formes caractéristiques de lutte politique pour le socialisme. Un courant assimilationniste domine les partis de la Deuxième internationale. Les partis socialistes d'Allemagne, de Pologne et de Russie partagent cette vision de l'assimilation juive, une conception répandue parmi certains intellectuels juifs. Le socialisme de la Deuxième internationale conciliait le double refus de nombreux intellectuels juifs de l'antisémitisme et de l'identité juive. Le mouvement socialiste défend résolument la démocratie et lutte contre toute forme de discrimination, incluant l'antisémitisme. D'autre part, le mouvement socialiste ne fait aucune distinction entre militants juifs et non juifs. Le socialisme représente donc pour de nombreux intellectuels juifs le lieu privilégié pour combattre le racisme et promouvoir l'assimilation. Les partis ralliés à l'idéologie de la Deuxième internationale seront donc des milieux particulièrement favorables à l'assimilationnisme des socialistes juifs.

Le Bund

C'est dans l'Empire russe que va se développer une organisation politique apte à contester le leadership des thèses de la Deuxième internationale au sein du mouvement ouvrier. En marge du Parti ouvrier social démocrate de Russie (POSDR), un courant politique socialiste spécifiquement juif propose une forme d'autonomisme national. L'Union générale des travailleurs juifs de Lituanie, de Pologne et de Russie, mieux connue sous son nom yiddish de Bund (Algemayner Yidisher Arbeter Bund in Lite, Poyln oun Rusland), est constituée à Vilnius en 1897. Elle met rapidement en place une structure organisationnelle et un réseau d'organes de presse et de propagande. Elle devient l'organisation politique la plus importante dans la Zone de résidence. Beaucoup d'immigrants juifs ont appartenu ou tout simplement côtoyé le Bund dans l'Empire russe avant leur immigration en Amérique. Le Bund représente le parti du prolétariat juif du Yiddishland. Il s'adresse spécifiquement aux travailleurs juifs d'Europe orientale de langue yiddish. Le principal théoricien du Bund, Vladimir Medem, a élaboré une vision de la lutte politique des travailleurs juifs qui le situe dans la lignée des partis socialistes, mais en opposition au POSDR sur la question spécifique de la place des Juifs dans la lutte pour le socialisme.

Medem développe une théorie de la question nationale qui permet de poser l'existence d'une nation juive et qui contraste avec celle en vigueur dans les rangs du socialisme international. D'après Medem, les nations sont avant tout des entités culturelles ancrées dans une société historique, dans laquelle se multiplient les conflits sociaux. La nation est une entité culturelle dans laquelle s'exprime un contenu humain universel. La langue représente un des éléments constitutifs de la nation. Le Bund se fit alors le défenseur du yiddish comme la langue nationale des populations juives, langue par laquelle elles peuvent exprimer leurs espoirs et leurs aspirations. D'autre part, Medem voit la nation juive comme étrangère à tout territoire défini. Medem définit donc l'autonomie nationale juive comme culturelle et non pas territoriale. Le Bund exige une forme d'autonomie visant à garantir les droits nationaux des minorités intégrées aux peuples dont elles partagent le territoire. Au programme du Bund figurent le droit de recevoir l'éducation dans la langue nationale ainsi que le droit de pouvoir l'utiliser devant les tribunaux et dans les relations avec les entreprises de services publics. Il est évident que la conception bundiste d'une nation juive diasporique et culturelle n'avait rien à voir avec le territorialisme et l'étatisme sionistes.

Le Bund est le parti du prolétariat juif du Yiddishland; il ne pouvait ni comprendre de façon profonde, ni avoir la solution de la question juive en Europe occidentale ou en Amérique. Le Bund délimitait son projet d'autonomie nationale exclusivement aux communautés juives de langue yiddish en Europe de l'Est; il ne pensa jamais avoir la clé pour la solution du problème juif dans le monde et ne nia jamais la réalité historique de l'assimilation des Juifs en Occident. C'est pourquoi il ne pouvait pas se considérer, à l'exemple du Poale-Zion, comme une sorte d'internationale ouvrière juive.

Les immigrants, membres du Bund, amènent donc avec eux une longue expérience de la lutte concrète et une connaissance aiguë des débats qui prévalent à l'intérieur du mouvement socialiste.

Politiquement, ils se situent à l'aile gauche du socialisme international. Ces militants croient en la nécessité du travail syndical et à la défense d'une culture juive articulée autour du yiddish, langue des masses juives. Ils sont toutefois fermement opposés à toute forme de sionisme. Les militants Juifs socialistes veulent que leurs coreligionnaires forment des groupes nationaux culturels distincts dans les pays où ils habitent, et que les travailleurs juifs participent à la lutte et au mouvement ouvrier de ces pays, tout en conservant une organisation autonome.

Les militants juifs socialistes adhèrent dans un premier temps au Socialist Party of Canada (SPC). La Russian Branch du Socialist Party of Canada (c1907-1908) ainsi que la section locale numéro 2 du *Socialist Party of Canada* (c1912) regroupent les premiers militants socialistes juifs montréalais. Le SPC prône un programme socialiste abstrait et loin des travailleurs. Il préconise l'organisation et la gestion démocratique des industries par les ouvriers et l'établissement aussi rapide que possible de la production pour fins utilitaires en lieu et place de celle axée sur le profit. Le SPC se tient loin des luttes concrètes des travailleurs en s'abstenant d'appuyer les mouvements de grève et en refusant toute participation aux élections municipales. Il refuse même d'adhérer à la Deuxième internationale dont il juge les orientations trop modérées.

Durant la Première Guerre mondiale, les militants socialistes mènent une lutte contre toute participation canadienne à la guerre et s'opposent à la conscription. Le manifeste du Social Democratic Party (SDP) sur la guerre souligne le caractère capitaliste du conflit qui ne peut d'aucune façon être profitable aux travailleurs. Par la suite, les socialistes dénoncent la tactique du gouvernement Borden d'imposer la conscription. À Montréal, un de ses dirigeants, Michael Buhay, brigue les suffrages dans le quartier montréalais de Cartier aux élections fédérales du 17 décembre 1917. Il dénonce la conscription mais tout autant les capitalistes et fait la promotion du socialisme au Canada. Ces prises de positions, mais surtout la peur qu'engendrent la Révolution russe et ses possibles influences au Canada, convainquent le gouvernement canadien d'interdire 18 organisations socialistes et ouvrières. De ce nombre on recense de nombreux groupes russes et ukrainiens ainsi que les partis social-démocrate et socialiste.

Après la guerre, la Révolution russe entraîne un réalignement des forces révolutionnaires dans le monde, y compris au Canada. Pour les Juifs, la chute du régime tsariste en Russie est perçue comme un événement significatif pour l'ensemble de leur communauté. L'abolition de la Zone de résidence par les révolutionnaires soulève un vent d'optimisme. Au Canada, beaucoup de socialistes juifs adhèrent pour un temps au bolchevisme. Ils formeront des sections du Parti communiste du Canada. Michael Buhay, porte-parole du groupe communiste juif montréalais, est un des principaux dirigeants du Parti communiste canadien dans les années 1920.

Le Poale-Zion

Un autre courant socialiste est essentiellement actif dans les communautés juives. Toujours partisans du socialisme, ces militants épousent aussi la cause juive et se déclarent socialistes-sionistes. Ils tentent de concilier le double idéal d'être socialiste et sioniste. Leur principale organisation est le Poale-Zion, un parti sioniste et socialiste apparu en Europe de l'Est dans la foulée de l'insurrection russe de 1905. Il considère que l'oppression nationale et les luttes de libération nationale sont des moteurs de l'évolution historique. Les militants vont donc chercher à promouvoir la venue du socialisme dans les pays où ils ont émigré, tout en défendant l'idéal de la création d'un État juif laïc et socialiste.

Groupe politique avant de devenir un parti politique, le Poale-Zion propose un programme qui se caractérise par quatre éléments fondamentaux qui allient une attirance pour le socialisme et un vif attachement à la communauté juive. Le socialisme-sionisme revendique la formation d'un État national pour les Juifs, État où ces derniers pourraient s'émanciper à travers leur propre culture. En second lieu, le socialisme-sionisme accorde une importance fondamentale à l'instauration d'une société socialiste qui doit réaliser l'abolition de l'exploitation capitaliste. L'objectif d'obtenir un État juif est combiné à la nécessité pour les travailleurs juifs de chaque pays de renforcer le mouvement ouvrier, et particulièrement le mouvement ouvrier juif par la promotion de l'idéologie socialiste parmi les travailleurs juifs. Finalement, le Poale-Zion consacre une attention toute spéciale à la diffusion de la culture juive. Ce parti considère d'ailleurs la langue populaire, soit le yiddish, comme la langue nationale juive.

Si l'objectif premier du Poale-Zion est la création d'un État national juif, les premiers militants sont divisés sur plusieurs questions:

l'attitude envers la lutte politique, la préférence envers l'hébreu ou le yiddish et le choix de la Palestine comme lieu d'implantation du futur État sioniste. En attendant le règlement de ces questions, il semblait indispensable de donner une éducation nationale et sociale à toute la jeunesse juive. Les militants du Poale-Zion sont partisans de la solution étatique, c'est-à-dire partisans de l'urgence de participer à la vie politique.

L'organisation du Poale-Zion apparaît d'abord en Amérique en 1903 avec la formation du premier cercle américain à New York. Le Socialist Jewish Labor Party Poale-Zion in the United States and Canada apparaît ensuite en 1905. Il regroupait alors 1 200 membres. Rapidement, les militants socialistes-sionistes se partagent en plusieurs courants distincts. Un premier, le Poale-Zion proprement dit, puis un second groupe de tendance territorialiste et finalement les sejmistes. Le premier groupe reste fidèle aux idéaux de base du programme, ce qui inclut la défense de l'« option palestinienne ».

Les Socialistes territorialistes (ST) prônent la formation d'un foyer national juif sans référence à la Palestine. Ils favorisent la revendication d'un *Sejm* ou Parlement national juif qui mettrait en œuvre les moyens requis pour « la concentration de l'immigration juive en un territoire vierge, inoccupé ». Le but ultime de ces militants est présenté comme l'étape finale d'un processus de renaissance qu'il faut entreprendre au plus tôt selon eux. Ils mettent l'accent sur la revendication de l'autonomie nationale-territoriale. Lors des Sixième et Septième Congrès sionistes mondiaux (1903 et 1905), Theodor Herzl défend l'idée d'occuper un territoire africain comme base géographique de peuplement juif. Qualifiée de « solution ougandaise », cette option recevra l'appui de Nachman Syrkin, principal théoricien du socialisme-sionisme.

Syrkin dirige les socialistes-sionistes depuis le Premier Congrès sioniste de 1897. Il s'avère un ardent défenseur de la réalisation du sionisme à travers l'établissement de coopératives regroupant la masse des prolétaires juifs. Il critique la mainmise de l'organisation sioniste par les éléments bourgeois et religieux qui ont trop de facilité à discuter avec les « monarques réactionnaires ». Fondateur du Parti ouvrier sioniste-socialiste, Syrkin est un dirigeant et porte-parole du socialisme-territorialisme qui fait la promotion de la solution ougandaise.

Durant la Première Guerre mondiale, l'organisation socialiste-sioniste réitère son désir d'obtenir la formation d'un l'État national juif, surtout après la déclaration Balfour de 1917. Elle se préoccupe aussi du secours en faveur des victimes de la guerre, de la mise sur pied de la Légion juive et de la fondation du Congrès juif canadien, ainsi que de la poursuite de la campagne en faveur des établissements juifs en Palestine. En 1909, le Poale-Zion s'associe à d'autres militants sionistes pour former le Yidisher Natsyonaler Arbeter Farband (L'Union nationale juive des travailleurs). Une organisation de secours mutuel qui tente de faire contrepoids à l'Arbeter Ring. Leizer Meltzer en sera le président et B. Lachovitsky, le secrétaire.

Le Poale-Zion participe au soutien en faveur des grévistes. La première manifestation de cet appui survient lors de la grève de sympathie organisée par les travailleurs montréalais des ateliers du CPR, à la suite de la grève d'août 1908 dans l'Ouest canadien. Partie d'un vaste mouvement ouvrier ayant des racines dans toute l'Amérique, le Poale-Zion apporte son soutien moral et financier aux travailleurs en lutte. Il soutient en 1910 les travailleurs du vêtement de New York, et en 1913-1914 il appuie les mineurs du Colorado. Les militants du Poale-Zion se retrouvent aussi engagés dans l'organisation syndicale des travailleurs montréalais, notamment ceux du vêtement qui adhèrent à l'ILGWU et à l'ACWA. Notons la présence dans cette mouvance des militants Adolph Velicovitch, Albert Eaton, H. M. Caiserman, Leib Zuker, Hershl Novak, etc.

L'importance accordée à l'entraide, les militants juifs vont la reproduire au Canada. Au côté des institutions mises sur pied par l'élite sociale juive, comme le Young Men's Hebrew Benevolent Society, le Baron de Hirsch Institute et le Hebrew Ladies' Aid Society, les travailleurs juifs vont former leurs propres organisations. Ils ne s'identifient pas aux organismes de la bourgeoisie juive, dont ils étaient séparés socialement, économiquement et culturellement. Dans le monde immigrant yiddishophone, deux organisations fraternelles vont se faire concurrence, le Farband et l'Arbeter Ring, différentes par la vision qu'elles ont de la société juive. Les deux organisations procurent aux membres des services comme de l'assurance vie, fonctionnent sur une base coopérative et effectuent un travail culturel. Elles reproduisent aussi les mêmes courants politiques qui sont présents dans la communauté ouvrière juive. Aujourd'hui, le filet social étatique a remplacé plusieurs de ces organisations pionnières. Quelques-unes d'entre elles existent toujours et témoignent de ce sens de la solidarité qui a marqué les débuts des organisations ouvrières juives à Montréal.

Les travailleurs juifs et leurs organisations ont occupé une place déterminante dans l'évolution du mouvement syndical et ouvrier montréalais. Leur engagement dans la défense des travailleurs semi-qualifiés et non qualifiés a entraîné l'ensemble des autres organisations syndicales. Le syndicalisme de métier, dominant jusqu'à la Deuxième Guerre mondiale, a dû s'adapter aux nouvelles réalités du travail et, dans cette voie, les organisations juives ont joué un rôle moteur.

D'un point de vue plus politique, la situation s'avère plus complexe à traiter. Globalement, les travailleurs et surtout les militants juifs étaient très au fait de la conjoncture internationale et participaient aux débats d'idées de façon systématique. La réalité juive préoccupait de manière spécifique l'ensemble de ces militants. Nous pouvons aussi constater à Montréal un foisonnement d'organisations politiques juives qui se situent dans la mouvance des orientations défendues en Europe. Nous retrouvons donc à la fois des militants qui font la promotion du sionisme et défendent la formation d'un éventuel État d'Israël, et d'autres qui nient son importance stratégique pour la vie juive dans la diaspora. Cette réflexion politique les différencie des autres travailleurs et militants syndicaux, pour qui cette question ne soulève aucun intérêt.

Après la Seconde Guerre mondiale, les organisations spécifiquement juives perdent de leur importance dans la communauté. Une meilleure intégration des Juifs dans la société et la formation de l'État d'Israël relèguent plusieurs de ces questions au passé. Il reste que cette intégration est le fait du militantisme et de la lutte sans relâche que ces militants de la première heure ont menée, entre autres à Montréal, et dont il est important de perpétuer le souvenir.

La place des femmes dans le judaïsme : un chapitre distinct ?

Sonia Zylberberg

Université Concordia et Collège Dawson

LES FEMMES. La moitié du genre humain. La moitié des populations du Canada, du Québec, de Montréal et de la communauté juive montréalaise. Comme c'était le cas depuis les débuts de l'histoire ; comme c'est toujours le cas aujourd'hui.

Le récit biblique raconte qu'au commencement du peuple juif, Sarah quitta la maison de ses parents pour voyager avec son mari Abraham dans une nouvelle contrée où ils firent alliance avec le Dieu juif. Partenaire indispensable dans cette relation, Sarah fut toutefois reléguée à un rôle secondaire : tandis qu'Abraham rencontra les messagers de Dieu, avec lesquels il discuta, Sarah écouta leur conversation de l'intérieur de sa tente.

Cette dichotomie entre l'intérieur et l'extérieur devint un paradigme pour les interactions parmi les Juifs : les hommes participaient aux activités de la sphère publique ; les femmes, quant à elles, étaient reléguées à la sphère privée. Bien entendu, les communautés juives ne furent pas les seules à suivre ce modèle. Aussi, il n'est pas possible de déterminer si le modèle biblique fut prescriptif, soit à l'image d'un plan dictant aux individus un comportement à suivre, ou plutôt descriptif, soit un portrait des normes sociales de l'époque.

Quoi qu'il en soit, il ne fait aucun doute que les femmes furent très actives dans leur domaine, où elles étaient conscientes d'elles-mêmes et de leur propre destinée. En effet, la femme juive idéale était représentée comme efficace sous divers traits : marchande, chef, planificatrice urbaine, fermière, ouvrière, fileuse, philanthrope, économiste, tailleur, oratrice, femme au foyer, mère et épouse, puis tous ces qualificatifs à la fois. Les versets bibliques faisant l'éloge de la «femme de valeur» ainsi décrite (Proverbes 31) devinrent si enracinés dans la tradition juive qu'ils furent récités aux femmes par leurs familles de façon hebdomadaire, en reconnaissance des nombreuses activités dans lesquelles elles étaient engagées sur une base régulière. Plus récemment, la «femme de valeur» devint une notion controversée, non parce que sans cesse occupée à ses tâches, mais plutôt parce que cette expression correspondait à un modèle ambigu. Fallait-il comprendre que la «femme de valeur» représentait une «superwoman» qui abattait tout le travail à la maison et au sein de la famille? Était-ce une façon d'admettre que les femmes étaient actives partout, et qu'elles *devaient* l'être? Ou s'agissait-il d'une directive indiquant que les femmes devaient être reléguées seulement à la sphère privée?

En réalité, la dichotomie entre les sphères privée et publique fut par la suite sévèrement critiquée de plusieurs côtés à la fois. Non seulement la communauté juive, mais également le monde occidental qui l'entourait connurent d'importantes transformations en ce qui concerne les normes relatives au genre. La conséquence fut que le rôle public des femmes a augmenté de manière très importante, particulièrement depuis l'émergence de mouvements féministes durant les années 1960.

Le livre dans lequel s'inscrit cet article aborde différents aspects de la communauté juive montréalaise telle qu'elle existe en 2010. Pourquoi un chapitre distinct sur les femmes? Ces dernières ne sont-elles pas incluses dans les autres catégories? Les femmes ne participent-elles pas à la culture et à la religion? N'étaient-elles pas présentes à travers l'histoire? De nos jours, est-il encore nécessaire d'examiner les femmes sous l'angle d'une catégorie particulière?

J'aimerais que ce ne soit pas le cas. J'aimerais que nous ayons progressé au point où les femmes seraient reconnues comme des individus composant 50% du genre humain – dans le cas présent, des Juifs – avec l'ensemble des droits, obligations et ouvertures que suppose une telle reconnaissance. J'aimerais que nous assumions qu'en dépit du thème abordé, toute analyse portant sur les «Juifs» inclut les deux sexes. Mais ce n'est pas le cas. La plupart des études récentes suivent toujours l'ancien modèle: elles se penchent sur la sphère publique, c'est-à-dire celle occupée par les hommes, en tenant pour acquis que les activités des femmes soit n'existent pas, soit ne sont d'aucun intérêt. Jusqu'à tout récemment, les études s'intéressaient surtout aux rapports de pouvoir et de privilège. Dans le monde juif de Montréal, tout comme dans la société montréalaise plus vaste et dans le monde juif en général, les femmes sont encore sous-représentées dans ces rapports et surreprésentées parmi les petits salariés, les victimes de violence et les « aides-épouses ». Dans ces études, il est frappant de constater que les femmes sont généralement absentes. Comme le notaient Sondra Henry et Emily Taitz en 1983, auteures de l'un des premiers livres qui abordait cette absence : « Le simple lecteur qui se frotte à l'histoire juive constatera que la femme juive est invisible – qu'elle est virtuellement "rayée de la carte"[1]. »

Afin de compenser l'ensemble de ces études, ce chapitre est donc nécessaire. Ses avantages sont nombreux : il permettra de s'intéresser d'abord et avant tout aux femmes ; d'élaborer un regard genré et de voir les femmes en tant que telles. Mais où devons-nous diriger ce regard ? Sur les espaces privés où les femmes ont été actives, où elles continuent de l'être ? Cela n'est pas possible, pour plusieurs raisons. En premier lieu, nous n'avons pas accès à la plupart de ces espaces. En second lieu, cela n'aurait pas de fin. Il nous faudrait alors discuter des espaces privés de près de 45 000 femmes qui composent la communauté juive montréalaise.

Que dire des femmes actives dans la sphère publique ? Cette catégorie est plus limitée, mais elle demeure beaucoup trop vaste. Devrions-nous inclure toutes les femmes professionnelles, les militantes, journalistes et artistes ? Ici encore, ce n'est tout simplement pas possible. J'ai donc choisi de m'attarder aux femmes juives qui ont été actives de manière genrée dans la sphère publique, ou dont l'exercice de certains postes a « fait éclater les barrières ». Je tenterai de ne pas tenir un propos exhaustif : mon but ne consiste pas à faire la liste de l'ensemble des femmes juives qui sont actives, mais plutôt d'ouvrir une voie et de mettre en lumière ce qui se trouve de l'autre côté. Peut-être cette façon de procéder nous donnera-t-elle un aperçu des écarts et de la diversité qui existent à l'intérieur de cette catégorie. J'ai donc cumulé des détails à propos de certaines femmes dont nous commencerons, je l'espère vivement, à faire un portrait plus juste. Sans aucun doute, ce texte comportera certaines omissions de noms de femmes que j'aurais dû inclure – je leur présente mes excuses.

---

1. Sondra Henry et Emily Taitz, *Written Out of History: Our Jewish Foremothers*, New York, Fresh Meadows (coll. « Biblio Press »), deuxième édition, 1983. (Notre traduction.)

L'une des communautés juives les plus traditionnelles du monde[2], la communauté juive montréalaise, est établie dans une ville multi-culturelle et dynamique, dans une province et un pays qui sont relativement progressistes. La tension entre ces tendances opposées a donné lieu à des expressions apparemment contradictoires : une congrégation (Shaar Hashomayim) se trouva tellement engagée dans la séparation des sexes qu'elle dut renoncer à son affiliation au mouvement conservateur[3]. De plus Montréal est la seule ville cana-dienne qui a mis sur pied une maison d'hébergement pour femmes juives et un mouvement *grass roots* qui aide les femmes incapables d'obtenir un divorce, ce qui s'est même traduit par l'introduction de changements à la loi canadienne sur le divorce. Ces exemples montrent bien que les femmes ont le désir de définir leur place. Là où ils diffèrent, c'est dans leur perception de cette place. Les choix de ce qui constitue cette place se sont multipliés et continuent à croître pratiquement chaque jour.

Quand Esther Brandeau, jeune femme juive, mit les pieds sur le territoire québécois en 1738, elle n'y parvint qu'en se déguisant doublement : en homme et en catholique. Lorsque les autorités la découvrirent, elles tentèrent de régler le problème de genre immé-diatement : la voyageuse fut envoyée dans un couvent. Le problème juif se révéla irrésoluble, car à cette époque, seuls les catholiques avaient droit de résider dans la colonie française. En raison de son refus catégorique de se convertir, Brandeau fut éventuellement renvoyée en France. Elle ne put même pas se rendre à Montréal.

---

2. Montréal semble avoir une propension plus grande que le reste de l'Amérique du Nord à adhérer aux pratiques plus anciennes et plus traditionnelles du judaïsme. Montréal est aussi plus traditionnelle que le reste du Canada, pays qui à son tour est plus tradi-tionnel que les États-Unis. Par exemple, tandis que les autres communautés ont eu tendance à produire des congrégations religieuses plus progressistes, Montréal possède toujours un pourcentage important de congrégations orthodoxes et ultra-orthodoxes. La ville est aussi la seule en Amérique du Nord à abriter un Conseil de la communauté juive (établi en 1922). Les Juifs montréalais sont plus susceptibles de se marier avec des conjoints juifs (le recensement de 1991 fait état de 93 % de mariages endogames pour Montréal contre 75 % pour Vancouver). Les données sont encore plus éloquentes aux États-Unis, où le taux d'intermariage est de 47 %, ce qui signifie que 53 % de la population juive est mariée a un conjoint juif.

3. « La dernière congrégation conservatrice qui séparait les hommes et les femmes lors des services a quitté ce mouvement [...]. Tandis que les congrégations conservatrices ont progressé vers un plein égalitarisme au cours de deux dernières décennies, Shaar Hashomayim continue de se présenter comme un symbole de résistance [...] sur les questions liées au genre. » Ami Eden, « Montreal Shul Bids Conservative Movement Adieu », *Forward*, New York, 29 juin 2001. (Notre traduction.)

Après la Conquête britannique de 1760, les Juifs obtinrent la permission légale de se rendre à Montréal. Pour la plupart, ce sont des hommes, des commerçants et des marchands; certains d'entre eux amenèrent femmes et enfants. Mais ces femmes ne jouaient pas un rôle important dans la sphère publique.

La première congrégation juive de Montréal, Shearith Israël, fut fondée en 1768. En 1918, un siècle et demi plus tard, les femmes décidèrent qu'elles avaient besoin de leurs propres organisations, de sorte qu'elles fondèrent le premier groupe de solidarité composée exclusivement de femmes (*sisterhood*). Peu de temps après, d'autres congrégations imitèrent ce geste. Aujourd'hui, de la cinquantaine de congrégations existant à Montréal, plusieurs ont des groupes de solidarité féminine; certaines ont aussi des groupes de solidarité masculine (*brotherhood*). L'une d'entre elles, la congrégation réformiste, a même établi un groupe de solidarité féminine *et* masculine afin de soutenir l'égalité des genres. Par définition, les groupes de solidarité féminine sont genrés. Ils tiennent une position intéressante dans les sphères publique et privée, en plus d'aménager un espace dans lequel les femmes sont actives et puissantes; c'était aussi un espace où elles pouvaient amorcer des changements dans la société au sens large. Ces groupes ont cependant été ignorés de manière générale dans les discussions qui n'étaient pas essentiellement axées sur les femmes. Ils sont habituellement mentionnés dans des sections séparées (souvent nommées « section des femmes ») des journaux, magazines et bulletins qui revêtent un intérêt exclusivement pour les femmes.

Les organisations bénévoles de femmes sont similaires aux groupes de solidarité féminine (*sisterhoods*), avec lesquels elles partagent, depuis leurs débuts, un centre d'intérêt commun : les femmes et l'ensemble des activités se rapportant à leur domaine. Au lieu d'être rattachées aux congrégations, comme c'est le cas des groupes de solidarité féminine, ces organisations ont souvent la forme d'associations distinctes. La première organisation de femmes juives bénévoles, la Ladies' Hebrew Benevolent Society, fut établie en 1877 à Montréal. En 1923, la Hebrew Ladies' Sewing Society de Montréal initia un « jour de couture » hebdomadaire, c'est-à-dire lorsque les femmes de ce groupe se réunissaient afin de préparer des « vêtements pour les gens dans le besoin »[4]. Les bénéficiaires n'étaient pas seulement

---

4. Arthur Daniel Hart, *The Jew in Canada : A Complete Record of Canadian Jewry from the Days of the French Régime to the Present Time*, Montréal, Jewish Publications,

des femmes, comme dans les maternités des hôpitaux, mais aussi des personnes qui se trouvaient dans les orphelinats et dans les résidences pour aînés. Mais le fait de se soucier des enfants et des démunis, même lorsqu'ils ne sont pas des membres de la famille immédiate, a longtemps été perçu comme une activité attribuée aux femmes. Sur le plan traditionnel, la majeure partie du temps et des efforts fournis par les femmes étant associée à de telles activités, celles-ci étaient davantage considérées comme une extension de leur personne plutôt que comme une innovation de leur part[5].

Tout en procurant un soulagement nécessaire aux individus « dans le besoin », les activités bénévoles constituaient un débouché créateur pour les personnes qui y prenaient part. Fannie Zabitsky Hershcovich et Nettie Mendelsohn se sont toutes deux engagées dans une campagne qui eut lieu durant les années 1930, et dont le but était de fournir du lait chaque jour aux enfants dont les parents ne pouvaient subvenir à leurs besoins. Pour leur campagne, elles utilisèrent comme boîte de dons une bouteille de lait réelle[6]. Les besoins n'ont pas cessé d'exister, malgré cette démarche : en 1949, le School Children's Milk Fund Board continuait d'amasser de l'argent dans ce but[7].

Certaines actions dans lesquelles les bénévoles étaient engagées semblent relativement triviales, surtout lorsqu'elles sont considérées dans un cadre social plus vaste. Mais cette trivialité est souvent trompeuse, comme dans le cas de Toba Kaplan. Déjà connue dans sa communauté parce qu'elle œuvrait à des fins de charité dans les années 1910, lorsque la Montreal Clinical Society commença à parler de construire un hôpital juif, Kaplan passa plusieurs années à faire du porte à porte afin de recueillir des fonds. Les montants recueillis à chaque foyer étaient très faibles : un sou, cinq sous, dix sous. C'étaient des dons qui semblaient sans importance. Mais elle poursuivit son entreprise, de sorte qu'avec le temps, elle accumula une somme importante. Sur un total de 1 270 139 $ amassé par des

---

.   1926, p. 269. (Notre traduction.)

5.   Ce phénomène n'est pas limité à la communauté juive, mais est aussi perceptible dans la société en général.

6.   Cette bouteille utilisée comme tirelire se trouve dans les archives du Congrès juif canadien. CJC Collection Artifacts, File 6 : Aber, Ita.

7.   « Montreal Meetings », *Canadian Jewish Review*, 4 mars 1949, [en ligne]. http://multiculturalcanada.ca/cdm_item/mcc_cjr/38878/100/11 [Site consulté en juin 2010].

dons[8], Toba Kaplan remit environ 10 000 dollars pour la construction de l'hôpital. Il fallut cependant attendre jusqu'en 1934 pour que l'Hôpital juif de Montréal soit inauguré. Les femmes aidèrent à la construction du bâtiment, mais elles ne s'occupèrent pas de la gestion de l'institution. En 1978, une première femme fut élue présidente de l'hôpital : Sheila Zittrer (présidente de 1978 à 1980). Toutefois, après son mandat de deux ans, Zittrer fut remplacée par un homme et aucune autre femme ne fut élue à ce poste jusqu'à maintenant[9].

Les autres institutions juives de Montréal ne sont pas beaucoup plus favorables à l'intégration des femmes dans des postes de direction. Le Congrès juif canadien est une organisation de lobby dont les quartiers centraux étaient établis à Montréal jusqu'en 1999, date où ils déménagèrent à Ottawa. L'organisation avait été fondée en 1919 en tant « qu'institution représentant les intérêts de tous les Juifs canadiens »[10]. Il n'est pas surprenant de constater que les hommes juifs dominèrent dans cette institution, au moins parmi ses dirigeants : sur les dix-neuf présidents, seules deux étaient des femmes : Dorothy Reitman (1986-1989) et Goldie Hershon (1995-1998).

La situation est plus accentuée encore à la Fédération CJA, « l'entité centrale de financement, de planification et de coordination des services offerts à la communauté juive de Montréal[11] ». Depuis ses débuts en 1917, cette organisation aux nombreuses ramifications a supervisé plusieurs agences centrées sur les besoins des femmes et des enfants. Pourtant, de son premier président, en 1917, au président actuel, la direction de la Fédération a été extraordinairement masculine : sur un total de 37 présidents, seulement trois étaient des femmes, ce qui représente un faible 8 %. Nous pouvons seulement espérer que les dirigeants masculins ont recueilli par le passé les opinions et les avis des nombreuses femmes qui ont été

---

8. Pour une histoire de cet organisme, voir les archives du Congrès juif canadien : « History of the Montreal Clinical Society », CJC documentation collection series ZC. Un montant de 300 000 $ fut remis par le gouvernement provincial en vue de la construction de l'hôpital.

9. Sheila Zittrer a été si active dans le domaine de la philanthropie qu'elle a été choisie femme de l'année en 1988 par le Conseil des femmes de Montréal, « une fédération non partisane et non confessionnelle qui réunit 60 organisations bénévoles » (notre traduction). À ce sujet, voir Montreal Council of Women, « About The Montreal Council Of Women », [en ligne]. http://www.mcw-cfm.ca/index.html [Site consulté en juin 2010].

10. Fédération CJA, « Qu'est-ce que la Fédération CJA ? », [en ligne]. http://www.federationcja.org/fr/qui-sommes-nous (Site consulté en juin 2010).

11. *Idem.*

actives dans les niveaux inférieurs de l'organisme. La situation tend à s'améliorer lorsque nous examinons les institutions de plus petite taille. Plusieurs agences et organisations qui fonctionnent à l'intérieur du cadre de la Fédération CJA ont été dirigées à différentes périodes par des femmes, quoique, en ce moment, seulement deux des onze agences entièrement subventionnées de la Fédération CJA aient pour président une femme[12]. À l'intérieur de la Fédération CJA elle-même, il y a aussi une section réservée aux femmes et dirigée par elles : la Campagne des femmes et la Fédération des femmes, qui existent depuis 1931, sont axées sur des activités de levée de fonds à l'endroit des femmes.

L'association entre les « gens dans le besoin » et les femmes est la conséquence directe du fait que les femmes sont surreprésentées, dans chaque groupe ethnique et religieux, parmi les individus qui ont besoin d'aide. À cela, le monde juif de Montréal ne fait pas exception. Parmi les statistiques issues du recensement de 2001 qui sont disponibles, on trouve les informations suivantes : 27 % des femmes aînées de la communauté juive montréalaise (65 ans et plus) vivent sous le seuil de la pauvreté, tandis que c'est le cas de seulement 13 % des hommes de la même catégorie. Dans les familles monoparentales, lorsque le parent qui a la garde des enfants est la mère, 32 % vivent dans la pauvreté, par rapport à 23 % lorsqu'un homme est dans la même situation. Chez les individus âgés de plus de 75 ans, 47 % des veuves sont pauvres, par rapport à 34 % de veufs[13]. Tout en étant celles qui aident les autres, les femmes sont, le plus souvent, celles qui sont destinées à recevoir du soutien.

Et ce n'est pas seulement d'une aide financière dont elles ont besoin. Les femmes sont beaucoup plus sujettes à être les victimes de la violence, qu'il s'agisse d'une violence manifestée dans la sphère publique ou dans la sphère privée de leur propre foyer. Auberge Shalom... pour femmes est un centre pour les femmes victimes de violence conjugale et leurs enfants. Lancé en 1989 par la section montréalaise du National Council of Jewish Women, le premier projet du centre était la création d'une maison d'hébergement, qui était et demeure unique en cela qu'elle est la seule au Canada à se

---

12. Ces deux agences sont le Centre juif Cummings pour aînés (Freda Rashkovan) et le Centre commémoratif de l'Holocauste de Montréal (Julia Reitman).
13. Charles Shahar et Susan Karpman, *The Jewish Community of Montreal, 2001 Census Analysis Series*, Montréal, Fédération CJA, 2004.

définir comme juive. Auberge Shalom... pour femmes veut en effet s'assurer que toutes les femmes juives se sentent à l'aise dans cet environnement, quel que soit leur niveau de pratique religieuse. Cela signifie que le centre respecte les règles diététiques de la *cacherout*, le *shabbat* et les exigences propres aux jours de fête. En fait, depuis les débuts, les résidentes juives ont toujours formé une minorité au sein de l'institution. Le foyer a ouvert ses portes en 1989 et depuis cette date, environ 1 700 femmes y ont été hébergées. Au cours de la première année, 25 % des résidentes étaient Juives ; en 2007, les Juives y représentaient un faible 7 %. Les femmes juives hésitent souvent à profiter du refuge et leur résistance se fonde souvent sur leurs sensibilités religieuses particulières. Selon Diane Sasson, la directrice de la maison d'hébergement depuis 1995 :

> En général, et surtout pour les femmes juives, l'hébergement est la dernière option. Dans la plupart des cas, au sein du monde *haredi* [ultra-orthodoxe], ce n'est même pas envisageable. Le Bureau d'assistance et de ressources a été créé afin d'offrir de meilleurs services à la communauté juive[14].

Ce bureau externe offre des programmes et des services variés pour les femmes qui, tout en cherchant à améliorer leur situation domestique, ne sont pas prêtes à quitter leur foyer. Pour de nombreuses femmes juives, il s'agit d'une option plus acceptable. D'ailleurs, le pourcentage de femmes juives, particulièrement *haredi*, qui utilisent ces services, est beaucoup plus élevé que le pourcentage de résidentes à la maison d'hébergement.

La violence domestique n'est pas la seule forme d'oppression que rencontrent les femmes juives. Comme les Juifs sont mariés selon les lois civiles et religieuses, ils doivent aussi divorcer dans les deux registres. Mais la loi juive concernant le divorce (*get*) est discriminatoire à l'endroit des femmes, car le divorce doit être initié par l'homme : le rôle de la femme se limite à l'accepter. Pour les femmes juives orthodoxes, il s'agit d'une situation difficile : sans un *get*, elles sont laissées dans un état de dépendance qui ne leur permet pas de se remarier selon le rituel juif (d'après lequel elles sont des *agunot*, des « femmes enchaînées[15] »). Une telle iniquité a engendré un

---

14. Diane Sasson, communication personnelle, 2008. (Notre traduction.)
15. Si ces femmes choisissent d'ignorer la loi juive et se remarient dans le domaine civil seulement, elles peuvent faire face à des problèmes importants, notamment le fait que

problème qui ne cesse de croître : soit les maris refusent totalement de consentir à des divorces juifs, soit ils tirent avantage de la situation d'une manière inacceptable en retardant les échéances. La militante montréalaise Norma Joseph fut l'une des principales personnalités impliquées dans un mouvement *grass roots* qui a cherché une solution à ce problème à l'extérieur de la communauté. Avec d'autres, elle a réussi à convaincre le gouvernement canadien de promulguer une loi permettant de prendre en considération le facteur religieux lorsqu'un divorce civil est demandé (Loi sur le divorce, ch. 18, 21.1, établie en 1990). À travers le monde, cette loi canadienne demeure la seule de toutes les lois fédérales et nationales qui procure une aide aux femmes juives qui vivent des situations de divorce pénibles[16].

L'activisme politique en faveur de la justice sociale a une longue et respectable histoire au sein des communautés juives, particulièrement au XXe siècle. Léa Roback (1903-2000) s'est appuyée sur cette tradition pour aborder la situation difficile des femmes ; en reconnaissance du travail qu'elle a effectué durant sa vie, elle est devenue en 1985 membre honoraire de l'Institut canadien de recherche sur les femmes. Les activités de Roback n'étaient pas centrées sur le monde juif. En réalité, elle est mieux connue dans les milieux non juifs, ce qui représente peut-être un reflet du panorama linguistique de Montréal puisque son travail fut principalement accompli dans des milieux francophones. Mais Roback n'abandonna jamais son identité juive ; elle a toujours affirmé que son patrimoine juif était à la base des principes et des objectifs qui l'ont inspirée. Dans le film de Sophie Bissonnette qui lui est consacré, *Des lumières dans la grande noirceur* (1991), Roback rappelait que son père, chaque fois qu'il était confronté à une forme d'injustice, prononçait les paroles suivantes dans sa langue maternelle, le yiddish : « mir darfn epes ton », ce qui signifie en français « nous devons faire quelque chose ». Cela l'a incitée à militer en faveur du changement social pendant plus de 75 ans :

---

leurs futurs enfants ne seraient pas autorisés (selon la tradition juive) à se marier à des Juifs ou des Juives. On trouve ici aussi une inégalité basée sur le sexe, en ce que le mari qui ne serait pas divorcé selon le rituel juif ne ferait pas face aux mêmes conséquences.

16. Cette loi ne résout pas le problème entièrement. Elle affirme que lorsqu'il y a une barrière religieuse à un nouveau mariage, le juge *peut* prendre ce facteur en considération lorsqu'il finalise le décret de divorce civil. Voir Norma Joseph, « Jewish Divorce and Canadian Law », *Ecumenism*, no 115, automne 1994, p. 18-22.

J'ai toujours été active sur le front féministe afin que la vie des femmes soit améliorée, que ce soit dans les syndicats de travailleurs œuvrant dans les usines, dans les mouvements qui réclamaient le droit de vote pour les femmes ou auprès des prostituées qui étaient enceintes. J'avais l'habitude de faire du porte à porte afin d'éveiller la conscience des femmes à propos de leurs propres droits. J'ai rencontré plusieurs déceptions, cela est certain, mais je n'ai jamais renoncé à militer en ce sens. Après tout, la vie n'est-elle pas un éternel commencement[17] ?

Quelques années plus tard, Sheila Finestone (1927-2009) entreprit un parcours similaire à celui de Roback. Après s'être engagée auprès de la communauté juive, Finestone milita dans les milieux non juifs pour le droit des femmes. Mais elle œuvra dans un cadre plus officiel : en faisant carrière dans le monde politique. Elle fut tour à tour présidente de la Fédération des femmes du Québec, puis membre du Parlement et enfin sénateur. Lors de la Conférence mondiale sur les femmes qui s'est tenue à Beijing, Finestone, alors secrétaire d'État (Condition féminine), réaffirma son engagement envers les droits des femmes dans les termes suivants :

Nous devons respecter les droits des femmes comme droits humains. Il s'agit du fondement même de ce programme politique. Nous devons réaffirmer le principe selon lequel les droits fondamentaux des femmes et des filles constituent un élément universel, inaliénable, intégral et indivis des droits de la personne, tel qu'adopté à la Conférence mondiale de 1993 sur les droits de la personne. Les droits de la personne ne sont pas une boutique où on choisit au gré de son humeur[18].

Pour Finestone comme pour Roback, les droits des femmes sont un enjeu fondamental. Cela est aussi le cas de plusieurs autres femmes juives de Montréal. Par exemple, pour Lillian Robinson (1941-2006), directrice de l'Institut Simone de Beauvoir de 2000

---

17. « So Far and yet... so Near. Memories of a Century », *Centre d'histoire de Montréal*, [en ligne]. http://www2.ville.Montreal.qc.ca/chm/expo_temp/leaa.htm [Site consulté en juin 2010]. (Notre traduction.)

18. « Allocution de l'honorable Sheila Finestone, secrétaire d'État canadienne (situation de la femme et multiculturalisme) », quatrième conférence des Nations unies sur les femmes, Beijing, 6 septembre 1995, [en ligne]. http://www.un.org/esa/gopher-data/ conf/fwcw/conf/gov/950906232543.txt [Site consulté en juin 2010].

à 2006[19], cela impliquait le fait de critiquer ouvertement le sionisme et l'occupation israélienne des territoires palestiniens en tant que critique juive. Greta Hofmann Nemiroff, présidente et directrice générale du Sisterhood Is Global Institute[20] de 1999 à 2004, associe ses premières expériences dans ce domaine au fait qu'elle aidait sa mère dans le vestiaire mis sur pied par le JIAS (Jewish Immigrant Aid Services) pour les réfugiés juifs. Pour elle, ce fut une « première prise de conscience face à l'injustice[21] ». En 2007, Abby Lippman s'est retirée du Conseil du statut de la femme du Québec en raison de son malaise face aux recommandations de l'organisme adressées à la commission Bouchard-Taylor[22] sur les accommodements raisonnables ; une politique qui visait à exclure les femmes du secteur public si elles portaient des « symboles religieux ostentatoires ». Ce parti pris ne s'accordait pas avec le point de vue de Lippman sur la justice sociale et politique, ou sur l'équité des femmes et des hommes, une prise de position héritée de son identité juive[23]. Pour l'ensemble de ces femmes, qu'elles s'identifient publiquement à la communauté juive ou non, que leur activisme soit centré sur la communauté juive ou non, leur héritage juif a ouvert la voie à leur dévouement et à leur engagement sur le terrain de la justice sociale.

Comme nous pouvons le constater, les femmes juives de Montréal ont fait un certain progrès dans la sphère politique. Mais qu'en est-il du monde religieux ? Le judaïsme est, sur le plan historique du moins, une religion. Il est vrai que de nos jours, le judaïsme désigne également une communauté ethnique ou culturelle, et que plusieurs Juifs engagés sont séculiers. Mais la dimension religieuse est encore l'un des aspects les plus importants de la communauté. Ainsi que nous l'avons mentionné, la communauté juive de Montréal est

---

19. L'Institut Simone de Beauvoir est un collège autonome au sein de l'Université Concordia « dédié à l'étude des féminismes et des questions de justice sociale ». Pour en savoir plus, voir Simone de Beauvoir Institute, « About Us », [en ligne]. http://artsandscience. concordia.ca/wsdb/aboutus [Site consulté en juin 2010].

20. Le Sisterhood is Global Institute est une organisation internationale à but non lucratif fondée en 1984. Son objectif est d'appuyer et de promouvoir les droits des femmes sur une échelle globale par l'éducation, la formation et la technologie.

21. Greta Hofmann Nemiroff, communication par courriel, 16 mars 2009. (Notre traduction.)

22. Abby Lippman, communication par courriel, mars 2009.

23. La Commission de consultation sur les pratiques d'accommodement reliées aux différences culturelles, présidée par Gérard Bouchard et Charles Taylor, a remis son rapport en 2008. Voir http://www.accommodements.qc.ca/documentation/rapports/ rapport-final-integral-fr.pdf.

particulièrement traditionnelle ou « conservatrice » : sur la cinquan- taine de congrégations que l'on trouve dans la ville, la majeure partie sont orthodoxes, une seule est réformée, une est reconstructionniste et trois sont conservatrices. Ces congrégations orthodoxes sont d'allé- geances diverses, d'orthodoxe moderne à *haredi* (ultra-orthodoxe)[24]. Cette situation présente un obstacle majeur pour les femmes qui veulent jouer un rôle dans la sphère publique. Bien que les femmes puissent devenir rabbins ou chantres dans les courants plus libéraux (c'est-à-dire réformé, reconstructionniste et conservateur), il n'y a, à ce jour, aucune femme rabbin ou chantre dans le monde orthodoxe. À Montréal, où les congrégations libérales sont peu nombreuses, il n'est donc pas surprenant de trouver très peu de femmes dans ces rôles. En réalité, il y a une seule femme dans les fonctions citées plus haut : une chantre, Rachelle Mingail Shubert[25], au Temple Emanu-El Beth Sholom, la seule congrégation réformée de la ville. Jusqu'à tout récemment, le temple Emanu-El avait aussi une assistante rabbin, Elena Bykova. Lorsque j'ai demandé à la rabbin Bykova quel effet cela faisait d'être la seule femme rabbin en ville, elle m'a répondu : « Je me sens très, très seule[26] ! » Le Temple Emanu-El est la seule congréga- tion montréalaise où les femmes ont occupé le rôle de dirigeantes de rituel : de 1995 à 1996, Barbara Borts était assistante rabbin et au cours des années plusieurs femmes ont occupé la position de chantre ou de soliste chantre (Sharon Azrieli, Phyllis Cole, Tracy Shuster et Hélène Engel). À ce jour cependant, même dans une organisation relativement progressiste pour Montréal comme le temple Emanu-El, aucune femme n'a occupé la position de rabbin principal. Cette absence se reflète aussi dans le comité exécutif de la congrégation, où depuis les débuts seulement 4 présidents sur 35 ont été des femmes (11 %)[27].

---

24. Il n'existe qu'un seul groupe dit de « Renouveau » à Montréal, appelé Har Kodesh. Il n'est pas inclus dans notre discussion car il est de trop petite taille et organisé de manière trop informelle pour être décrit comme une congrégation religieuse.

25. Le titre exact de Shubert au temple Emanu-El est *director of music and cantorial soloist*. La différence entre les deux titres a trait au fait qu'une personne peut détenir une accréditation d'une école reconnue (*director of music*) ou avoir appris par elle-même (*cantorial soloist*). Dans les faits, les responsabilités de la personne sont exactement les mêmes.

26. Elena Bykova, communication courriel, 13 avril 2008. (Notre traduction.) Même si elle n'est plus associée au Temple Emanu-El, la rabbin Bykova habite encore à Montréal et est disponible pour diriger les rituels religieux en tant que rabbin « indépendante ».

27. Har Kodesh, le groupe du Judaïsme du Renouveau, est différent des autres regroupe- ments montréalais en ce que les rituels sont dirigés par les simples membres. Au cours

Dans le cadre des rituels religieux, la place des femmes est limitée non seulement pour les dirigeants, mais aussi pour les simples participants. En raison du paradigme privé/public, les femmes ont souvent été exemptes, voire exclues au cours de l'histoire de plusieurs rituels religieux qui avaient lieu à la synagogue, du fait que cela faisait partie de la sphère publique. De manière générale, elles ne participaient pas visiblement aux rituels hebdomadaires ou liés aux fêtes religieuses ; elles ne lisaient pas les rouleaux de la *Torah* et s'asseyaient dans des espaces plus marginaux, de sorte qu'elles avaient un accès limité à l'espace principal où se déroulait le rituel.

Afin de renverser cette participation limitée, les féministes juives des années 1970 ont renouvelé une ancienne tradition au sein de laquelle le début du mois (Rosh Hodesh) était associé à une fête religieuse pour les femmes. Elles commencèrent à organiser des rassemblements mensuels de femmes ou, à tout le moins, centrés sur les femmes, visant à célébrer la nouvelle lune. Cette idée était issue du monde orthodoxe, où les célébrations incluaient souvent des femmes qui priaient en lisant les rouleaux de la *Torah*. Ces activités ne contrevenaient pas à la loi juive, car il n'y avait aucun quorum masculin dans ce contexte. À Montréal, le groupe appelé Women's Tefillah Group (groupe de prière des femmes), fondé en 1982, poursuit toujours ses activités. Ce groupe a bénéficié de la présence d'un rabbin sympathique à leur cause, qui les appuyait ouvertement plutôt que de leur nuire. Ailleurs, les groupes de ce genre furent confrontés à l'hostilité de rabbins masculins qui s'opposèrent à ces activités. L'idée de former des groupes associés à la célébration de Rosh Hodesh se répandit rapidement parmi les femmes de toutes tendances religieuses, de sorte qu'en 1996, il existait plus de 100 groupes Rosh Hodesh dans le monde entier[28]. À l'heure actuelle, on trouve au moins quatre groupes Rosh Hodesh de courants différents à Montréal.

Montréal est aussi le lieu où se déroule un autre rituel féminin de nature publique, qui traverse les frontières religieuses et attire même les Juifs séculiers. Créés, durant les années 1970, par les féministes

---

de ses quelque 20 années d'existence, la plupart des participants et des dirigeants de Har Kodesh ont été des femmes. À l'occasion, le groupe invite des rabbins pour diriger le rituel, souvent des femmes, entre autres Elizabeth Bolton, une ancienne résidente de Montréal.

28. C'est le chiffre qui est cité dans le livre de Susan Berrin intitulé *Celebrating the New Moon: A Rosh Chodesh Anthology*, Northvale (New Jersey), Jason Aronson, 1996.

juives qui désiraient participer davantage aux rituels religieux publics, les *seders* de femmes étaient à l'origine inspirées par le *seder* de Pesakh (repas rituel qui marque le début de la fête juive de Pâque), dont elles proposèrent des réinterprétations axées consciemment et intentionnellement sur les femmes dans le monde contemporain et les problématiques auxquelles elles font face. Toujours actuels, les *seders* continuent de se dérouler dans plusieurs lieux, grands et petits, privés et publics. Montréal a accueilli plusieurs *seders* de femmes privés et sur invitation seulement, ainsi que de nombreux événements ouverts au public. L'un d'entre eux, toujours d'actualité, est accueilli par Na'amat Canada, une organisation de femmes bénévoles dont le mandat ne consiste généralement pas à organiser des activités religieuses. En fait, les organisatrices du premier *seder*, en 1997, ont été étonnées par le grand nombre de personnes qui se sont présentées (50) ; au cours des années suivantes, des listes d'attentes ont été mises sur pied pour cet événement pouvant accueillir 200 personnes.

Récemment, Montréal a aussi franchi une barrière hétérosexiste. En 2003, le Temple Emanu-El Beth Sholom a accueilli la première union civile juive de lesbiennes. Deux ans plus tard, en 2005, le gouvernement canadien a promulgué une loi afin de rendre légal le mariage homosexuel et Dorshei Emet, la synagogue reconstructionniste, a célébré son premier mariage lesbien. L'une des deux femmes du couple, Laura Yaros, anime l'émission de radio féministe Matrix à Radio Centre-Ville depuis 1981. En 2009, elle a reçu le prix « Contribution à la visibilité des lesbiennes » décerné par Gai Écoute, une organisation qui appuie les gais et les lesbiennes du Québec, pour souligner ses 36 ans d'activisme. Yaros et sa partenaire, Elizabeth Blackmore, se sont mariées en décembre 2005.

La vocation de dirigeant religieux n'est pas nécessairement un emploi à temps plein. En plus d'être chantre au Temple Emanu-El, Rachelle Shubert est directrice musicale dans la congrégation. En tant que musicienne, le fait qu'elle soit une femme n'est pas aussi inhabituel que dans le cas de son rôle de chantre. Le plus souvent, la musique a été un lieu acceptable pour les femmes qui jouent un rôle public – quoique, dans cette discipline également, elles soient rarement des dirigeantes. Une exception est le cas d'une autre femme juive montréalaise, Ethel Stark, fondatrice en 1950 de l'Orchestre symphonique des femmes de Montréal, le premier orchestre canadien composé exclusivement de femmes. Pour le rôle qu'elle joua dans cet orchestre (non juif) et pour ses autres engagements, Stark fut honorée en 1976 par la communauté juive, qui lui remit le prix Concert Society of the Jewish People's Schools and Peretz Schools. Elle fut également reconnue par la communauté canadienne lorsqu'elle devint membre de l'Ordre du Canada (1979) et de l'Ordre du Québec (2003).

De nos jours, plusieurs femmes juives sont actives publiquement dans le monde de la musique. Certaines jouent de la musique spécifiquement juive; d'autres associent leur musique à des questions de genre; d'autres encore y participent sans rapport particulier avec leur identité religieuse, ethnique ou même genrée. Le groupe klezmer de Montréal The Yiddenes (terme yiddish familier pour « les Juives »), à la fois féminin et centré sur la judéité, a comme chanteuse principale Fiona Stuart. Expliquant les raisons personnelles qui l'avaient amenée à s'intéresser à ces deux aspects, elle affirmait: « Lorsque je chante en yiddish, ça vient du cœur. Cela exprime davantage ce que je ressens que le fait de chanter en anglais. Je me sens liée à ma culture, à mon héritage, à moi-même et à ma famille[29] ». Le genre de musique que jouent The Yiddenes, le klezmer, est issu de la culture est-européenne de tradition ashkénaze, à laquelle appartenaient, jusqu'à une date récente, la majorité des immigrants juifs de Montréal. Dès les années 1950, plusieurs juifs sépharades originaires des pays nord-africains intégrèrent la communauté juive de Montréal[30]. Les Juifs sépharades parlaient une autre langue, le judéo-espagnol, et jouaient une musique complètement différente. Judith R. Cohen, une ethnomusicologue originaire de Montréal, qui vit maintenant à Toronto, a réalisé de nombreux travaux de recherche qui ont contribué au rayonnement de la musique sépharade. En plus d'avoir publié sa recherche sous forme de textes écrits (c'est-à-dire des travaux savants), Cohen a enregistré de la musique juive marocaine en tant que membre du quatuor de musique Gerineldo. La musique qu'elle a contribué à faire connaître inclut dorénavant, sans toutefois se limiter à ce domaine, des chansons traditionnellement chantées par les femmes.

---

29. Hana Askren, « Shepping Nakhes, Montreal Style », *Montreal Magazine*, [en ligne]. http://Montrealmagazine.ca/MM/content/view/150/27 [Site consulté en juin 2010]. (Notre traduction.)
30. En plus des Juifs ashkénazes et sépharades, il existait aussi des groupes plus petits de Juifs originaires de divers pays du Moyen-Orient, qui utilisaient des langues dites judéo-arabes.

On trouve aussi beaucoup de femmes juives de Montréal actives publiquement dans d'autres sphères culturelles. Comme je l'ai mentionné au début de cet article, plusieurs sont engagées à l'extérieur des domaines centrés sur les questions genrées, et nombreuses sont celles qui ne sont pas centrées sur leur héritage juif. Parmi celles dont le travail est à la fois genré et juif se trouvent des auteures, des artistes de la performance, des conteurs et des artistes visuels.

Shulamis Yelin et Malka Zipora se distinguent parmi les écrivains juifs de Montréal, pour plusieurs raisons, l'une d'entre elles étant qu'elles sont des auteurs féminins. Bien que Yelin et Zipora ne soient pas les seules femmes écrivains dans la communauté juive, les femmes sont certainement minoritaires dans ce milieu. Ces deux auteures ont choisi d'écrire des récits personnels portant sur la communauté juive. Les communautés qu'elles dépeignent sont très différentes. Yelin (1913-2002) a grandi, pendant la première moitié du XXe siècle, dans un environnement juif séculier, mais très marqué par une forte activité culturelle. Quoiqu'elle ait surtout rencontré des Juifs durant sa jeunesse, il s'agissait d'un groupe ouvert sur l'extérieur, comme le montrent les exemples d'interaction avec les non-Juifs qu'elle décrit. Zipora, quant à elle, est membre de la communauté hassidique, plus repliée sur elle-même ; elle appartient à un monde où les rituels religieux occupent une place prioritaire. Zipora est unique car elle présente au monde extérieur un portrait de la communauté à laquelle elle appartient, en plus de le faire avec une certaine ambivalence. Malka Zipora est un pseudonyme qui sert à « protéger sa vraie identité[31] ». Yelin et Zipora partagent un langage commun, le yiddish. Pour toutes les deux, il s'agit d'une *mama-loshen* [langue maternelle]. Toutefois, elles ont choisi d'écrire en anglais ; le livre de Zipora a été traduit vers le français et il est maintenant disponible dans cette langue aussi. Pour ces deux écrivaines, le fait d'avoir opté pour l'anglais a élargi considérablement leur auditoire, ce qui ne serait pas arrivé si elles s'étaient contentées de produire une œuvre en yiddish. Pour Yelin, ce fut une décision difficile avec laquelle elle mit plusieurs décennies à se réconcilier[32]. À la fin toutefois, l'anglais lui a donné accès à la communauté plus vaste à laquelle elle se sentait appartenir.

---

31. Lisa Fitterman, « A Glimpse into a Hidden World », *The Gazette*, 6 mai 2006, p. A3. (Notre traduction.)
32. Voir la préface de Shulamis Yelin à *Seeded in Sinai*, New York, Reconstructionist Press, 1975.

Dora Wasserman (1919-2003) a aussi choisi de participer à l'essor du yiddish, mais son action va dans le sens inverse – elle le rendit accessible à tous les Montréalais, sans égards à l'endroit de la *mama-loshen*, du groupe culturel, de la communauté ethnique et de la religion. En 1956, Wasserman fonda le Théâtre yiddish de Montréal, dont elle fut la directrice artistique jusqu'à 1995; à partir de cette date, sa fille, Bryna Wasserman, lui succéda et détient toujours cette responsabilité. Seule troupe de langue yiddish permanente et institutionnalisée en Amérique du Nord, le Théâtre yiddish de Montréal fut accessible à ceux qui n'étaient pas yiddishophones grâce à l'introduction de sous-titres anglais et français qui accompagnaient les pièces. Cette compagnie présenta même une pièce québécoise traduite en yiddish (*Les belles-sœurs* de Michel Tremblay). À une époque où la plupart des théâtres étaient fondés et dirigés par des hommes, Wasserman était un personnage à la fois connu et respecté dans le milieu des arts de la scène de Montréal.

La langue est une problématique centrale à Montréal, où les choix linguistiques aident à déterminer le type d'auditoire. Mais pour la plupart des Montréalais, le choix n'est pas entre l'anglais et le yiddish, mais plutôt entre l'anglais et le français. Les activités culturelles sont présentées habituellement dans l'une ou l'autre de ces langues et les publics sont, eux aussi, plutôt distincts. Ainsi, la décision d'utiliser l'une ou l'autre de ces langues, ou les deux à la fois, a des conséquences sur la diffusion des œuvres et sur les enjeux qu'elles soulèvent auprès du public. L'artiste montréalaise de la performance Devora Neumark, dont le travail est souvent axé sur des problématiques de genre, a choisi de chevaucher la barrière linguistique opposant l'anglais au français en travaillant dans les deux langues. Cette décision délibérée avait plusieurs objectifs, dont l'un, qui rejoint le travail de Yelin, consistait à toucher un vaste public; de manière plus importante pour Neumark, il s'agit d'une dimension intégrale de sa pratique artistique. Comme elle l'explique, le but visé est une interaction réciproque, dans laquelle son accès à un public plus vaste et multilingue l'aide à «faire l'expérience du pouvoir de la langue à définir les perceptions et à informer davantage sur la manière dont nous comprenons le monde et y accédons[33]». En définitive, la langue est un élément clé pour les artistes de la scène: outre les gestes corporels, c'est le principal médium avec lequel ils communiquent.

---

33. Devora Neumark, communication par courriel, février 2009.

La langue est aussi essentielle aux conteurs. Oro Anahory-Librowicz est une Juive montréalaise multilingue qui raconte des histoires sur les femmes et les hommes en anglais et en français, mais aussi en espagnol et en judéo-espagnol. Anahory-Librowicz a raconté ses histoires partout dans le monde, ce qui lui a valu de nombreux prix. En plus de réciter, elle chante certaines chansons de son Maroc natal, notamment en tant que membre avec Judith R. Cohen du quatuor Gerineldo mentionné ci-haut.

La langue n'est pas un enjeu évident lorsqu'il est question des arts visuels. Dans ce champ se trouvent des femmes juives dorénavant connues dans la communauté juive et à l'extérieur de celle-ci. Toutefois, la question de genre demeure beaucoup plus floue dans cette catégorie. Sur quel critère devons-nous nous appuyer pour en juger ? Certains sont évidents – par exemple, lorsque l'artiste considère lui-même son œuvre comme genrée. Mais qu'en est-il des autres ? Pour cette raison, j'inclus ici des références à un certain nombre d'artistes juives montréalaises très en vue, bien que celles-ci n'appartiennent pas toutes, techniquement, à la catégorie que j'ai déjà définie. En 2000, huit des dix œuvres artistiques sélectionnées pour orner le nouvel édifice du campus de la Communauté juive de Montréal avaient été réalisées par des femmes ; cinq d'entre elles peuvent être considérées comme des Montréalaises soit parce qu'elles ont grandi à Montréal, soit parce qu'elles ont décidé de s'y établir. Les cinq femmes en question (Alona Aslan, Sorel Cohen, Devora Neumark, Sylvia Safdie et Marion Wagshal) sont à la fois des débutantes et des professionnelles reconnues. Il n'est pas nouveau que des femmes juives de Montréal s'attirent une reconnaissance publique par la création d'œuvres artistiques. Comme l'a montré Esther Trépanier dans son étude des peintres juifs de Montréal de 1935 à 1948, quatre des quinze peintres importants ayant marqué cette période étaient des femmes. Il s'agit de Fanny Wiselberg (1906-1986), Ghitta Caiserman-Roth (1923-2005), Sylvia Ary et Rita Briansky. Une cinquième femme, Regina Seiden, est mentionnée dans la section portant sur son mari, Éric Goldberg, parce qu'elle n'était pas elle-même une artiste active durant la période en question[34].

Les femmes juives continuent de diffuser leurs travaux et d'écrire à propos des artistes juifs. L'historienne d'art Loren Lerner fut

---

34. Esther Trépanier, *Peintres juifs de Montréal : témoins de leur époque, 1930-1948*, Montréal, Éditions de l'Homme, 2ᵉ édition, 2008.

commissaire de l'exposition Afterimage: Evocations of the Holocaust in Contemporary Canadian Arts and Literature (Montréal, 2000) et responsable du colloque s'y rapportant. L'exposition et le livre qui en est tiré brossent le portrait de plusieurs artistes montréalaises, des femmes qui sont pour la plupart juives[35]. Sa décision d'inclure exclusivement des femmes n'était pas basée sur le genre: « Je n'ai pas mis de côté les hommes de manière intentionnelle. En réalité, il me semblait que le travail de ces femmes était plus subtil, plus complexe, et que l'approche des artistes recelait une intentionnalité beaucoup plus personnelle[36]. » Il y a un chevauchement entre les femmes qui figurent dans cette exposition et celles dont le travail est diffusé de manière permanente sur le campus de la Communauté juive de Montréal: Sorel Cohen, Sylvia Safdie et Marion Wagshal, auxquelles se sont jointes Katja MacLeod-Kessin (1959-2006), Mindy Yan Miller, Marie-Jeanne Musiol, Wendy Oberlander et Yvonne Singer[37].

Dans le cadre de notre étude, la recherche universitaire est pertinente pour trois raisons. La première est que ce sont les chercheurs qui développent nos connaissances relatives aux activités des femmes, particulièrement en ce qui concerne le passé. À Montréal comme ailleurs, plusieurs chercheurs ont contribué au développement des connaissances sur ce sujet depuis les dernières années, en rectifiant l'absence des femmes mentionnée au début de cet article. Nous pouvons maintenant constater les fruits de leur travail. Pour en mentionner quelques-uns, signalons les travaux de Yolande Cohen sur le rôle des femmes au sein de la communauté juive marocaine[38]; les recherches de Krisha Starker sur les femmes et l'Holocauste[39]; la biographie de la poète Ida Maza écrite par Bella

---

35. Loren Lerner (dir.), *Afterimage: Evocations of the Holocaust in Contemporary Canadian Arts and Literature*, Montréal, Concordia University Institute for Canadian Jewish Studies, 2002.
36. Loren Lerner, communication par courriel, 2 mars 2009. (Notre traduction.)
37. Certaines de ces artistes sont Juives.
38. Une des études de Cohen, réalisée en collaboration avec Joseph Levy, « Moroccan Jews and Their Adaptation to Montreal Life », a paru dans l'ouvrage dirigé par Ira Robinson et Mervin Butovsky intitulé *Renewing Our Days: Montreal Jews in the Twentieth Century*, Montréal, Véhicule Press, 1995.
39. Cette recherche, qui n'est toujours pas publiée, a été présentée en septembre 1997 à la Bibliothèque publique juive de Montréal, dans une série de séminaires intitulés « Women and the Holocaust: Between the Texture of Memory and the Texts of History ».

Briansky Kalter[40] ; l'apport de Simcha Fishbane sur une *bat mitzvah* (un rituel consacrant la majorité religieuse des filles) montréalaise[41] ; l'étude de Goldie Morgentaler sur l'écrivaine Chava Rosenfarb[42] et l'article de Rebecca E. Margolis portant sur les lesbiennes juives de Montréal[43].

Les chercheurs sont aussi importants car ils forment la prochaine génération. Norma Joseph dirige le programme spécialisé sur les femmes et la religion au Département d'études religieuses de l'Université Concordia, un programme qui offre des cours aux étudiants du baccalauréat, de la maîtrise et du doctorat. Ces cours portent sur une variété de sujets, allant des femmes dans l'histoire juive jusqu'aux femmes dans la Bible et les femmes et la loi juive. Des thèses de doctorat dirigées par Joseph ont examiné divers aspects des femmes juives, dont certains portent sur Montréal[44].

Comme le domaine de l'éducation était une des rares manières respectables pour les femmes de gagner leur croûte dans la sphère publique, il n'est donc pas étonnant que plusieurs femmes ont pris le devant de la scène dans ce domaine. En effet, une majorité d'écoles juives de Montréal (élémentaires et secondaires, anglophones et francophones, *haredi* et non *haredi*) comptent des femmes directrices[45]. Mais une intellectuelle juive montréalaise qui représente un cas unique est Arna Poupko[46]. En 1993, Poupko fut nommée chercheuse en résidence à la Fédération CJA : elle était la première personne, femme ou homme, à occuper cette position. Dans ce contexte,

---

40. Bella Briansky Kalter, « Ida Maza : A Memoir », *Canadian Jewish Studies*, vol. 6, 1998, p. 55-63. (On rencontre plus souvent ce nom orthographié sous la forme de Maze.)

41. Simcha Fishbane, « A Female Rite of Passage in a Montreal Modern Orthodox Synagogue : The Bat Mitzvah Ceremony », dans Ira Robinson et Mervin Butovsky (dir.), *Renewing Our Days : Montreal Jews in the Twentieth Century, op. cit.*

42. Goldie Morgentaler, « Chava Rosenfarb : The Yiddish Woman Writer in the Post-Holocaust World », *Canadian Jewish Studies*, vol. 11, 2003, p. 37-51.

43. Rebecca E. Margolis, « A New Generation of Lesbian Jewish Activism », *Journal of Lesbian Studies*, vol. 9, n°s 1-2, 2005, p. 161-168.

44. Notons entre autres les études de Marlene Bonneau sur les mariages juifs à Montréal utilisant deux bagues lors des cérémonies ; l'analyse de Susan Landau Chark sur les *rebbetsins* (femmes de rabbins) au Canada ; celle de Donna Goodman sur les groupes de solidarité féminine (*sisterhoods*) et les livres de recettes ; celles de Suzan Searle sur les pratiques liées au *mikveh* (bain rituel) à Montréal et mes propres recherches sur le *seder* des femmes comme nouveau rituel féminin.

45. En février 2009, 15 des 25 écoles affiliées au Centre Bronfman de l'éducation juive ont des directrices féminines.

46. Malheureusement, Poupko ne vit plus à Montréal.

Poupko a joué un rôle de conseillère auprès de la Fédération CJA et de ses agences affiliées. Ce fut dans ce rôle, par exemple, qu'elle présenta les commentaires d'ouverture au symposium international sur les arts visuels et l'identité juive en 1994[47].

La position de chercheuse en résidence est éminemment appropriée pour une femme : sans remettre en question « la place traditionnelle de la femme » dans la société, cela apporte une reconnaissance et un statut à une femme active dans la sphère publique qui peut ensuite, si elle le désire, utiliser sa position pour travailler en faveur du changement. L'actuelle chercheuse en résidence de la Communauté sépharade unifiée du Québec (CSUQ) est Sonia Sarah Lipsyc. Féministe française qui a été active quant à des questions juives[48], Lipsyc s'est installée à Montréal, au moins de façon temporaire, dans ce but. Son mandat consiste à créer un centre d'études juives contemporaines multidisciplinaire et pluraliste (Aleph). En 2008, la CSUQ avait déjà engagé Lipsyc afin d'organiser un colloque de trois jours portant sur le rôle des femmes dans le judaïsme[49]. En cela qu'il était le premier événement féministe du genre tenu en français, ce colloque fut un événement important pour les femmes juives de Montréal. La dernière session du colloque a réuni des participants provenant des communautés non juives dans le cadre d'une session sur le statut de la femme dans diverses traditions religieuses. Cette session fut coparrainée par les Femmes juives francophones, un groupe visant le double objectif d'*empowerment* personnel des femmes et de rapprochement avec les autres, en particulier les autres communautés francophones.

Je ne pourrais terminer ce panorama sur les femmes juives de Montréal sans mentionner Janice Rosen, l'archiviste du Congrès juif canadien. Figure clé dans cette catégorie, Rosen est elle-même une femme juive montréalaise active dans la sphère publique, ce qui n'est pas surprenant car beaucoup de femmes s'illustrent dans les professions de bibliothécaire et d'archiviste. Mais toute étude

---

47. Intitulé Visual Art and Jewish Identity : A Contemporary Experience, ce symposium d'une durée de trois jours a été organisé par Devora Neumark ainsi que par Regine Basha, conservatrice à la galerie d'art du Centre Saidye-Bronfman. Il a réuni des artistes, des historiens de l'art et des conservateurs de partout dans le monde.

48. On peut accéder au blogue de Lipsyc à l'adresse suivante : http://soniasarahlipsyc.canalblog.com.

49. Le colloque, intitulé Fémina, a eu lieu à l'intérieur du Festival sépharade de Montréal 2008. À ce sujet, voir http://www.sefarad.ca/festivalsefarad2008/eventList.asp?catID=16.

sérieuse dépend de l'information disponible, dont une importante part n'est toujours pas disponible sous forme publiée. Ainsi, les archives sont l'une des seules places où il est possible d'obtenir cette information : les archives que dirige Rosen contiennent beaucoup de matériel encore non étudié ou qui n'a même pas encore été consulté. L'expertise de Rosen dans ce domaine et sa capacité à guider les chercheurs ne doit pas être sous-évaluée. Sans son aide, toutes nos recherches se trouveraient appauvries.

Ici se termine ce bref tour d'horizon. J'ai discuté de quelques cas en particulier, sous certains rapports seulement et à certains moments de l'histoire. De très nombreuses femmes qui n'entraient pas dans les limites établies pour cette étude ont été écartées. Sara Mlotek Rosenfeld (1920-2003) était la cofondatrice de KlezKanada, un festival de musique juif annuel dans les Laurentides ; elle était d'un caractère fort et dynamique. Bien qu'elle ait été une figure clé dans le contexte culturel juif de Montréal, elle n'était pas active dans un domaine spécifiquement genré. Espérons que sa contribution fera l'objet de commentaires dans des études ultérieures. La même remarque s'applique à Phyllis Lambert qui, bien qu'elle ait joué un rôle important dans la sphère culturelle montréalaise en tant que fondatrice du Centre canadien d'architecture (CCA), ne s'est pas illustrée dans un domaine spécifiquement genré ou relié à son identité juive. De même, la nourriture est un domaine essentiel dans toute discussion portant sur une communauté ethnique, et je n'ai pas inclus de chefs cuisiniers dans cet article. Pourtant, Ruth Wilensky, figure connue à Montréal, ayant même atteint l'âge de 87 ans, continue de préparer les « Wilensky specials ». Ruth Wilensky ne semble toutefois pas s'être intéressée dans ses préparations à des questions d'identité féminine, pas plus d'ailleurs que le public qui s'est attaché à elle[50]. Plusieurs chercheurs juifs de Montréal sont des femmes – certaines étudient le judaïsme, d'autre pas –, mais si elles ne sont pas centrées sur la problématique du genre, je ne les ai pas mentionnés dans cet article. La liste pourrait en effet s'allonger considérablement, au point que je pourrais noircir encore plusieurs pages pour nommer les femmes que j'ai choisi de ne pas retenir.

---

50. Bill Brownstein, « Yes, there's Something Truly Special about Wilensky's », *The Gazette*, 13 mai 2007, [en ligne]. http://www.canada.com/Montrealgazette/columnists/story. html ?id=258acefe-3252-4915-a852-ed3ec0d3b778&p=2 [Site consulté le 10 juin 2010].

En limitant ce panorama aux femmes actives dans le domaine public, peut-être ai-je contribué à perpétuer la vision étroite et traditionnelle qui a dévalué l'ensemble des actions entreprises par les femmes. En m'intéressant davantage au «leadership», j'ai peut-être donné par inadvertance l'impression que les femmes étaient absentes, hors de propos, voire insignifiantes. Cela n'était pas mon intention au départ et ne représente aucunement mon appréciation : il ne fait aucun doute que les femmes sont présentes, actives et d'égale importance dans cette communauté.

Que pouvons-nous dire à propos des «femmes juives montréalaises»? Comme j'espère l'avoir démontré, il s'agit d'un groupe caractérisé par sa diversité, composé de plusieurs individus à la fois forts et dynamiques, au sujet duquel il est difficile de faire des généralisations. Il s'agit aussi d'un ensemble multiculturel, multilingue, multiethnique, multi-idéologique et multireligieux qui est à la fois préoccupé de lui-même et centré sur le monde extérieur. C'est un groupe très progressiste à certains égards, qui produit tant des colloques féministes que des maisons d'hébergement pour femmes et, en même temps, un ensemble très traditionnel, qui soutient un grand nombre de synagogues qui nient l'accès des femmes aux rouleaux de la *Torah* et à l'honneur de lire le texte qu'ils contiennent. C'est un groupe aussi varié et imprévisible que le reste du genre humain et un jour, dans un avenir peu éloigné je l'espère, nous n'aurons plus besoin d'un chapitre séparé portant sur ses activités.

Bibliographie

Berdugo-Cohen, Marie, Yolande Cohen et Joseph Lévy, *Juifs marocains à Montréal: témoignages d'une immigration moderne*, Montréal, VLB Éditeur, 1987.

Berrin, Susan (dir.), *Celebrating the New Moon: A Rosh Chodesh Anthology*, Northvale, New Jersey, Jason Aronson, 1996.

Bonneau, Marlene, *Re-thinking Rites of Passage in Contemporary Double-Ring Ceremonies in Montreal Jewish Weddings*, thèse de doctorat, Université Concordia, 2002.

Cohen, Judith R., *Judeo-Spanish Song in the Sephardic Communities of Montreal and Toronto*, thèse de doctorat, Université de Montréal, 1989.

Fishbane, Simcha, « A Female Rite of Passage in a Montreal Modern Orthodox Synagogue: The Bat Mitzvah Ceremony », dans Ira

Robinson Mervin Butovsky (dir.), *Renewing Our Days: Montreal Jews in the Twentieth Century*, Montréal, Véhicule Press, 1995.

Goodman, Donna, *Montreal Synagogue Sisterhoods (1900-1949): A Female Community, Culture, and Religious World*, thèse de maîtrise, Université Concordia, 2004.

Hart, Arthur Daniel, *The Jew in Canada: A Complete Record of the Canadian Jewry from the Days of the French Régime to the Present Time*, Toronto et Montréal, Jewish Publications Ltd, 1926.

Jewish Women's Archive, «Jewish Women: A Comprehensive Historical Encyclopedia», consulté le 1er avril 2009. http://jwa.org/encyclopedia.

Joseph, Norma, «Jewish Women in Canada: An Evolving Role», dans Ruth Klein et Frank Dimant (dir.), *From Immigration to Integration: The Canadian Jewish Experience*, Toronto, Institute for International Affairs, B'nai Brith Canada, 2001.

_____, «The Feminist Challenge to Judaism: Critique and Transformation», dans Morny Joy et Eva K. Neumaier-Dargyay (dir.), *Gender, Genre and Religion: Feminist Reflections*, Waterloo (Ontario), Wilfrid Laurier University Press, 1995.

Kalter, Bella Briansky, «Ida Maza: A Memoir», *Canadian Jewish Studies*, no 6, 1998, p. 55-63.

Landau-Chark, Susan J., *Community, Identity, and Religious Leadership as Expressed Through the Role of the Rabbi's Wife*, thèse de doctorat, Université Concordia, 2008.

Lerner, Loren (dir.), *Afterimage: Evocations of the Holocaust in Contemporary Canadian Arts and Literature*, Montréal, Concordia University Institute for Canadian Jewish Studies, 2002.

Margolis, Rebecca E., «A New Generation of Lesbian Jewish Activism», *Journal of Lesbian Studies*, vol. 9, nos 1-2, 2005, p. 161-168.

Miller Nirenberg, Barbara, *Once Upon A Hodesh: Tales and More of the Montreal Women's Tefillah Group, 1982-2008*, Montréal, LithoExpress, 2008.

Morgentaler, Goldie, «Chava Rosenfarb: The Yiddish Woman Writer in the Post-Holocaust World», *Canadian Jewish Studies*, no 11, 2003, p. 37-51.

Searle, Suzan, *Living Water, Sacred Space: An Outsider's Look at Contemporary Mikveh Practice*, thèse de maîtrise, Université Concordia, 2008.

Shahar, Charles et Susan Karpman, *The Jewish Community of Montreal. 2001 Census Analysis Series*, Montréal, Fédération CJA, 2004.

Siegel, Rachel Josefowitz et Ellen Cole (dir.), *Celebrating the Lives of Jewish Women: Patterns in a Feminist Sampler*, New York, Harrington Park, 1997.

Trépanier, Esther, *Peintres juifs de Montréal: témoins de leur époque, 1930-1948*, Montréal, Éditions de l'Homme, 2008.

_____, *Jewish Painters of Montreal: Witnesses of their Time, 1930-1948*, Montréal, Éditions de l'Homme, 2008.

Yelin, Shulamis, *Seeded in Sinai*, New York, Reconstructionist Press, 1975.

Zipora, Malka, *Lekhaim! Chroniques de la vie hassidique à Montréal*, Montréal, les Éditions du passage, 2006.

_____, *Rather Laugh than Cry: Stories from a Hassidic Household*, Montréal, Véhicule Press, 2007.

Zylberberg, Sonia, *Transforming Rituals: Contemporary Jewish Women's Seders*, thèse de doctorat, Université Concordia, 2006.

Analyse démographique et socioculturelle de la communauté juive montréalaise

Charles Shahar, Morton Weinfeld et Adam Blander
Université McGill

L'OBJECTIF DU PRÉSENT CHAPITRE est de décrire et d'analyser les tendances sociodémographiques et socioculturelles de la communauté juive montréalaise. Pour y parvenir, nous nous appuierons sur deux sources de données principales : la première, le recensement canadien de l'année 2001, sera analysée dans la section 1 de ce document ; la seconde, le sondage sur la vie juive de Montréal de la Fédération CJA (Combined Jewish Appeal) datant de 1997 et réalisé par Charles Shahar et Randal F. Schnoor, sera examinée dans la section 2.

Les aspects sociodémographiques de la communauté juive montréalaise à la lumière du recensement canadien de 2001

Le recensement canadien de 2001 représente une excellente source d'informations sur la judéité montréalaise. Ceux que l'on définit ici comme « Juifs » sont les individus qui ont déclaré être de « religion juive » ou d'« origine ethnique juive et non de religion juive » sur les questionnaires du sondage. Le recensement canadien de 2006 n'ayant pas posé de questions portant sur la religion, il ne constitue pas une source fiable d'informations à ce sujet.

Tableau 1

Populations juive et non juive de la RMR de Montréal en 2001

	Nombre	%
Juive	92 970	2,8
Non juive	3 287 670	97,2
Total	3 380 640	100

Tableau 2

Populations juives de la RMR de Montréal. Résumé historique

	Populations juives	Changement depuis le recensement précédent en chiffres	Changement depuis le recensement précédent en %
2001	92 970	-8 435	-8,3
1991	101 405	-2 360	-2,3
1981	103 765	-8 255	-7,4
1971	112 020	+9 296	+8,3
1961	102 724	+21 895	+21,3
1951	80 829	+17 251	+27,1
1941	63 578	+5 806	+10
1931	57 772	+12 044	+26,3
1921	45 728	+17 188	+60,2
1911	28 540	+21 624	+312,7
1901	6 916	--	--

Comme l'indique le tableau 1, en 2001, la population juive de la région métropolitaine de recensement de Montréal (RMR) s'élevait à 92 970 individus, qui composaient 2,8 % de la population montréalaise. Le tableau 2 révèle que pour la première fois depuis le tournant du xxe siècle, période où elle connut un important développement, la population juive de Montréal commença à diminuer de taille pendant la décennie allant de 1971 à 1981. Depuis cette décennie, la communauté juive de Montréal a connu un déclin stable.

Tableau 3

Répartition par âge pour les Juifs et les non-juifs

RMR de Montréal

2001

	Total		Juifs		Non-juifs	
Ans	Nombre	%	Nombre	%	Nombre	%
0-14	619 430	18,3	18 195	19,6	601 235	18,3
15-24	443 075	13,1	11 795	12,7	431 285	13,1
25-44	1 070 475	31,7	20 050	21,6	1 050 425	32
45-64	836 695	24,7	22 835	24,6	813 855	24,8
65+	410 975	12,2	20 100	21,6	390 870	11,9
Total	3 380 650	100	92 975	100	3 287 670	100

Tableau 4

Répartition par âge au sein de la communauté juive selon le recensement

	2001		1991		1981		1971	
Ans	Nombre	%	Nombre	%	Nombre	%	Nombre	%
0-14	18 195	19,6	19 280	19	17 590	17	22 715	20,3
15-24	11 790	12,7	12 450	12,3	14 700	14,2	20 375	18,2
25-44	20 045	21,6	26 085	25,7	27 115	26,1	24 860	22,2
45-64	22 835	24,6	20 905	20,6	24 805	23,9	30 625	27,3
65+	20 100	21,6	22 695	22,4	19 565	18,9	13 430	12
Total	92 965	100	101 415	100	103 775	100	112 005	100

Le tableau 3 examine la répartition par âge chez les Juifs comparativement à la répartition par âge chez les non-Juifs. En premier lieu, on remarque que dans la population juive, la proportion d'enfants âgés de 0 à 14 ans est légèrement plus élevée que celle de l'ensemble de la population. Cette situation est probablement attribuable au taux de naissances très élevé dans la communauté juive ultra-orthodoxe. Seulement un Juif sur cinq (21,6 %) appartient à la catégorie des gens âgés de 25 à 44 ans, soit ceux qui sont productifs sur le plan économique, comparativement à 31,7 % de l'ensemble de la population montréalaise. Cela représente une divergence importante. En deuxième lieu, signalons que le groupe d'âge qui présente la plus grande divergence entre la communauté juive et l'ensemble de la population est celui des aînés : tandis que ceux-ci forment 21,6 % de la population juive, ils représentent 12,2 % de la population totale.

Un portrait historique de la répartition par âge dans la communauté juive montréalaise est esquissé dans le tableau 4. Il est intéressant de remarquer que le groupe de gens qui ont entre 15 et 24 ans connaît un déclin stable depuis 1971. Ce groupe représente le futur de la communauté juive. Les individus âgés de 25 à 44 ans ont aussi connu un déclin stable depuis 1971, situation qui pourrait avoir des conséquences sur la force économique de la communauté dans le futur.

Tableau 5

Âge médian des populations juives et non juives pour la RMR de Montréal

Recensement	Population totale	Population juive	Population non juive
2001	37,6	41,8	37,5
1991	34,2	40,4	34,1
1981	30,5	37,7	30,4
1971	27,3	34,9	27,2

Le tableau 5 examine l'âge médian des populations juives et non juives de la RMR de Montréal au cours des derniers recensements. L'âge médian de la population juive, comme dans l'ensemble de la population, a augmenté de manière stable depuis 1971. Au cours de l'année 2001, l'âge médian des Juifs était supérieur d'environ 4,2 années à celui de la population totale, et ce, bien que l'écart entre Juifs et non juifs ait diminué depuis 1981.

Tableau 6

Distribution géographique de la population juive selon le pourcentage de la population juive dans la RMR de Montréal

	Population juive	% de la population juive
Centre-ville	2 415	2,6
Chomedey	3 760	4
Côte-des-Neiges	7 680	8,3
Côte-Saint-Luc	19 785	21,3
Hampstead	5 195	5,6
NDG/Mtl Ouest	5 810	6,2
Outremont	3 580	3,9
Avenue du Parc/Parc Extension	1 750	1,9
Snowdon	7 240	7,8
Ville Mont-Royal	2 255	2,4
Ville Saint-Laurent	8 240	8,9
Westmount	4 725	5,1
West Island	13 030	14
Autres régions de Montréal	7 500	8,1
Total pour la RMR de Montréal	92 965	100

Le tableau 6 porte sur les quartiers et municipalités où habitent les Juifs de la RMR de Montréal. Tandis qu'environ 21 % de l'ensemble des Juifs résident dans la municipalité de Côte-Saint-Luc, près de 85 % habitent dans les sections ouest et nord de la ville.

Tableau 7

Lieu de naissance de la population juive de Montréal

Lieu de naissance	Nombre	%
Canada	61 470	66,1
Israël	3 150	3,4
Europe de l'Est (excl. l'ex-URSS)	7 020	7,6
Ex-URSS	3 415	3,7
Europe de l'Ouest	3 950	4,2
Afrique du Nord/Moyen-Orient (excl. Israël)	9 365	10,1
États-Unis	3 300	3,5
Amérique du Sud	555	0,6
Autres régions du monde	745	0,8
Total	92 970	100

Tableau 8

Année d'immigration de la population juive de Montréal

Année d'immigration	Nombre	%
Non-immigrants	61 945	66,6
Avant 1950	2 940	3,2
1950-1959	5 095	5,5
1960-1969	5 845	6,3
1970-1979	5 790	6,2
1980-1989	4 795	5,2
1990-2001	5 875	6,3
(Sous-total : 1995-2001)	(3 090)	(3,3)
Résidents non permanents	685	0,7
Total	92 970	100

Le tableau 7 examine le lieu de naissance des individus au sein de la population juive. L'on remarque qu'environ le tiers (soit 33,9 %) des membres de cette communauté sont des immigrants, ce qui représente un niveau légèrement plus élevé que celui de la population juive nationale (qui correspond à 32,5 %). Des 120 465 immigrants juifs établis au Canada, 31 500 vivent à Montréal. Le groupe immigrant le plus important est issu de l'Afrique du Nord et du Moyen-Orient (à l'extérieur d'Israël) ; il se compose de 9 365 individus.

Le tableau 8 analyse la date d'arrivée des Juifs de Montréal. Dans ce cas, il est important de souligner qu'il ne s'agit pas de l'ensemble de la population immigrante, mais plutôt de ceux qui sont restés ou qui ont survécu afin d'être inclus dans le recensement. La période où l'immigration juive fut la plus importante est celle des années 1990-2001, au cours de laquelle 5 875 immigrants sont arrivés à Montréal. Tout de même, les pertes causées par les décès et la migration externe risquent d'être plus importantes pour les périodes antérieures, de sorte qu'il est difficile de faire des comparaisons. L'immigration continue d'être une composante essentielle de la communauté juive de Montréal.

Tableau 9

Langue maternelle de la population juive de Montréal

Langue maternelle	Nombre	%
Anglais	51 915	55,8
Français	16 930	18,2
Espagnol	1 345	1,4
Russe	2 840	3,1
Hébreu	3 160	3,4
Yiddish	9 705	10,4
Autres langues	7 080	7,6
Total	92 975	100

Comme l'indique le tableau 9, la langue dominante dans la communauté juive de Montréal est l'anglais. En ce qui concerne les autres langues parlées par les Juifs, près d'un répondant sur cinq (soit 18,2 %) déclare avoir pour langue maternelle le français, tandis que 10,4 % ont plutôt déclaré le yiddish et 3,4 %, l'hébreu.

Tableau 10

Origine ethnique de la population juive de Montréal

Origine ethnique	Nombre	%
Sépharade	21 215	22,8
Ashkénaze	69 300	74,6
Origine multiple	880	0,9
Non déclarée	1 470	1,6
Total	92 865	100

Les questions du recensement portant sur le lieu de naissance du répondant, celui de ses parents et sa langue maternelle ont fait l'objet d'un croisement afin d'établir les origines ashkénazes ou sépharades de celui-ci. Selon le tableau 10, les Juifs ashkénazes surpassent en nombre les Juifs sépharades dans une proportion de trois pour un dans la région métropolitaine de Montréal. De manière générale, les Juifs ashkénazes sont en mesure de retracer leurs origines en Europe, en particulier dans les régions d'Europe de l'Est, tandis que les Juifs sépharades ont des racines en l'Afrique du Nord musulmane et au Moyen-Orient, de même que dans certains pays européens telles la Grèce et la Bulgarie.

Tableau 11

Analyse des intermariages d'après l'appartenance religieuse
des époux/conjoints

	Nombre	%
Époux juif/épouse juive	37 790	86,9
Couple intermarié avec époux juif/épouse non juive	3 360	7,7
Couple intermarié avec époux non juif/épouse juive	2 340	5,4
(Sous-total intermariages)	(5 700)	(13,1)
Total des époux/conjoints	43 490	100

Le tableau 11 présente la proportion de mariages mixtes chez les Juifs déjà mariés. Ces proportions font référence aux mariages mixtes au sein desquels il n'y a pas eu de conversion. Les mariages incluant une conversion au judaïsme, peu importe le rituel employé, ne sont pas repérables dans le recensement. Ces chiffres incluent des couples âgés – par exemple des couples mariés depuis 50 ans – aussi bien que des couples de nouveaux mariés. Comme il y a deux époux ou conjoints lorsque les Juifs se marient selon le rituel judaïque, les données se déclinent par paires ; cependant, dans le cas des couples issus de mariages mixtes, seul l'époux ou le conjoint juif est pris en considération. Ainsi, selon les données recueillies, 13,1 % des Juifs mariés sont engagés dans un mariage mixte. Les hommes sont davantage portés vers les mariages mixtes que les femmes. Chez les Juifs montréalais, le pourcentage de mariages mixtes est de 13,1 % ; il s'agit du taux le plus bas parmi l'ensemble des communautés juives du Canada. Le pourcentage national de mariage mixte est de 21,7 %.

Tableau 12

Taux de pauvreté pour certaines populations

	Pauvres		Non-pauvres		Total
	Nombre	%	Nombre	%	Nombre
Population juive de Montréal	17 110	18,4	75 800	81,6	92 910
Population non juive de Montréal	732 210	22,4	2 542 670	77,6	3 274 880
Total de la population montréalaise	749 320	22,2	2 618 470	77,8	3 367 790
Population juive canadienne	49 525	13,4	320 040	86,6	369 565
Population canadienne totale	4 720 485	16,2	24 385 215	83,8	29 105 700

Comme c'est le cas, de manière générale, des Juifs canadiens, les Juifs de Montréal se situent à un niveau supérieur à la moyenne sur les plans de l'éducation reçue, du statut professionnel et du revenu annuel. Toutefois, il existe encore des Juifs qui vivent dans des conditions socioéconomiques difficiles. Le tableau 12 révèle le taux de pauvreté sur des populations spécifiques de Montréal et, plus généralement, du Canada. Dans la communauté juive de Montréal, le niveau de pauvreté (18,4 %) est plus bas que dans l'ensemble des populations de Montréal (Juifs et non-Juifs confondus), où il atteint 22,2 %. Mais cet écart demeure faible. Or le fait que près d'un Juif sur cinq à Montréal vit dans la pauvreté va à l'encontre des perceptions répandues, autant chez les non-Juifs que chez les Juifs, concernant le niveau de richesse des Juifs. Cependant, un fait demeure : la communauté juive de Montréal présente le niveau de pauvreté le plus élevé parmi les Juifs du Canada. Dans les autres villes canadiennes, le niveau de pauvreté chez les Juifs est inférieur : il atteint 11 % à Toronto, 14 % à Vancouver et 9,8 % à Ottawa. Le niveau de pauvreté national est de 13,4 % chez les Juifs et de 16,2 % dans l'ensemble de la population. Chez les Juifs, la pauvreté est surtout éprouvée par les personnes âgées, les immigrants récemment arrivés, les mères célibataires et les Juifs ultra-orthodoxes, dont les familles sont très nombreuses.

Les aspects socioculturels du sondage de 1997

Pendant longtemps, Montréal a eu la réputation d'être une ville où la vie qualité de la vie juive était élevée, comme l'indique son surnom de « Vilnius d'Amérique du Nord », qui évoque la vie juive florissante de l'avant-guerre dans la capitale de la Lituanie. Dans cette seconde partie, nous présentons des informations issues d'un sondage par échantillon sur les Juifs de Montréal qui représentent les meilleures données disponibles pour examiner les caractéristiques de la vie juive dans la ville. À la différence des données obtenues grâce au recensement, celles-ci permettent d'examiner en détail les enjeux de l'identité juive. À l'occasion, nous ferons certaines comparaisons avec un sondage réalisé à Montréal en 1991[1], avec des données issues des sondages par échantillon réalisés dans d'autres villes nord-américaines de même qu'avec un sondage datant de 1991 sur la population juive nationale. Comme cela représente un instantané de la vie juive montréalaise à la fin des années 1990, il est possible que certaines attitudes ou comportements aient changé depuis. Toutefois, le modèle global persiste aujourd'hui encore.

En 1997, le sondage a été réalisé auprès de 516 ménages, ce qui représente environ 1,3 % des ménages juifs de Montréal. Les répondants ont été choisis en fonction de leurs noms facilement identifiables à la judéité, une méthode acceptée et généralement utilisée afin d'extraire un échantillon. Chacun des répondants envisagés a été choisi au hasard et il a reçu un appel dans lequel on lui demandait s'il acceptait de participer au sondage. Lorsque la personne répondait par l'affirmative, elle recevait un questionnaire par courrier. Au final, il s'est avéré qu'environ un tiers des 800 personnes qui ont reçu le questionnaire ont échoué à répondre. De plus, la proportion de femmes, qui formaient 57 % des répondants, dépassait celle des hommes, possiblement parce qu'elles étaient plus souvent à la maison durant la journée que ne l'étaient les hommes lorsque les appels ont été faits. Il est aussi possible que les Juifs sépharades et ultra-orthodoxes soient représentés en proportion plus faible dans ce sondage.

Affiliations religieuses

Le sondage demandait aux répondants de décrire leur affiliation religieuse. Fait important, comme cette question se base sur la perception individuelle des répondants, elle ne correspond pas nécessairement de manière précise aux croyances et aux niveaux de

---

1. Allied Jewish Community Services Montreal, *Jewish Community: Attitudes, Beliefs and Behaviors*, Montréal, 1991.

pratique du judaïsme des participants. Souvent, les réponses indiquent la synagogue à laquelle les participants appartiennent ou qu'ils fréquentent.

Du côté le plus traditionnel de la gamme d'affiliations se trouve les judaïsmes orthodoxe et ultra-orthodoxe, qui suivent une interprétation stricte de la *halakha* (loi juive). Leurs adhérents sont les plus susceptibles de suivre la *cacherout* (ensemble des prescriptions alimentaires du judaïsme) et de s'abstenir de travailler durant le *shabbat*. Du côté le plus libéral se trouve le judaïsme réformé, le plus susceptible de réinterpréter la *halakha* d'une manière conforme aux valeurs progressives et égalitaires, surtout en ce qui concerne les questions relatives aux rôles des sexes et l'accueil des non-Juifs dans la communauté. Au centre de cet éventail se trouve le judaïsme conservateur, fondé en Amérique du Nord à la fin du xixe siècle, qui tente de rassembler des valeurs à la fois traditionnelles et modernes dans son interprétation de la *halakha*.

Il est intéressant de souligner que 70,4 % des Sépharades se considèrent eux-mêmes « traditionnels », ce qui représente plus de 13 % des Juifs de Montréal. Les distinctions entre judaïsmes orthodoxe, conservateur et réformé sont un héritage enraciné dans l'histoire et la culture ashkénaze et européenne : pour cette raison, elles caractérisent moins les Sépharades qui, de manière générale, ont émigré de l'Afrique du Nord et du Moyen-Orient plusieurs décennies après leurs pairs Ashkénazes. Il est donc difficile de comparer le degré de religiosité des Juifs sépharades et des Juifs ashkénazes.

Montréal possède le taux de Juifs orthodoxes répertoriés le plus élevé de toutes les métropoles en Amérique du Nord, soit 21,9 %. Par comparaison avec d'autres communautés, le taux de Juifs orthodoxes identifiés est de 20 % à Baltimore, de 13 % à Pittsburgh et de 10 % à Toronto. Dans l'ensemble du Canada, ce taux s'élève à 14 % ; aux États-Unis, il correspond à 6 %. À l'autre extrême, le judaïsme réformé regroupe 4,5 % de la communauté juive montréalaise, comparativement à 24 % pour la communauté juive de Toronto et à 33 % pour la communauté juive des États-Unis. Le judaïsme conservateur, regroupe 29,2 % des Juifs de Montréal, contrairement aux 39 % des Juifs de Toronto et aux 44 % des Juifs de Pittsburgh. Seulement 1,7 % des Juifs montréalais s'identifient au judaïsme reconstructionniste (une confession libérale du judaïsme fondée au cours du xxe siècle), et 1,5 % n'ont pas répondu à cette question. Fait intéressant, près de 27 % des Juifs montréalais s'associent également aux attributs «séculier» ou «seulement Juif» qui se trouvent à la toute fin de l'éventail. Il semble que la communauté juive de Montréal se compose en proportions importantes d'orthodoxes et de non-affiliés, deux catégories situées aux deux extrémités de la gamme de possibilités.

Présence à la synagogue et adhésion

La synagogue demeure un lieu de rassemblement central pour les Juifs de toutes les orientations, son rôle dans la communauté étant autant social que spirituel. À quelle fréquence les répondants se présentent-ils à la synagogue? Environ 20% seulement s'y rendent à l'occasion d'événements spéciaux tels les mariages ou les bar/bat mitzvahs; 10,2% s'y rendent seulement lors des grandes fêtes; et 1,1% n'y vont jamais. En résumé, cela signifie que trois Juifs montréalais sur quatre ne vont pas à la synagogue de façon régulière. Environ 4% y vont une fois par mois, 4,5% plusieurs fois par mois, 8% une fois par semaine et 7% y vont plus d'une fois par semaine. Ainsi, près de 24% des Juifs montréalais se rendent à la synagogue à une fréquence régulière. Remarquons que ces résultats s'apparentent étroitement à ceux qui avaient été obtenus lors du sondage réalisé en 1991, ce qui démontre que le niveau de participation aux activités des synagogues s'est maintenu au cours de la décennie qui s'est écoulée entre les deux sondages.

Il n'est pas étonnant de constater que l'orientation confession-nelle est un fort indicateur de la présence à la synagogue. De fait, 56,3% des Juifs orthodoxes déclarent aller à la synagogue au moins une fois par mois, comparativement à 41% chez les Sépharades traditionnels, à 14,3% chez les Juifs conservateurs et à 3,4% des Juifs réformés ou séculiers. Plus du quart (25,8%) des hommes affirment qu'ils vont à la synagogue au moins une fois par semaine, alors que seulement 6,8% des femmes déclarent qu'elles font de même. Une telle divergence s'explique par le fait que, de manière générale, les orientations sur lesquelles se base la fréquentation des synagogues (orthodoxes et sépharades traditionnelles) insistent davantage sur la participation des hommes dans les services religieux que sur celle des femmes. Enfin, plus du tiers des Juifs sépharades (41%) déclarent participer aux services au moins une fois par mois, comparativement à seulement 20% chez les Juifs ashkénazes.

À Montréal, le taux de participation à la synagogue est plus élevé que dans la plupart des autres centres juifs en Amérique du Nord. Par exemple, tandis que seulement 1,1 % des Juifs montréalais déclarent ne jamais aller à la synagogue, ce cas de figure s'élève à 9 % à Toronto, à 16 % à Washington, à 30 % à New York et à 33 % à Atlanta. Dans l'ensemble des États-Unis, ce taux atteint 27 %. D'un autre côté, près du quart (23,3 %) des Juifs montréalais vont à la synagogue une fois par mois ou plus, comparativement à 13 % à Atlanta, à 21 % à New York, à 22 % à Toronto et à 22 % dans l'ensemble des États-Unis.

Près des deux tiers (63,6 %) des Juifs montréalais sont des membres qui paient une cotisation à leur synagogue ou à leur temple, ce qui représente un taux élevé en comparaison aux autres villes d'Amérique du Nord. Ainsi, Atlanta a un taux de 27 %, San Francisco de 33 %, New York de 41 % et Toronto de 48 %. Aux États-Unis, le taux d'adhésion à une synagogue est de 41 %. Ici encore, l'orientation confessionnelle demeure un fort indicateur : 86,5 % des Juifs orthodoxes sont membres d'une synagogue, comparativement à 79,2 % de Sépharades traditionnels, à 72,5 % de Juifs conservateurs et à 36,3 % de Juifs réformés ou séculiers. Les données révèlent également que plus les individus sont âgés, plus ils sont susceptibles d'être affiliés à une synagogue : 72,3 % des répondants aînés avaient payé une cotisation à une synagogue au cours des douze derniers mois, comparativement à 62,9 % d'individus âgés de 45 à 64 ans, à 66,3 % d'individus âgés de 35 à 44 ans, et à 51,5 % d'individus âgés de 18 à 34 ans. Les autres groupes chez qui se manifeste une tendance très élevée à être membre d'une synagogue sont ceux qui disposent d'un revenu annuel supérieur à 100 000 $ (74,3 %), ceux qui sont mariés (70,9 %) et les Juifs sépharades (72,9 %).

Pratique des rituels juifs

Au fil du temps, les Juifs d'Amérique du Nord ont eu tendance à s'assimiler au comportement de la culture dominante qui les entoure. Aux États-Unis, en particulier, des recherches ont démontré qu'à chaque nouvelle génération, l'engagement envers la pratique religieuse diminue. Pour exprimer leur judaïsme, les Juifs se sont tournés de plus en plus vers les symboles d'identité ethnique et de solidarité, au lieu de demeurer rivés sur la pratique stricte de la loi juive. Il s'agit, par exemple, de suivre rigoureusement le *shabbat* et les règles de la *cacherout*. De nos jours, les prescriptions alimentaires, telles que ne pas manger de porc et ne pas manger de produits lactés et carnés au cours d'un même repas, ne sont plus perçues aussi fondamentales que le fait de marier un conjoint juif et de maintenir une forme ou une autre d'identité juive. Les Juifs ont plutôt tendance à suivre les rituels symboliques de la vie qui surviennent de façon sporadique, comme la circoncision, les bar/bat-mitzvah, le mariage juif et les funérailles. De nombreux Juifs respectent les grandes fêtes tels la Pâque, Hanoukka, le Nouvel An juif et le Yom Kippour, parce qu'elles ont lieu seulement une fois par an (à l'opposé du *shabbat*, par exemple) et qu'elles comportent beaucoup moins d'exigences que les autres obligations juives quotidiennes. Par ailleurs, ces fêtes renforcent les liens de solidarité au sein des grands rassemblements familiaux. De toute évidence, le fait que les fêtes de la Pâque et de Hanoukka intègrent certains aspects de comportement rituel qui impliquent la participation des enfants les rend attirantes auprès de ceux-ci, tout en aidant les parents à transmettre leur identité juive à leurs enfants. De plus, le fait que la Pâque et Hanoukka ont lieu à la même période que les fêtes de Pâques et de Noël est aussi important, car ces fêtes offrent une alternative aux fêtes chrétiennes.

Quel type d'engagement représente la célébration des fêtes juives et le maintien des traditions juives pour les répondants? Une grande majorité de l'échantillon retenu (72,5%) estime que le maintien minimal de quelques traditions juives représente un engagement important alors que 22,7% ressentent un certain engagement, 1,4% ne ressentent aucun engagement, 0,4% ne sont pas certains et 3% n'ont pas répondu à cette question. Bref, plus de 95% des Juifs de Montréal ressentent au minimum le besoin de maintenir des traditions juives. Il est étonnant de constater que les jeunes adultes âgés de moins de 30 ans se sentent plus engagés envers le maintien des traditions que tous les autres groupes d'âge. Les individus mariés font preuve d'un niveau d'engagement plus élevé que ceux qui sont veufs, divorcés ou qui ne se sont jamais mariés. Chez les Juifs orthodoxes (86,1%) et les Juifs conservateurs (85,6%), le niveau d'engagement est légèrement plus élevé que chez les Sépharades traditionnels (77,4%) et les Juifs séculiers ou réformés (51,5%).

Près du tiers (36%) des ménages ont l'habitude d'allumer des chandelles pour le *shabbat*. Les individus les plus susceptibles d'allumer des chandelles pour chaque *shabbat* incluent les aînés (39,9%), les couples mariés (38,9%), les Sépharades (50,3%) et les orthodoxes (71,6 %). Les individus les moins susceptibles d'allumer des chandelles à la même occasion incluent les célibataires (27,7 %), les Juifs réformés ou séculiers (41 %) et ceux qui ne participent pas à l'Appel juif unifié (28,6 %). Les 36 % de Juifs qui allument toujours des bougies pour le *shabbat* correspondent au taux le plus élevé en Amérique du Nord, et les 21,5 % qui n'allument jamais de bougies à la même occasion représentent le taux le plus bas sur le continent. Environ 58 % de ménages juifs américains n'allument jamais de bougies pour le *shabbat*.

Près de 88 % des ménages organisent un *seder* à la Pâque chaque année. Les ménages les plus enclins à tenir un *seder* à la Pâque incluent les individus mariés (89,7 %), les Sépharades (94 %) et les orthodoxes (98,2 %). À Montréal, le taux d'individus qui suivent cette tradition est de 87,8 %, ce qui représente le taux le plus élevé sur le continent. Ce niveau atteint 82 % à Toronto, 79 % à Baltimore et 31 % à Washington. Le taux général d'individus qui tiennent toujours un *seder* à la Pâque aux États-Unis est de 55 %.

Une autre question qui était adressée aux répondants consistait à savoir si leur ménage avait des services de vaisselle séparés pour les produits lactés et carnés, un élément fondamental de la *cacherout*. Dans ce cas, 44 % ont répondu par l'affirmative. Environ la moitié des répondants (49,4 %) ont déclaré qu'ils suivaient toujours la *cacherout* à la maison (parfois avec de la vaisselle non cachère !). Ceux qui sont les plus enclins à suivre la *cacherout* incluent de jeunes adultes de moins de 35 ans (55,3 %), des Sépharades (79,2 %) et des Juifs orthodoxes (83,3 %). À l'inverse, ceux qui sont le moins enclins à suivre la *cacherout* sont les personnes veuves et divorcées (39,5 %), les Juifs réformés ou séculiers (14,9 %) et ceux dont le revenu annuel est d'au moins 100 000 $ (41,9 %). Un pourcentage beaucoup plus bas d'individus (24 %) suit la *cacherout* à l'extérieur de la maison. Il s'agit d'un modèle commun chez les Juifs en Amérique du Nord, similaire à la croissance du « style cacher » dans la cuisine et les restaurants, qui est en réalité non cacher.

Près de 77 % des répondants affirment que leur ménage allume des bougies de Hanoukka. De manière générale, les individus mariés, les Sépharades et les orthodoxes sont plus enclins à dire que leur ménage suit toujours ce rituel de Hanoukka. À l'opposé, environ 5 % seulement des répondants déclarent avoir un arbre de Noël chaque année ou à des années variables, tandis que 22 % des Juifs américains déclarent avoir toujours ou parfois un arbre de Noël à la maison.

Environ 85 % des répondants affirment qu'ils jeûnent pendant le Yom Kippour. Le pourcentage d'individus qui soutiennent cette affirmation atteint 68,2 % dans la ville de Toronto et 61 % dans l'ensemble des États-Unis. Ceux qui sont le plus enclins à jeûner sont les jeunes adultes de moins de 35 ans (90,3 %), les Sépharades (97,8 %) et les orthodoxes (95,5 %). Lorsqu'on leur demande s'ils tentent d'éviter de travailler pendant le *shabbat*, environ le tiers des répondants (31,1 %) de l'échantillon répondent par l'affirmative. Ceux qui sont les plus enclins à éviter de travailler pendant le *shabbat* incluent les gens mariés (34,7 %), les Sépharades (55,2 %) et les orthodoxes (67, 8 %).

Ceux qui ont été éduqués selon la religion orthodoxe ou qui sont maintenant orthodoxes ont tendance à obtenir des résultats élevés en ce qui concerne la pratique des rituels. Fait intéressant, la présence à l'école secondaire juive a une importante influence sur la pratique des rituels, tandis que d'autres formes d'éducation juive (dont l'école d'après-midi et l'école supplémentaire) n'ont pas d'influence réelle sur le degré de pratique rituelle.

De manière générale, les données obtenues révèlent que les degrés de pratique de rituels juifs à Montréal sont plus élevés que les taux américains, et qu'ils sont comparables ou légèrement supérieurs à ceux de Toronto. Il ressort en effet que la judéité montréalaise semble être très respectueuse d'une foule de traditions et de rituels.

Facteurs qui influencent l'identité juive

Plusieurs facteurs peuvent influencer l'identité juive et la motivation des individus à participer à la vie juive. À cet égard, les recherches ont démontré que le fait d'être marié et d'avoir des enfants augmente les chances de voir naître un engagement sérieux dans la vie juive, à la fois à la maison et dans la communauté. L'influence des parents et celle du conjoint (particulièrement l'épouse qui influence son mari) sont également très importantes.

Le fait de vivre dans une grande communauté juive, urbaine le plus souvent, a aussi une grande influence sur la force de l'identification juive. De manière générale, les différences quant au degré d'identification juive qui existent à travers le Canada sont associées à la fois à la taille de la communauté juive, à l'importance de ses institutions et à leur diversité. Les institutions juives incluent les écoles, les synagogues et les centres communautaires, qui sont d'importants points de référence et qui permettent aux individus juifs de rencontrer des gens, de partager leur héritage et de s'unir en chérissant des valeurs communes. La clef, cependant, est la famille.

Plus de 59,5 % des répondants ont affirmé que leurs parents ont eu une forte influence sur leur engagement au sein de la communauté juive (dans ce cas, les répondants ne devaient pas préciser lequel de leurs parents avaient le plus d'influence). Il est intéressant de constater que les orthodoxes (83,5 %) sont très enclins à affirmer que leurs parents ont eu une forte influence sur eux, plus que les Juifs conservateurs (68,6 %) ou les Juifs réformés ou séculiers (35,9 %). Les grands-parents sont perçus comme la deuxième source d'influence, avec 28,7 %. Parmi les autres individus ayant eu une influence à cet égard se trouvent l'épouse (17,2 %), un rabbin (13,2 %) et un professeur (9,6 %).

Sur le plan des expériences de vie particulières, 31,4 % des répondants affirment que fréquenter une école juive lorsqu'ils étaient enfants a eu une forte influence sur leur engagement dans la communauté juive. Le fait que seulement 9,6 % des répondants aient fait un rapprochement entre leur engagement et l'un de leurs professeurs signifie peut-être que le fait d'évoluer dans un environnement principalement juif a un impact sur la construction de l'identité personnelle. Parmi les autres expériences de vie qui ont eu une influence importante sur l'engagement, signalons des séjours en Israël (30 %), la présence à la synagogue (20,1 %), la participation à des groupes de jeunes Juifs (18,3 %), la perte de personnes aimées (17,9 %) et la participation à un camp d'été juif (16,5 %).

L'éducation juive

Au cours de l'histoire, les Juifs ont toujours accordé une grande valeur à l'éducation; l'on peut même affirmer qu'à la période contemporaine, le dévouement traditionnel à l'éducation religieuse parmi les Juifs a été appliqué aux études séculières. Les Juifs sont représentés de façon disproportionnée dans les catégories d'emplois professionnels, surtout dans les carrières telles la médecine, le droit et la recherche universitaire en général. Cela ne signifie pas pour autant que les Juifs ont abandonné leur engagement envers l'éducation religieuse; à l'inverse, les écoles juives sont devenues très populaires parmi les communautés juives en Amérique du Nord. Comme nous l'avons vu dans la section précédente, une éducation juive reçue pendant l'enfance joue un rôle déterminant dans l'acquisition de connaissances relatives à l'identité juive au cours des années suivantes, une tendance qui est également confirmée dans le cadre de recherches américaines.

L'une des questions du sondage consistait à savoir si les répondants avaient reçu une éducation juive formelle. Près des trois quarts des Juifs montréalais (72,6 %) ont reçu une forme ou une autre d'éducation juive, dont l'école de jour ou l'école supplémentaire ou d'après-midi. Il s'agit de résultats plus faibles que ceux qui avaient été obtenus dans le sondage de 1991 (80,5 %). Nous ne savons pas clairement quelles sont les causes d'une telle divergence. Quoi qu'il en soit, la présente méthodologie, qui consiste à utiliser des noms qui semblent Juifs, suggère que cet échantillon serait plus affilié et enclin à révéler des niveaux plus élevés d'éducation juive.

Il est étonnant de constater que ce taux d'éducation juive est parmi les plus bas si on le compare avec d'autres communautés juives nord-américaines. Par exemple, les cas de figure incluent 87 % à Dallas, 82 % à Boston, 78 % à Baltimore, 74 % à Philadelphie et 66 % à Miami. Cela représente parmi tous les jeunes adultes juifs vivant aux États-Unis un taux d'éducation juive de 67 %.

Les hommes (79,4 %) sont plus enclins à recevoir une éducation juive que les femmes (67,5 %). L'âge est également un facteur déterminant, puisque les jeunes adultes de moins de 35 ans sont plus enclins à recevoir une éducation juive (81,6 %) que ceux qui sont âgés de 35 à 64 ans (71,2 %) et que les aînés (66,9 %). Autre élément intéressant : les Ashkénazes sont plus enclins à affirmer qu'ils ont reçu une éducation juive que les Sépharades (respectivement 75,6 % et 60,4 %). Les orthodoxes (84 p. cent) et les Juifs conservateurs (81,2 %), quant à eux, sont plus enclins à recevoir une éducation juive que ne le sont les Juifs séculiers ou réformés (63,4 %).

En ce qui concerne la forme d'éducation juive qu'ont reçue les répondants, il s'agit de l'école élémentaire juive à temps plein (47,8 %), de l'école secondaire juive à temps plein (26,7 %), de l'école supplémentaire juive (40,1 %), du tutorat privé (40,1 %) et des études postsecondaires juives (12,1 %).

Les Sépharades sont beaucoup plus enclins à fréquenter l'école élémentaire juive (67,4 %) que les Ashkénazes (44,7 %) et, de manière générale, à fréquenter l'école secondaire juive (respectivement 50,5 % et 22,8 %). Les Ashkénazes, quant à eux, sont beaucoup plus enclins à fréquenter l'école supplémentaire juive (43 %) que les Sépharades (18,7 %) ; de même, les Ashkénazes ont davantage tendance à entreprendre des études postsecondaires juives (12,7 %) que les Sépharades (4,3 %). En termes de confession, ceux qui sont les plus enclins à fréquenter l'école juive élémentaire sont les Sépharades traditionnels (69 p. cent), suivis des orthodoxes (57,8 %). De tous les Juifs, les orthodoxes sont ceux qui ont le plus suivi d'études juives postsecondaires (22,8 %). Enfin, les femmes ont davantage tendance que les hommes à fréquenter l'école juive élémentaire (respectivement 50,2 % et 45,2 %) et à s'impliquer dans des études postsecondaires juives (respectivement 14,8 % et 9 %). À l'inverse, les hommes reçoivent davantage de tutorat privé que les femmes (respectivement 61 % et 21,6 %), probablement parce que cette catégorie inclut les leçons de la bar mitzvah.

Qu'en est-il des enfants des répondants ? Environ 51,3 % des répondants affirment que leurs enfants ont reçu une éducation juive élémentaire, ce qui est étonnamment proche du chiffre de 52,9 % obtenu lors du sondage de 1991. Cela signifie que le niveau de participation à l'école juive élémentaire est demeuré stable. Les Sépharades (60,4 %) sont plus enclins que les Ashkénazes (50,2 %) à envoyer leurs enfants à l'école juive élémentaire. Les orthodoxes (63,2 %) sont plus enclins à faire de même que les conservateurs (52,1 %) ou les Juifs séculiers ou réformés (34,6 %). De tous les groupes combinés, les Sépharades traditionnels (70,1 %) sont les plus enclins à envoyer leurs enfants à l'école juive élémentaire.

Environ 28,3 % des répondants n'ont jamais envoyé leurs enfants à l'école secondaire juive. Ces résultats sont très similaires à ceux que nous avions obtenu dans le sondage de 1991 (29 %). Ici encore, cela montre que les modèles d'inscription à l'école juive sont demeurés stables.

Le facteur le plus important concernant le choix d'envoyer les enfants à l'école juive est le degré de respect des rituels et des traditions juives dans le foyer familial. Les valeurs des parents et le fait qu'ils soient eux-mêmes pratiquants sont aussi des facteurs déterminants. Un autre élément important est le fait que les parents sont allés (ou non) en Israël. Le plus étonnant est peut-être le fait que les parents ont une scolarité juive formelle (incluant l'école supplémentaire et l'école d'après-midi), tandis que le fait qu'ils soient allés à l'école juive élémentaire ou secondaire n'est pas déterminant.

Plus précisément, les parents envoient-ils *actuellement* leurs enfants à l'école juive à temps plein ? Environ 61 p. cent des parents répondent par l'affirmative. Les ménages dont les enfants vont à l'école juive sont davantage Sépharades (66,6 %) qu'Ashkénazes (59,6 %). Tous les orthodoxes (100 %) envoient leurs enfants à l'école juive à temps plein, comparativement à 67 % des Sépharades traditionnels, 51,3 % des conservateurs et 34,9 % des Juifs réformés ou séculiers. Chez le 34 % d'individus qui envoient leurs enfants à des écoles non juives, 27 % fréquentent l'école publique, et 6,5 % fréquentent les écoles privées non juives.

Quelles sont les raisons ayant incité les parents à ne pas envoyer leurs enfants à une école juive ? La raison principale (53 %) est le souhait formulé par plusieurs à l'endroit que leurs enfants rencontrent des gens de milieux plus diversifiés. La deuxième raison, presque aussi importante que la précédente, renvoie aux contraintes financières (47,2 %). Quant aux autres raisons, 11,4 % ont répondu que leurs enfants sont incapables de se débrouiller avec les charges de travail ; 10,1 % affirment que le transport permettant d'accéder aux écoles à partir de leur résidence n'est pas disponible ; 9,7 % estiment que l'éducation juive n'est pas une priorité ; 8,9 % soutiennent que leur époux ou épouse n'est pas favorable à cette situation ; enfin, 6,8 % croient que les écoles juives à temps plein sont trop religieuses. Par ailleurs, 27 % des répondants ont mentionné une « autre » raison de ne pas envoyer leurs enfants à l'école juive à temps plein. Il est utile de mentionner que parmi ceux qui n'inscrivent pas leurs enfants à l'école juive à temps plein, environ 70 % ont envisagé des expériences éducatives juives alternatives. L'alternative que la plupart d'entre eux ont retenue est l'école d'après-midi ou supplémentaire.

L'une des préoccupations des éducateurs juifs à Montréal est la compétition, surtout au niveau secondaire, des écoles privées élitistes non juives. Toutefois, l'inscription à l'école juive à plein temps demeure élevée, situation qui se trouve renforcée, dans une large mesure, par la disponibilité du financement gouvernemental pour ces écoles au Québec. De telles ressources ne sont pas disponibles pour les écoles juives des États-Unis et de l'Ontario.

Mariages mixtes

Dans la présente section, nous examinons certaines dynamiques personnelles et communautaires qui sous-tendent les taux de mariages mixtes que nous avons décrits plus haut. Jusqu'aux années 1960, les Juifs d'Amérique du Nord ont démontré une forte tendance à se marier avec un membre de leur propre groupe ethnique ou religieux. Aujourd'hui, nous estimons qu'entre 45 % et 50 % des Juifs des États-Unis font des mariages mixtes (les taux sont plus bas au Canada). Bien que les mariages mixtes soient moins fréquents chez les Juifs que chez la plupart des autres minorités d'origine européenne, en raison des taux de fertilité particulièrement bas chez les Juifs et le faible bassin d'immigrants, le mariage mixte représente une menace sérieuse pour la communauté juive. Malheureusement, la présente méthodologie, qui consiste à utiliser des noms qui sont identifiés « juifs », signifie que les femmes qui se marient à l'extérieur de la foi et qui adoptent le nom de leur époux ne seront pas nécessairement repertoriées dans cette étude.

À la question de savoir de quelle manière les répondants réagiraient si leur enfant envisageait de se marier à un conjoint non juif, presque la moitié (48,7 %) ont répondu qu'ils s'opposeraient fermement à un tel mariage et qu'ils exprimeraient leur opinion sur cette question ; 9 % ont plutôt répondu qu'ils s'opposeraient au mariage sans exprimer leur opinion ; 14,2 % ont déclaré qu'ils seraient neutres ; 8,4 % ont affirmé qu'ils approuveraient ce mariage ; 10,6 % ont répondu qu'ils n'étaient pas certains de leur réaction, et 9 % n'y ont pas répondu. Ceux qui s'opposeraient fermement à un tel mariage sont plutôt des Sépharades (77,2 %) que des Ashkénazes (42,7 %). Ils sont pour la plupart orthodoxes (66 %) plutôt que conservateurs (56,2 %) ou Juifs réformés ou séculiers (21,3 %).

Le sondage questionnait également les répondants sur la façon dont ils réagiraient si le futur conjoint ou la future conjointe de leur enfant se convertissait au judaïsme avant le mariage. Seulement 16 % de l'ensemble des répondants ont répondu qu'ils s'opposeraient activement à une telle union, tandis que 4,3 % s'y opposeraient sans toutefois l'exprimer ouvertement. En outre, 15,5 % d'entre eux ont affirmé qu'ils seraient neutres, 36,4 % ont plutôt répondu qu'ils appuieraient ouvertement cette initiative, tandis que 12,6 % ne sont pas certains et que 14,9 % n'ont pas répondu. Les Sépharades (35,1 %), en particulier les Sépharades traditionnels (40,6 %), demeurent ceux qui s'y opposeraient le plus. De manière générale, la conversion introduirait des changements dans les attitudes des parents, et la recherche américaine a démontré que les mariages mixtes dans lesquels se produit une conversion au judaïsme ne sont en réalité pas différents, en termes de modèles, des couples Juifs endogames.

Environ 27 % des répondants déclarent qu'au moins un de leurs enfants est marié à un non-Juif ou une non-Juive, ce qui signifie que plus d'un foyer sur quatre doit composer avec une situation de mariage mixte. Ce nombre beaucoup plus élevé que le pourcentage général (13 %) issu du recensement reflète une hausse génération-nelle. Les Sépharades (25,5 %) et les Ashkénazes (28,2 %) sont presque également enclins à avoir un enfant qui a fait un mariage mixte. Les ménages conservateurs (31,5 %) et réformés ou séculiers (32,1 %) sont les plus enclins à vivre une telle situation ; les Sépharades tradi-tionnels (23,3 %) et les orthodoxes (14,7 %) le sont moins.

Affiliations informelles

Parmi les Juifs vivant en Amérique du Nord, les tendances géné-rales révèlent un déclin du respect de la religion (observance) dû à une assimilation croissante. Dans ce contexte, il est intéressant de souligner que la recherche a permis d'établir que les Juifs accordent toujours une grande priorité au fait d'avoir comme amis intimes des compatriotes juifs. À ce phénomène connu sous le nom de « judaïsme associatif », l'on donne souvent une explication fonctionnelle. De telles amitiés peuvent jouer un rôle de compensation à l'endroit d'un attachement plutôt faible à la vie juive religieuse et ainsi contribuer à la perpétuation de l'identité des Juifs.

Les répondants devaient ensuite estimer la proportion de leurs amis intimes qui sont Juifs. La majorité des répondants (58,3 %) ont dit que tous leurs amis, ou presque, sont Juifs. Quant aux autres, 27,6 % affirment que la plupart de leurs amis sont Juifs, 9,7 % affir-ment que certains de leurs amis sont Juifs, tandis que seulement 2,1 % répondent que peu ou aucun de leurs amis sont Juifs. En résumé, les Juifs de Montréal ont tendance à se lier d'amitié avec des membres de leur propre groupe ethnique.

Ceux qui sont le plus enclins à dire que l'ensemble de leurs amis sont Juifs incluent davantage des gens mariés (62,2 %) que des individus veufs ou divorcés (51 %) ou célibataires (47,9 %). Près des trois quarts des orthodoxes (76,8 %) affirment que leurs amis sont exclusivement Juifs, par comparaison avec 69,4 % de conservateurs et 35,7 % de Juifs séculiers ou réformés. Du côté des Ashkénazes et des Sépharades, les chiffres obtenus sont comparables, soit 59,3 % et 55,4 %.

Si l'on considère les tendances décrites ci-haut, il n'est pas étonnant de constater que près de la moitié (49,8 %) des Juifs montréalais estiment très important que leur voisinage se compose d'une population juive assez grande. Une proportion beaucoup plus élevée de Sépharades (65,7 %) que d'Ashkénazes (46,7 %) estiment qu'il est très important de vivre parmi une population juive assez grande. Près de 79 % de Juifs orthodoxes disent que cela est très important, comparativement à 49,8 % de conservateurs et à 27,8 % de Juifs réformés ou séculiers. En réalité, les études basées sur les résultats du recensement ont démontré que les Juifs de Montréal et des autres villes canadiennes forment le groupe ethnique le plus concentré sur le plan résidentiel, et ce, même si l'on inclut dans le calcul les minorités visibles. Les taux sont plus élevés pour les Juifs de Montréal que pour ceux de Toronto. Dans le passé, ce type de modèle résidentiel était supposé refléter l'exclusion par la majorité non juive ; aujourd'hui, il reflète, dans une large mesure, les choix des Juifs eux-mêmes.

Liens et attitudes à l'endroit d'Israël

Au cours de l'histoire, Israël a joué un rôle décisif dans la conscience collective des Juifs à travers le monde. Un engagement envers Israël, qu'il soit financier ou moral, sans réserve ou critique et partiel, demeure une composante essentielle de l'identité juive nord-américaine. Or, l'identification à Israël est également répandue parmi ceux qui respectent moins la tradition religieuse. L'appui à l'endroit d'Israël ne doit pas être confondu avec les idées classiques du sionisme, qui stipulaient que les Juifs devaient émigrer en Israël. Pour les Juifs nord-américains, le sionisme représente un important engagement personnel à l'endroit d'Israël en tant qu'élément central de l'identité juive, peu importe l'endroit où la personne habite.

En ce qui concerne Israël, le quart des répondants (25,4 %) n'y sont jamais allés, 28,8 % ont visité l'État hébreu une fois, 14,2 % y sont allés deux fois, 10,6 % y sont allés trois fois, et 20,4 % y ont fait quatre séjours ou plus. En d'autres termes, 74 % (trois Juifs sur quatre) des répondants sont allés au moins une fois en Israël. Ce pourcentage de 74 % est de loin le plus élevé de toutes les communautés d'Amérique du Nord. Il est suivi de 63 % des répondants à Toronto, 48 % à Miami, 42 % à Cleveland, 37 % à New York et 33 % à Boston. De manière générale, ce taux atteint 26 % chez les Américains. Israël est donc très important pour les Juifs de Montréal.

Les Sépharades (84,1 %) sont plus enclins que les Ashkénazes (72,8 %) à aller en Israël au moins une fois. Plus du tiers des

Sépharades ont visité Israël quatre fois ou plus, comparativement à seulement 17,3 % des Ashkénazes ; 43,8 % des Juifs sépharades traditionnels sont allés en Israël quatre fois ou plus. Le pourcentage atteint 25,8 % chez les orthodoxes, 14,6 % chez les Juifs séculiers ou réformés et 12,8 % chez les Juifs conservateurs.

Le revenu des ménages est lié au nombre de fois que les répondants ont visité Israël. Ceux qui ont un revenu familial élevé sont davantage susceptibles d'avoir visité Israël au moins une fois. À l'inverse, il est aussi vrai que les ménages à faible revenus ont tendance à avoir visité Israël quatre fois ou plus. De manière générale, plus la contribution des répondants à l'Appel juif unifié est importante, plus le répondant est susceptible d'avoir séjourné dans l'État hébreu. Près de la moitié (45,3 %) des répondants affirment qu'ils prévoient se rendre en Israël au cours des trois prochaines années. Cela est particulièrement le cas des Sépharades (65 %), plus que celui des Ashkénazes (41,7 %).

Environ 14 % des répondants envisageraient le fait d'aller vivre en Israël, tandis que 32,2 % se qualifient eux-mêmes de sionistes. Cela signifie que pour les Juifs de Montréal, le sionisme et le fait d'aller vivre en Israël sont deux choses distinctes. Pour la plupart, le terme « sioniste » suggère une identification générale à Israël. Il est intéressant de constater que parmi les différents groupes d'âges, les répondants âgés de 65 ans ou plus sont les moins enclins (6,8 %) à envisager le fait d'aller vivre en Israël, tout en étant les individus les plus portés à se qualifier eux-mêmes de « sionistes ». Plus que les Ashkénazes, les Sépharades sont davantage enclins à la fois à envisager le fait d'aller vivre en Israël et à se considérer eux-mêmes sionistes. La majorité des répondants (c'est-à-dire les deux tiers) se sentent liés à Israël. Près de 40 % d'entre eux se sentent très liés à Israël et 34,3 % s'y sentent assez liés. À l'inverse, 15 % des répondants se sentent assez distants de l'État hébreu, et 3,3 % s'en sentent très distants. Lorsqu'il est question plus précisément des Israéliens, la réponse est légèrement moins favorable : 22,7 % se sentent très liés aux Israéliens, et 50,1 % se sentent liés à eux jusqu'à un certain point. Près du quart des jeunes adultes âgés entre 18 et 34 ans ont déjà envisagé la possibilité d'aller vivre en Israël. En réalité, il s'agit du segment démographique le plus susceptible d'envisager cette possibilité. Cela signifie que les jeunes entretiennent un lien particulier avec Israël et, bien entendu, qu'ils sont davantage en mesure d'envisager une telle possibilité, car ils ne sont pas installés de manière définitive à Montréal.

À la question de savoir si « le fait de se soucier d'Israël représente une dimension très importante de l'identité juive », 67,4 % des répondants sont tout à fait d'accord, 22,8 % sont assez d'accord, 3,8 % sont assez en désaccord et 0,9 % sont tout à fait en désaccord, tandis que 5,1 % sont incertains ou n'ont pas répondu. Les répondants âgés de 65 ans et plus sont davantage enclins à être tout à fait d'accord (77,7 %). Les Sépharades (72,4 %) sont plus enclins que les Ashkénazes (66,6 %) à être tout à fait d'accord avec cette affirmation. Fait intéressant, à la question de savoir s'ils ont l'impression qu'ils « peuvent vivre une vie juive plus riche en Israël qu'au Canada », les réponses varient, mais penchent légèrement vers le désaccord : 13,6 % sont tout à fait d'accord, 17 % sont assez d'accord, 23 % sont assez en désaccord et 26,3 % sont fortement en désaccord. Une importante proportion (21,1 %) des répondants demeurent « incertains » ou n'ont pas répondu.

Bien entendu, au cours des dernières décennies, Israël a aussi fait l'objet de débats internes et de conflits dans la diaspora juive, dans le contexte du conflit israélo-palestinien. Les Juifs de Montréal semblent manifester à la fois le désir d'appuyer fortement Israël et une grande tolérance à l'endroit des débats et des désaccords à propos de la politique israélienne. Lorsque les répondants doivent se prononcer sur l'affirmation suivante : « Les Juifs canadiens ne devraient pas faire ouvertement la critique des politiques du gouvernement d'Israël », les réponses sont, ici encore, assez variées. Le quart des répondants (25,1 %) sont tout à fait d'accord, le quart (25,6 %) sont assez d'accord, 20 p. cent sont assez en désaccord et 16,7 % sont fortement en désaccord ; 12,5 % sont incertains ou n'ont pas répondu à cette question. Les répondants âgés de 65 ans et plus sont particulièrement enclins à être d'accord avec cette affirmation. Ceux dont le revenu familial dépasse 100 000 $ (52,5 %) et les Juifs réformés ou séculiers (54,1 %) sont les plus enclins à être en désaccord. Il reste à définir jusqu'à quel point les conséquences des conflits récents avec le Hezbollah, le Hamas et potentiellement l'Iran, en parallèle avec la condamnation d'Israël par la communauté internationale, sont susceptibles d'avoir influencé les opinions des répondants.

Conclusion

Il ressort de cette étude que la communauté juive montréalaise est une communauté très diversifiée sur les plans ethnique et religieux. L'environnement particulier qu'est le Québec a certainement eu une influence sur la communauté, entre autres en ce qui concerne les migrations externes. Par contre, l'appui gouvernemental accordé aux écoles juives a joué dans l'autre sens. De manière générale, les Juifs de Montréal connaissent des problématiques similaires à ceux qui vivent ailleurs sur le continent dans leurs luttes contre l'assimilation.

Qui plus est, en comparaison d'autres villes en Amérique du Nord, Montréal se classe à un rang très élevé en ce qui concerne les enjeux relatifs à la « qualité » de la vie juive. C'est dans cette ville que le taux de mariages mixtes est le plus bas parmi les diverses communautés juives d'Amérique du Nord ; de plus, la communauté juive montréalaise entretient un lien très solide avec Israël. Voilà, jusqu'à un certain point, le résultat de la prédominance des Juifs orthodoxes et sépharades à Montréal, deux groupes qui se classent à un rang plus élevé lorsqu'il est question de la pratique du judaïsme et de l'identité juive, contrairement aux confessions ashkénazes réputées plus libérales. Le taux de naissance relativement élevé des orthodoxes et des ultra-orthodoxes ainsi que le taux élevé de mariages mixtes chez les plus libéraux auront certainement un effet sur la composition démographique de la communauté juive de Montréal au cours des prochaines décennies.

Les communautés hassidiques de Montréal

Julien Bauer

Département de science politique, UQAM

HASSID A CHANGÉ DE SENS. À l'origine, en hébreu, *hassid* désigne une personne dont la pratique morale et religieuse est supérieure à la norme. La terminologie s'applique à un individu exceptionnel et non à des groupes, des sectes. Plus tard, à l'époque du Second Temple, *hassid* prend le sens d'ascète. Au Moyen Âge, le *Sefer ha Hassidim*, le livre des *Hassidim*, ouvrage de Juifs de l'Allemagne médiévale (XIIᵉ et XIIIᵉ siècles), présente un code de bonne conduite pour une personne juste, intègre. À nouveau, ce sont des individus hors du commun qui sont ainsi qualifiés.

Une nouvelle signification apparaît à la fin du XVIIIᵉ siècle. Le *hassid* n'est plus une personne plus proche de Dieu par ses qualités personnelles, mais un membre ordinaire d'une secte hassidique. C'est l'appartenance au groupe qui prime.

Le fondateur du hassidisme est Israël ben Eliezer, connu sous le nom de Baal Shem Tov, le « Maître du Bon Nom ». Né dans un village de Podolie, sans doute en 1700, occupant des emplois mal rémunérés, le Maître commence à être connu pour sa piété, sa méditation, ses qualités de thaumaturge, son charisme. Il attirait des érudits mystiques, à qui il expliquait comment atteindre l'extase, et les masses, à qui il présentait une façon différente d'être Juif. Au lieu de l'insistance sur les études religieuses, le Maître ouvrait la voie à tous. Si l'homme est prêt à adhérer à Dieu, non seulement pendant la prière et l'étude mais en tout temps, s'il suit le *rebbe*, s'il participe à la vie communautaire, il devient aussi pieux, *hassid*, que les lettrés. Cette approche, dans une Europe centrale et orientale où la vie des Juifs était misérable, a attiré quantité d'adeptes. Deux générations après le Baal Shem Tov se sont établis des groupes hassidiques distincts, chacun autour de son *rebbe*, connu sous le nom de la localité d'origine de ce dernier.

Le *rebbe* n'est pas un rabbin, un maître du *Talmud*, un expert en loi religieuse juive, encore que plusieurs *rebbes* l'aient été et le soient. Un *rebbe* est d'abord et avant tout un *tsadik*, un juste, un leader charismatique, un point de rencontre entre Dieu et ses disciples. Comme intermédiaire entre Dieu et les hommes, le *rebbe* transmet le message divin aux *Hassidim* et aide les *Hassidim* à mieux adhérer au divin. Les Juifs orthodoxes de l'époque, horrifiés par le culte du *rebbe*, par le peu d'importance accordée à l'étude, par de nouvelles pratiques, par le populisme, se sont opposés au hassidisme, d'où leur nom de *mitnaggedim*, les « opposants ». Leurs maîtres à penser étaient des érudits, des directeurs d'instituts d'études supérieures talmudiques. Tout autant orthodoxes les uns que les autres, la distinction était claire entre les deux groupes.

De nos jours, on a tendance, en particulier à Montréal, à qualifier de *Hassidim* tous les orthodoxes, y compris ceux qui suivent la philosophie *mitnaggede*. Dans le vocabulaire courant, tant chez les non-Juifs que chez les Juifs, tout homme barbu, habillé en noir, couvert d'un chapeau noir, extrêmement méticuleux dans le respect des traditions, depuis la nourriture cacher jusqu'à la séparation entre les sexes, est appelé *hassid*. Il faut dire qu'un rapprochement s'est opéré entre les deux courants: les *Hassidim* valorisent l'étude, ont leurs propres écoles supérieures de *Talmud*, les *mitnaggedim*, avec des nuances, accordent à leurs rabbins talmudistes une vénération qui rappelle celle accordée par les *Hassidim* à leurs *rebbes*. Ce rapprochement n'empêche pas les intéressés de savoir à quel groupe ils appartiennent, hassidique ou non. Dans le cadre de ce chapitre, *Hassidim* signifie « personnes membres d'un groupe qui vénèrent un *rebbe* spécifique ».

La population juive de Montréal a été créée par des vagues successives d'immigration, les premières consistant en familles et individus plutôt que groupes, l'immigration de masse commençant autour de 1900. Ces immigrants venaient d'Europe centrale et orientale, parlaient yiddish, étaient souvent influencés par le socialisme. La dimension religieuse était présente comme en témoigne la construction de synagogues, la multiplication de services religieux comme la nourriture cacher, les cours de religion, les confréries du dernier devoir, etc. Mais les Juifs orthodoxes, ceux qui respectaient intégralement le repos sabbatique et les règles diététiques, n'étaient qu'une petite minorité. Il était en effet extrêmement difficile pour des immigrants démunis de refuser de travailler du vendredi avant la tombée de la nuit – donc très tôt en hiver – au samedi après la tombée de la nuit. Parmi ces rares orthodoxes, il n'y avait aucun *hassid*.

Les *Hassidim*, dans leur immense majorité, avaient suivi les conseils de leurs *rebbes* et étaient restés en Europe. Cela explique que la Shoah ait particulièrement frappé les *Hassidim* étant donné que, contrairement aux autres groupes, religieux ou non, ils étaient concentrés en Europe.

Comme pour tous les groupes, des légendes circulent sur l'arrivée des premiers *Hassidim* au Canada. Elles concordent pour signaler la présence de quelques *Hassidim*, en nombre infime, pendant les années 1940. Ils avaient réussi un double tour de force : fuir l'Europe nazie et entrer au Canada, dont les portes étaient closes à l'immigration. Ce n'est qu'après la guerre, à partir de 1948, que commencent à arriver, en nombre limité, des *Hassidim* survivants de la Shoah. Ils étaient presque tous passés par Paris, plaque tournante de l'émigration juive d'après-guerre, là où les apatrides pouvaient obtenir un « titre de voyage ». S'ils pouvaient prouver qu'ils avaient de la famille au Canada, hassidique ou non, ils obtenaient un permis d'entrée au pays. La majorité avaient les yeux fixés sur les États-Unis et considéraient le Canada à la fois comme le pays leur permettant de quitter l'Europe qui avait assassiné leurs familles et comme un tremplin vers les États-Unis. Cette vision du Canada comme étape vers les États-Unis était partagée par de nombreux immigrants de toutes origines. Certains ont réussi à entrer aux États-Unis, d'autres sont restés au Canada, d'autres enfin ont trouvé de nouveaux pays d'accueil. Une version, qui n'a pas été retenue par la mémoire collective, soutient, au contraire, qu'il y avait déjà quelques Hassidim à Montréal avant la guerre (Steven Lapidus, « The Forgotten Hasidim : Rabbis and Rebbes in Prewar Canada », Canadian Jewish Studies, 12, 2004, p. 1-30). Comme pour tous les émigrants, les études sur ceux, Juifs ou non, *Hassidim* ou non, qui ne sont pas restés au Canada, sont quasi inexistantes. Quels que soient les flux migratoires, vers le Canada ou hors du Canada, un nombre significatif de *Hassidim* ont choisi de vivre à Montréal. Pour la seule localité d'Outremont, où habitent la majorité des Hassidim, leur population est passée de quelques dizaines à la fin des années 1940 à environ 4 500 en 2001.

Les *Hassidim* de Montréal appartiennent à des groupes transnationaux de tailles très variables, certaines regroupant plus de 100 000 adeptes dans plusieurs pays, d'autres à peine quelques milliers. Des dix groupes présents dans la région montréalaise, cinq constituent plus de 90 % du total et cinq moins de 10 %. Après le nom de chaque groupe, nous avons précisé l'origine territoriale.

Les cinq plus nombreux sont, dans l'ordre alphabétique, ceux de *Belz* (Galicie), de *Loubavitch* (Russie), de *Satmar* (Hongrie), de *Skver* (Ukraine) et de *Tash* (Hongrie); les autres sont ceux de *Bobov* (Galicie), de *Bretslav* (Podolie), de *Klausenburg* (Transylvanie), de *Munkacs* (Hongrie) et de *Viznitz* (Bucovine). Seuls les survivants de la Shoah peuvent avoir un lien direct avec, sinon le lieu d'origine du groupe, du moins la région. La majorité des *Hassidim* montréalais sont des descendants de membres de ces centres hassidiques mais sont, eux-mêmes, nés en Amérique du Nord. Le hassidisme montréalais n'est plus une survivance de l'Europe mais une réalité nord-américaine.

Jusqu'à récemment, chaque groupe hassidique avait son *rebbe*, leader charismatique incontesté. Deux exceptions à cette règle : le fondateur de *Bretslav*, Nahman (1772-1811), n'a jamais été remplacé et, de ce fait, le groupe a des leaders mais non pas un *rebbe*. Lorsque le *rebbe* de *Loubavitch*, Menahem Mendel Schneerson, est mort en 1994, aucun successeur n'a été nommé, ce qui n'empêche pas le groupe de se développer. Pour les autres groupes, depuis une génération, un nouveau phénomène a émergé. Lorsque les *Hassidim* n'arrivent pas à s'entendre sur la personne du successeur (traditionnellement un des fils ou un des gendres), ils répartissent la couronne entre deux, voire trois *rebbes*. Ainsi, à la mort de Yoël Teitelbaum, *rebbe* de *Satmar*, en 1979, deux fils sont devenus *rebbes*, un à Williamsburg (Brooklyn), l'autre à Monsey (New York).

Assister à une cérémonie présidée par le *rebbe* ou, encore mieux, obtenir un entretien privé avec lui, est le rêve d'un *Hassid*. Les *Hassidim* de *Tash* ont leur *rebbe* sur place, les autres se déplacent soit vers New York soit vers Israël, là où résident la majorité des *rebbes*. Il n'est pas jusqu'aux sépultures des *rebbes* sans remplaçant qui n'attirent les fidèles, *Loubavitch* à New York, *Bretslav* à Ouman (Ukraine). C'est une des raisons qui expliquent le grand nombre de *Hassidim* que l'on voit voyager vers les États-Unis et Israël.

Localisation

Les *Hassidim* arrivant à Montréal ont, comme presque tous les immigrants de l'après-guerre, remonté la *Main*, le boulevard Saint-Laurent, et se sont installés à proximité, entre Saint-Laurent et l'avenue du Parc, Laurier et Van Horne. Les immigrants d'autres origines ont choisi de s'établir plus tard dans d'autres quartiers comme Saint-Michel, Parc-Extension, y ont créé des enclaves italiennes, grecques, portugaises, laissant le Plateau-Mont-Royal à des immigrants plus récemment installés. Les *Hassidim* sont restés très proches de leurs premiers logements et se sont établis, pour la plupart, à Outremont, de Jeanne-Mance à de Vimy et de Bernard à Ducharme. Deux exceptions à cette tendance générale sont à noter, *Loubavitch* et *Tash*.

Les *Hassidim Loubavitch*, dont la philosophie est originale par rapport à celle de presque tous les autres groupes hassidiques, cherchent non seulement à maintenir et à développer leur propre communauté mais ont une politique de missionariat : ils veulent convaincre tous les Juifs, quel que soit leur niveau de religiosité, des bienfaits de mener la vie la plus religieuse possible et, encore mieux, de devenir des adeptes *Loubavitch*. Cette ouverture sur le monde explique en partie le choix fait, dans les années 1960, de quitter le quartier hassidique traditionnel, Outremont, pour établir leur centre au coin de Westbury-Plamondon à proximité du boulevard Décarie, dans ce qui était, à l'époque, le centre de la vie juive non hassidique. Le nouvel emplacement a accentué les distinctions intra-hassidiques, la majorité restant à Outremont, *Loubavitch* rejoignant Westbury.

Pour des raisons diamétralement opposées, quitter la ville, considérée comme un lieu de perdition, et créer une communauté coupée au maximum de son environnement, les *Hassidim Tash* ont déménagé dans ce qui était dans les années 1960 des champs, près de Boisbriand, au nord de Montréal. Un *Hassid Loubavitch* habite Snowdon, côtoie des Juifs non hassidiques et non religieux, côtoie également des non-Juifs ; un *Hassid Tash*, dans la vie quotidienne de son quartier, ne rencontre que d'autres *Hassidim* de son groupe.

Loubavitch a créé, sous le nom de Chabad (initiales de Chochma, Bina, Daat, termes hébreux qui signifient en français : sagesse, intelligence et connaissance, des symboles de la philosophie du mouvement), des centres dans Montréal (Van Horne, du Parc, Reine-Marie), dans des banlieues (Côte-Saint-Luc, en construction,

Hampstead, Dollard-des-Ormeaux, Saint-Laurent), dans les Laurentides (Sainte-Agathe), dans un quartier industriel (Chabanel), sans oublier un Chabad étudiant (Peel). Ces centres sont ouverts à tous ceux qui veulent se rapprocher du judaïsme. De plus, dans plusieurs synagogues classiques, un nombre croissant de rabbins et d'officiants *loubavitch* sont actifs. Les *Loubavitch*, avec leur politique délibérée d'expansion et de création de ce que nous appelons des *compagnons de route*, des Juifs attirés par un Chabad sans être orthodoxes, se différencient de tous les autres groupes hassidiques – à l'exception de celui de Bratslav –, qui n'ont rien contre le fait d'accepter de nouveaux adhérents spontanés mais ne cherchent pas à les attirer.

Une étude récente, *Les Hassidim et les ultra-orthodoxes du Grand Montréal*[1], donne des indications et présente des projections sur la population hassidique et ultra-orthodoxe (c'est-à-dire non hassidique) de la région montréalaise.

Pour 2010, cette population est estimée à 18 450 individus (p. 37), répartis en quatre zones: Outremont avec environ un tiers, Côte-des-Neiges Est (où résident la majorité des ultra-orthodoxes non hassidiques et se trouvent leurs institutions scolaires) avec un peu plus de 20 %, Côte-des-Neiges Ouest et Snowdon (siège de *Loubavitch*), avec un peu plus du quart et, enfin, Boisbriand (*Tash*) avec 15 %. En raison du taux de natalité extrêmement élevé, des familles de cinq ou six enfants constituent la norme et des familles de dix enfants et plus ne sont pas exceptionnelles, la population hassidique augmentant de près de 5 % par an, soit un doublement en une quinzaine d'années. Si la tendance se poursuit, les projections indiquent que *Hassidim* et ultra-orthodoxes seront 49 000 en 2030. Leur répartition géographique sera passablement différente de celle du tableau actuel. Le pourcentage vivant à Côte-des-Neiges Est sera en régression relative (10 % du total), Côte-des-Neiges Ouest et Snowdon ainsi que Boisbriand en augmentation (un tiers chacun) et Outremont passera d'un tiers à un quart. Outremont ne sera plus le centre principal du hassidisme montréalais, mais sera dépassé par Côte-des-Neiges Ouest et Boisbriand.

À ce changement dans la répartition spatiale s'ajouteront inévitablement, nous le croyons, d'autres transformations. Pour des

---

1. Coalition d'organisations hassidiques d'Outremont, *Les hassidim et les ultra-orthodoxes du Grand Montréal*, Outremont, 2005.

raisons inhérentes à leur mode de vie, les *Hassidim* logent dans des quartiers spécifiques où ils trouvent, à proximité, les services dont ils ont besoin : lieux de prière, bains rituels, commerces d'alimentation cachère, etc. Cela ne peut qu'exercer une pression à la hausse sur le coût du logement, ce qui oblige un nombre croissant de *Hassidim* à quitter Outremont. Deux options se présentent : une émigration de type individuel et une émigration de type collectif. Par individuel, nous entendons le choix d'une famille de se loger en dehors des centres traditionnels, dans des quartiers qui offrent des services religieux généraux et non pas hassidiques (synagogues non hassidiques, produits cachers, etc.). Cela entraînera un glissement de familles vers l'ouest, Côte-des-Neiges, Côte-Saint-Luc, Saint-Laurent, etc. Par collectif, nous entendons un choix délibéré de créer un nouveau quartier hassidique, comme l'ont fait *Loubavitch* et *Tash*. Là où existe un potentiel de construction de nouveaux quartiers, sur l'île de Montréal ou dans sa périphérie, il est vraisemblable que des quartiers hassidiques y voient le jour. Comme nous le précisons plus bas, ces développements nécessiteront la création de lieux de prière spécifiques, de jardins d'enfants, sans doute d'écoles primaires, de commerces *cachers*, mais leurs résidents pourront s'en remettre aux centres traditionnels pour les services qui ne nécessitent pas une proximité immédiate, comme les écoles secondaires, les centres d'études talmudiques, les commerces spécialisés où les consommateurs ne vont qu'occasionnellement (librairies, objets de culte, meubles pour enfants, etc.). Les *Hassidim* seront ainsi à la fois plus nombreux et plus dispersés.

Institutions hassidiques

Au fur et à mesure que les *Hassidim* sont passés de quelques familles à des petits groupes, ils ont créé leurs propres institutions. Cela suppose une masse critique qui varie selon les services. Lorsque celle-ci n'est pas atteinte, ou pose des problèmes majeurs, les *Hassidim* partagent des institutions avec les autres Juifs orthodoxes.

La première étape dans la constitution d'un groupe hassidique spécifique est l'établissement d'un *shtibl*. Les *Hassidim* de tous les groupes ont un point commun qui les distingue des autres Juifs. Ils refusent la synagogue avec ses pompes et ses œuvres, symbole de l'assimilation aux valeurs occidentales, bâtisse sans âme qui empêche, de par sa taille même, la communion, le chant, la danse, bref la spontanéité. Ils lui préfèrent le *shtibl*, la «petite pièce», où ont lieu à la fois prières et études, discussions et repas. Au lieu de sièges comme dans les synagogues, on y trouve des bancs et des tables pour l'étude talmudique ou les repas communautaires. Tous les groupes présents à Montréal ont leur *shtibl*, quelquefois plusieurs, y compris les groupes dont le nombre réduit ne justifie aucune autre activité particulière. Le *shtibl* est sans doute l'institution la plus facile à créer. Il suffit d'un groupe de dix hommes ou plus et d'un local. Les frais sont minimes; chacun est capable de conduire la prière collective; chacun, à tour de rôle, assure le nettoyage. Lorsque le *shtibl*, malgré tout, prend la taille d'une synagogue, ce qui est le cas à la fois des *Loubavitch* et des *Satmar*, les frais d'entretien restent beaucoup plus bas que ceux d'une synagogue, car il n'y a pas de personnel clérical rémunéré, en particulier pas de chantre. En soi, le *shtibl* affirme l'existence d'un certain groupe de *Hassidim* dans une ville donnée. Outre le local, un certain nombre de variations liturgiques distinguent les *Hassidim* des autres Juifs et les *Hassidim* entre eux. Tous les groupes, même les plus petits comme ceux de *Bobov*, de *Klausenburg*, de *Munkacs* et de *Viznitz*, ont leur *shtibl* et les grands groupes en ont plusieurs.

   Pour non seulement affirmer une présence d'un groupe hassidique spécifique mais assurer la reproduction du groupe, le recours à des écoles s'impose. Avant la constitution de ces écoles, les *Hassidim* envoyaient leurs enfants dans deux écoles orthodoxes non hassidiques, Yeshiva Gedolah pour les garçons et Bet Jacob pour les filles. Les écoles assuraient une séparation des sexes, considérée comme indispensable par les *Hassidim* et les *mitnaggedim*. Elles insistaient, surtout Yeshiva Gedolah, sur l'enseignement religieux au détriment de l'enseignement général. Elles employaient, parmi leurs enseignants de religion, aussi bien des *mitnaggedim* que des *Hassidim*. Cependant, chaque groupe hassidique rêvait de reconstituer la vie juive d'avant la Shoah où chaque groupe avait son école. Cela suppose un minimum de familles et un gigantesque effort d'organisation. Six groupes ont réussi à ouvrir des écoles hassidiques pour garçons (*Belz, Loubavitch, Satmar, Skver, Viznitz* et *Tash*) et cinq des écoles pour filles (*Belz, Loubavitch, Satmar, Skver* et *Tash*). Le fait même d'avoir des écoles est une prouesse. C'est aussi une source inépuisable de difficultés de gestion. Les subventions publiques, très appréciées, s'accompagnent d'exigences sur la langue d'enseignement, les programmes et les horaires, exigences qui vont de soi mais sont très difficiles à appliquer. L'immense majorité des *Hassidim*, surtout à Outremont, et des *Tash* ont comme langue d'usage le yiddish, l'anglais venant derrière et le français encore plus loin. Les *Hassidim* estiment justifié que les filles aient une éducation générale et non seulement juive; c'est différent pour les garçons. Ceux-ci *doivent* étudier et l'étude, c'est la religion. La valorisation de l'éducation religieuse se fait au détriment de l'éducation générale. La question nous paraît insolvable: le ministère de l'Éducation du Québec ne peut pas imposer une philosophie de l'éducation à ceux qui n'en veulent pas, les *Hassidim* ne peuvent pas ne pas tenir compte des programmes d'un ministère dont ils reçoivent des subventions. Celles-ci ne couvrent qu'une partie des dépenses liées à l'enseignement général. Pour l'enseignement religieux, le coût est totalement pris en charge par le groupe hassidique. Comme les familles sont nombreuses et souvent à la limite de la pauvreté, les frais scolaires ne peuvent être élevés. Même si les salaires des enseignants religieux sont faibles, il n'en demeure pas moins que ceux-ci reçoivent souvent leur salaire avec des semaines, voire des mois de retard. Les *Loubavitch* présentent un tableau différent: leurs écoles ne se limitent pas aux adeptes du groupe mais sont ouvertes à tous ceux intéressés par le genre d'éducation offert. Les *Hassidim* tiennent à leurs écoles mais ont du mal à les gérer.

Deux autres types d'institutions ont été créés, dans la mesure du possible, par les groupes hassidiques: les bains rituels et les confréries du dernier devoir. Les bains rituels pour femmes jouent un rôle essentiel dans la vie juive orthodoxe. Les femmes hassidiques ont le choix entre des bains rituels ouverts à toutes les femmes et, si le groupe auquel elles appartiennent est en mesure de les créer, des bains spécifiques au groupe. Par contre, la demande de bains rituels pour hommes étant surtout concentrée dans la population hassidique, plusieurs *shtibl* ont ouvert leurs propres bains rituels pour hommes.

Le judaïsme rabbinique spécifie un certain nombre de règles concernant la purification des corps, la garde des corps jusqu'à l'enterrement en terrain consacré. Pendant très longtemps, les Montréalais ont eu le choix entre une maison funéraire juive, Paperman, et des petites confréries dites du « dernier devoir », surtout hassidiques. Presque toutes les synagogues possèdent leur propre zone dans un cimetière. Les *Hassidim* ont organisé leurs propres sections dans différents cimetières, mais rencontraient un problème pour la préparation des corps. D'autres Juifs religieux souhaitaient la création d'une maison funéraire ultrareligieuse. En effet, les confréries du dernier devoir étant composées de volontaires, elles avaient tendance à ne vouloir s'occuper que des morts de leurs groupes. Une nouvelle maison funéraire a été créée, à la fois pour les *Hassidim* et les Juifs religieux non hassidiques, Hesed Chel Emet. La majorité de ses employés sont hassidiques. Chaque groupe hassidique a gardé sa concession dans un cimetière dont l'utilisation de fait est réservée aux membres du groupe. Les *Hassidim*, comme tous les Juifs très religieux, accordent une grande importance au bénévolat pour les morts, la purification ou la garde du corps étant considérées comme un devoir religieux exceptionnel car totalement bénévole, le bénéficiaire ne pouvant, et pour cause, exprimer sa reconnaissance. Ils encouragent leurs membres à participer à ce devoir. Les *Loubavitch* se sont acquis la réputation d'être toujours prêts à aider les personnes en deuil, en particulier pour assurer le quorum minimal de dix hommes nécessaires aux prières à la maison, pendant la semaine qui suit l'enterrement.

Beaucoup plus complexe est la question de la nourriture *cachère*, qui touche toute la population hassidique et qui nécessite des contacts avec les autres groupes juifs et avec les pouvoirs publics. La *cacherout* est l'ensemble des lois diététiques du judaïsme[2]. Dans le domaine de l'abattage rituel, les *Hassidim* avaient introduit une nouvelle méthode pour aiguiser les couteaux. Cela a créé des conflits majeurs entre *Hassidim* et *mitnaggedim*, entre *cacherout* régulière et super-*cacherout* appelée *Glatt*. La querelle est aujourd'hui quasiment réglée. Le cas de Montréal est probant à cet égard.

À Montréal, un organisme central, le Vaad Ha'ir, le Conseil de la communauté juive de Montréal, est responsable en particulier des opérations d'abattage rituel ; il donne aux consommateurs la garantie que certaines boucheries et comptoirs de viande dans les grandes surfaces ne vendent que de la viande cachère. Les demandes des consommateurs varient de la majorité qui veut que la viande cachère soit certifiée telle par une autorité rabbinique reconnue à des minorités qui veulent, en plus, que l'abatteur appartienne à un groupe spécifique et adhère aux coutumes de ce groupe. Les minorités sont presque toutes hassidiques. La réponse du Conseil a été modulée.

---

2. Voir Julien Bauer, *La nourriture cacher*, Paris, Presses Universitaires de France (coll. «Que sais-je ?»), 1995.

Parmi ses employés se trouvent des *Hassidim*. Le Conseil accepte que ceux-ci apposent une double identification sur les quartiers de viande, la première indiquant que la viande est cachère selon les normes du Vaad, la deuxième qu'un groupe hassidique spécifique donne également son accord. Dans le même ordre d'idées, certaines boucheries qui exhibent un panneau du Conseil garantissant que les produits sont cachers, sont connues pour ne vendre que de la viande provenant de spécialistes affiliés à un groupe hassidique spécifique.

Les approches divergentes auraient pu conduire à des frictions entre une autorité religieuse générale et des groupes hassidiques particuliers, ce qui historiquement a souvent été le cas. Dans la pratique, un consensus a prévalu, ce qui donne une idée de la place des *Hassidim* dans le système religieux. Le Conseil est suffisamment puissant pour établir sa légitimité communautaire, il est suffisamment ouvert pour incorporer les *Hassidim* et respecter leurs coutumes. De leur côté, les *Hassidim* ont reconnu les avantages de s'inscrire à l'intérieur d'un système religieux non hassidique pour améliorer les services offerts à leurs membres.

Les *Hassidim* jouent un rôle prépondérant dans le commerce de détail de produits cachers : boucheries, boulangeries, épiceries... Ils comptent parmi leurs clients d'abord les membres de leur propre groupe, puis les autres *Hassidim*, les Juifs religieux qui ne consomment que des produits cachers, enfin tous ceux, Juifs ou non, qui apprécient certains produits typiques. L'alimentation cachère est non seulement une source de revenus importante pour les *Hassidim*, mais elle les pousse aussi à avoir des relations avec d'autres éléments de la population juive.

Aux institutions directement liées à la religion – *shtibl*, écoles, bains rituels, confréries du dernier devoir, *cacherout* – s'ajoute un filet très serré d'organisations d'entraide qui encadre tous les aspects de la vie. Les personnes malades recourent à Hatzallah, un organisme de premier secours pour les personnes en situation de crise de santé. Ses bénévoles parlent presque tous yiddish, sont orthodoxes mais se déplacent lors du *shabbat* et des jours de fête pour aider les patients, leur trouvent ambulances et hôpitaux, bref établissent un lien entre le patient, le plus souvent très religieux et fréquemment *Hassid*, et les services de santé.

Les personnes en difficulté financière qui ne peuvent obtenir de prêt d'une banque pour leurs petites entreprises peuvent s'adresser à des sociétés de prêt sans intérêts. Une multitude de *gemachs*, des organisations de prêt sans intérêts, visent quasiment tous les domaines depuis les prêts d'articles de santé (fauteuils roulants, cannes, béquilles, appareils à dyalise...) jusqu'aux robes de mariées, depuis des meubles d'enfants jusqu'à des livres spécialisés, depuis des téléphones cellulaires jusqu'à des chaises pliantes, depuis des vêtements jusqu'à de la vaisselle. Un *Hassid* peut ainsi compter sur l'aide discrète d'un *gemach* dans toutes sortes de circonstances.

Dans l'Europe d'avant-guerre, la place des femmes hassidiques en public était des plus limitées. Elles avaient de quoi s'occuper avec leurs familles nombreuses et leurs tentatives de gagner quelques sous pour survivre. En Amérique du Nord, plus précisément au Québec, les pressions du monde moderne ont entraîné des changements dans les activités hassidiques, changements généralement reconnus ni par les *Hassidim* eux-mêmes ni par l'extérieur, mais qui sont néanmoins réels. Les femmes, de toutes obédiences hassidiques ou de groupes ultra-orthodoxes non hassidiques, ont de plus en plus l'occasion, et dans ce milieu une occasion devient rapidement un encouragement, à participer à des groupes de femmes. Les activités de ces groupes couvrent de multiples facettes. L'aspect éducatif est assuré par des cours, des conférences, des sessions d'études. L'aspect culturel se manifeste dans des spectacles, des pièces de théâtre, des concerts annonçant clairement que la salle est ouverte exclusivement aux femmes et aux filles et donc fermée aux hommes. L'aspect récréatif comprend des journées spéciales dans des parcs aquatiques, à nouveau strictement réservées aux femmes. On est loin de la mixité hommes-femmes en vigueur dans la société, mais on assiste à une reconnaissance officielle par les leaders hassidiques de la nécessité de prévoir des activités publiques pour les femmes.

Toutes ces institutions, traditionnelles ou nouvelles, créent un réseau d'organisations, de sociétés, de groupes le plus souvent tellement discrets que le grand public, et même le public orthodoxe, ne les connaît pas. Elles n'en contribuent pas moins à la socialisation des *Hassidim* en général, et des femmes en particulier.

Projections

Les *Hassidim* ont non seulement survécu à la Shoah : leur nombre augmente. Comme nous l'avons signalé plus haut, Outremont ne sera plus le centre de la vie hassidique à Montréal, mais un des centres avec Côte-des-Neiges-Ouest et Boisbriand. À ce déplacement du centre de gravité vers l'ouest et, partiellement, hors Montréal, s'ajoute un nouveau phénomène. Depuis quelques années, un groupe original hassidique est en train de s'implanter à Montréal, celui des *Bretslav*. Ces *Hassidim* sont différents des autres. Ils n'ont pas de *rebbe*, le fondateur Nathan n'ayant pas eu de successeur. Ils ne sont pas des descendants du judaïsme d'Europe centrale et orientale. Ils n'habitent pas Outremont. Le groupe des *Bretslav* montréalais est majoritairement composé de Juifs originaires du Maroc, attirés par la philosophie de cette branche hassidique. Leur premier centre a été ouvert à Côte-Saint-Luc, et un deuxième est en cours de formation à Ville Saint-Laurent, en dehors des zones hassidiques traditionnelles. Pour la fête de Soukkot, ils ont organisé une fête le soir du 5 octobre 2009 dans une rue à Côte-Saint-Luc. Certains avaient une tenue facilement reconnaissable, grande kippa blanche surmontée d'un pompon et le nom de Nahman brodé sur le pourtour, d'autres non. La langue parlée par la majorité des participants étaient le français, et les discours ont tous été prononcés en français. On est loin du stéréotype du *Hassid* ultramontais.

Le succès de *Bretslav* est dû, entre autres, à un aspect peu connu mais fondamental de l'approche hassidique : si chacun doit observer méticuleusement tous les préceptes du judaïsme, cela doit se faire dans la joie –, « servez Dieu dans la joie ». L'appartenance à un groupe hassidique rassure et réjouit. Elle rassure en offrant au *Hassid* un cocon qui protège l'individu et sa famille depuis la naissance jusqu'à la mort. Ce cocon va plus loin que les règles de la religion ; il écarte les doutes, il permet de s'en remettre à une puissance tutélaire bienveillante. Le *rebbe* dit exactement quoi faire, comment (conseils pour le travail, le logement, etc.), avec qui (recommandations pour les mariages). Cela n'est pas ressenti comme une intrusion du *rebbe* dans la vie de ses disciples – et si c'est le cas, le *Hassid* peut soit quitter le groupe et le hassidisme, soit changer d'allégeance –, mais comme une force sur laquelle s'appuyer. Contrairement aux autres sectes qui imposent à leurs membres une confiance absolue à l'égard du chef et qui rejettent toute mise en cause de ses pouvoirs, le hassidisme permet non seulement de choisir un *rebbe*, mais d'en changer si le *Hassid* se sent plus à l'aise dans un autre groupe hassidique.

Que le hassidisme ait remis l'étude à l'honneur n'en a pas fait un suppôt de l'intellectualisme, du mépris des réalités concrètes. Loin de leur imposer l'ascétisme, le hassidisme rappelle à ses adhérents que le corps doit aussi se rapprocher de Dieu. Il faut donc jouir des bienfaits accordés par Dieu, non pas dans un sens hédoniste, mais dans l'intention de participer à l'amélioration du monde. Nourriture, boissons alcoolisées, relations sexuelles dans le cadre du mariage, chants, danses ne sont pas tolérés, ils sont recommandés. Non seulement le *Hassid* se sent protégé par son *rebbe*, il a le devoir d'être heureux.

La présence des *Hassidim* ne passe pas inaperçue : habillement, enfants, langue, etc. Et leur nombre ne cesse d'augmenter. Outremont est le seul quartier où se manifeste une opposition, voire une hostilité à leur égard. À Boisbriand, ils vivent à part, et à Côte-des-Neiges Est et Ouest, ils sont une minorité parmi beaucoup d'autres.

Dans l'immédiat après-guerre, il était fréquent que des enfants canadien-français catholiques viennent éteindre l'électricité chez leurs voisins juifs orthodoxes, pas forcément hassidiques, le vendredi soir. Cela a disparu : des appareils automatiques peuvent ouvrir et fermer le courant électrique aux heures prévues, les relations sont moindres entre voisins. L'insularité des *Hassidim* est souvent considérée comme un rejet du Québec. C'est ignorer que cette attitude se retrouve partout où les *Hassidim* vivent, car ils ont tendance à fonctionner en circuit fermé, à exercer un fort contrôle social sur leurs membres, hommes, femmes et enfants, par un réseau d'écoles et d'institutions qui encadrent la vie quotidienne, à repousser les aspects de la modernité qu'ils jugent négatifs, comme l'abandon des valeurs traditionnelles, la promiscuité, etc.

À l'insularité s'ajoute un phénomène spécifique à Montréal, la très forte proportion d'Américains parmi les *Hassidim* et les ultra-orthodoxes. Selon la recherche publiée par la COHO en 2005[3], 22,4 % des *Hassidim* et des ultra-orthodoxes sont nés aux États-Unis (p. 15), plus du tiers sont arrivés récemment des États-Unis, après 1990, et 30,5 % des couples comprennent un conjoint américain (p. 16). Cela entraîne plusieurs conséquences. Les *Hassidim* américains, comme la majorité des Américains, sont persuadés que l'anglais est *la* langue universelle, comprennent mal la dimension française du Québec et sont donc moins intéressés que les autres *Hassidim* à apprendre le français. Ils viennent d'un pays où la religion ou plutôt toutes les religions jouent un grand rôle dans la société, alors qu'au Québec, la religion autrefois officielle, le catholicisme, est quasiment absente

---

3.   Coalition d'organisations hassidiques d'Outremont, *Les hassidim et les ultra-orthodoxes du Grand Montréal, op. cit.*

du débat public. Ils ont l'habitude d'un système politique largement fondé sur le clientélisme. Un nombre très élevé de postes sont soumis aux élections (Congrès, Sénat, État, villes et fonctions de gouverneurs, de shérifs, etc.); les candidats courtisent le vote ethnique; les différents groupes de la société, syndicats, groupes d'intérêt, minorités, ont l'habitude d'échanger leur soutien à un candidat contre une promesse de décisions publiques futures répondant aux attentes des groupes. Le système public et électoral américain, la vie politique de ce pays créent une situation où les minorités, toutes les minorités, y compris les *Hassidim*, jouent un rôle beaucoup plus important qu'au Canada.

Cette présence américaine a deux effets contradictoires. Le premier est d'offrir un modèle, réussi, de relations entre services gouvernementaux et besoins d'une population spécifique. Le cas de la Coalition d'organisations hassidiques d'Outremont, présenté plus bas, va dans ce sens. Le deuxième est d'encourager l'idée, fausse, que les valeurs de la société, le processus décisionnel public, le rôle des groupes, bref l'idée que l'on se fait de la vie politique est semblable au nord et au sud de la frontière.

À Outremont, cœur actuel du hassidisme montréalais, quelques résidents sont obsédés par la présence hassidique, qu'ils considèrent comme un danger pour le Québec. Cette obsession s'est exprimée dans des dénonciations publiques, des articles et caricatures à relents antisémites dans la presse de quartier, des présentations à la commission Bouchard-Taylor et, lors des élections municipales du 19 novembre 2009, l'élection d'une conseillère municipale, Céline Forget, pour qui les *Hassidim* constituent un problème majeur. Quelques années auparavant, un conseiller municipal orthodoxe, mais non *Hassid*, Stanley Pfeiffer, avait été élu. La municipalité est prise entre le désir de servir tous les citoyens, y compris les *Hassidim*, et de ne pas faire trop de vagues face aux anti-*Hassidim*.

Une autre particularité d'Outremont est la COHO, la Coalition d'organisations hassidiques d'Outremont. S'inspirant de l'approche des *Hassidim* de New York qui ont créé des organisations mettant en contact *Hassidim* et pouvoirs publics, la COHO a un double objectif: aider les *Hassidim* à obtenir une formation professionnelle pour trouver un emploi et fournir des services aux *Hassidim* qui veulent lancer de petites entreprises. Avec la création d'emplois, des *Hassidim* peuvent sortir du cycle de la pauvreté, tout en maintenant leur style de vie religieux. Aux études strictement religieuses, la

COHO suggère d'ajouter des études professionnelles, indispensables à l'obtention d'un emploi. L'idéal est une formation conduisant à un emploi où, par exemple, les règles du repos sabbatique et des jours de fêtes sont d'application aisée. La COHO assure un lien entre deux univers jusque-là distincts, celui moderne, bureaucratique de l'État et de ses divers programmes d'encouragement à l'emploi ainsi que celui, insulaire, des *Hassidim*. Une visite aux bureaux de la COHO permet de voir un centre de placement avec ordinateurs et autres outils techniques de même qu'un personnel qui parle yiddish, capable d'expliquer aux intéressés les possibilités qui leur sont offertes. La COHO, comme les *gemach*, est à la fois discrète et efficace.

Face aux *Hassidim* et autres Juifs orthodoxes, les réactions ont changé. Il y a une génération, les vieilles familles d'Outremont, canadiennes-françaises et catholiques, qui étaient attachées à l'Église, aux valeurs traditionnelles, avaient des familles nombreuses et considéraient les *Hassidim* comme des étrangers, bizarres, Juifs de surcroît, mais qui formaient l'image symétrique de la société catholique. De nos jours, les nouvelles élites, québécoises, détachées de l'Église sinon hostiles envers elle, ayant peu d'enfants, dont le nationalisme a remplacé la religion, voient dans les *Hassidim* ce qui ne peut que leur rappeler leurs parents et grands-parents avec l'insistance sur la centralité de la religion et de la famille, la natalité galopante, le rôle réservé en public aux femmes... et, en plus, ces *Hassidim* semblent heureux. Les *Hassidim*, par leur présence même, remettent en cause, sciemment ou inconsciemment, le choix d'un grand nombre de Québécois, en particulier à Outremont, de rejeter la religion.

Les *Hassidim* constituent une minorité croissante dans une population juive en déclin, ils sont largement irréductibles aux modes modernes et postmodernes, ils créent une réalité incontournable qui oblige aussi bien les institutions communautaires juives générales que les institutions publiques à tenir compte d'eux.

Ce n'est pas toujours le cas. La décision prise par le Young Men's-Young Women's Hebrew Association, le centre communautaire et sportif juif, d'ouvrir lors du *shabbat*, le samedi, après un siècle de respect du repos sabbatique, ne peut qu'accentuer les différences entre des institutions juives laïques, en perte de vitesse, et des groupes hassidiques, en croissance. Les municipalités et les quartiers où résident des *Hassidim* doivent prévoir un réaménagement de leurs priorités, non pas pour des raisons politiques ou de relations publiques, mais pour tenir compte de la démographie. Si le nombre d'enfants est en augmentation, la municipalité n'a d'autres choix que de prévoir des jardins, aires de jeux et autres services visant spécifiquement les enfants, tous les enfants. Les majorités, aussi bien juives que non juives, doivent accepter les différences hassidiques. De leur côté, les *Hassidim* doivent accepter les normes sociétales – du moins celles qui ne s'opposent pas à la religion – pour participer, même partiellement, à la vie de la cité. Aucun des deux, ni la majorité de la société, ni les *Hassidim*, ne peuvent imposer leur vision du monde à l'autre. Remettre en cause les grands concepts philosophiques, moraux, religieux peut donner des discussions intéressantes mais au prix de l'accentuation des différences. Il est inévitable, dans une société libérale hétérogène, qu'il y ait des divergences entre les composantes de la société, que ces divergences soient philosophiques, idéologiques, sociales, etc. Selon Rawls[4], une vie politique stable suppose l'existence de ce qu'il appelle un *overlapping consensus*, un consensus imbriqué, accepté par des doctrines religieuses, philosophiques et morales diverses et quelquefois opposées les unes aux autres. Citons, à titre d'exemples, le respect des règles démocratiques, le droit à la santé, la protection des enfants. Ce consensus permet d'atteindre un idéal de justice partagé par tous. Cet idéal, base de la vie démocratique, suppose à la fois une distinction entre démocratie libérale et religion (pour éviter une religion d'État contraignante) et des liens entre politique et religions (pour créer le consensus). Dans cette optique, la majorité de la société et les Hassidim peuvent avoir des approches différentes et néanmoins s'entendre sur des politiques et des programmes au bénéfice de tous. Par une reconnaissance mutuelle de leur légitimité, les deux, sans perdre leurs croyances, peuvent participer au développement d'une société juste.

Quels que soient les rapports entre *Hassidim* et société, ils font et feront de plus en plus partie de la mosaïque montréalaise. Ils y jouent et continueront à y jouer un rôle important, car ils incitent l'ensemble des Montréalais, de toutes origines, à se questionner sur leur(s) identité(s).

---

4. John Rawls, «The Idea of an Overlapping Consensus», *Oxford Journal of Legal Studies*, vol. 7, n° 1, printemps 1987, cité et repris par Ronald F. Thiemann, *Religion in Public Life: A Dilemma for Democracy*, Washington, Georgetown University Press, 1996, p. 80-90.

Bibliographie

Bauer, Julien, *Les Juifs hassidiques*, Paris, Presses Universitaires de France (Coll. « Que sais-je ? »), n° 2830, 1994.

_____, « De la déviance religieuse : le sous-système hassidique à Montréal », dans Rouleau, Jean-Paul et Zylberberg, Jacques (dir.), *Les mouvements religieux aujourd'hui. Théories et pratiques*, Montréal, Bellarmin, 1986, p. 235-260.

Coalition d'organisations hassidiques d'Outremont, *Sondage sur les communautés hassidique et ultra-orthodoxe dans le quartier d'Outremont et les régions environnantes*, Outremont, 1997, bilingue.

_____, *Les hassidim et les ultra-orthodoxes du Grand Montréal. Évaluation des besoins et projections de la population des communautés hassidiques et ultra-orthodoxes du Grand-Montréal*, Outremont, 2005, bilingue.

Encyclopedia Judaica, « Hasidism », Jerusalem, Keter Publishing House Ltd, 2007, volume VIII, p. 393-434.

Heilman, Samuel, *Defenders of the Faith : Inside Ultra-Orthodox Jewry*, New York, Schocken Books, 1992.

Robbechts, E., *Les Hassidim*, Bruxelles, Brepols, 1990.

Rubin, I., *Satmar. An Island in the City*, Chicago, Quadrangle Books, 1972.

Safran, B. (dir.), *Hasidism : Continuity or Innovation ?*, Cambridge et Londres, Harvard University Press, 1988.

Shaffir, William, « Outremont's Hassidim and Their Neighbours : An Eruv and its Repercussions », *The Jewish Journal of Sociology*, 2002, 44 (1 & 2), p. 56-71.

_____, *Life in a Religious Community : The Loubavitcher Hasidim in Montreal*, Toronto et Montréal, Holt, Rinehart & Winston, 1974.

Migrations juives marocaines au Canada ou comment devient-on Sépharade ?

Yolande Cohen

Membre de la Société royale du Canada

Département d'histoire
Université du Québec à Montréal

L'ARRIVÉE AU CANADA d'une vague d'immigrants juifs d'Afrique du Nord, qui ont été poussés à quitter leurs pays dans le contexte de la décolonisation européenne[1], va transformer le visage de l'importante communauté juive canadienne. Le phénomène renforce aussi une distinction entre ces nouveaux venus, principalement des Sépharades, et les Ashkénazes, immigrants plus anciennement établis[2]. En effet, l'arrivée de Sépharades en grand nombre change en moins de 20 ans l'équilibre entre les différentes «nationalités» (ou origines nationales) qui composent la communauté juive de Montréal. Parmi les nouveaux immigrants juifs qui s'installent au Québec après 1960, les Juifs originaires du Maroc constituent le

---

1. En 1948, la population juive d'Afrique du Nord était composée d'environ 550 000 personnes. Dans les années 1980, elle ne compte plus que 30 000 personnes ; près de 20 000 Juifs nord-africains émigrent au Canada, 230 000 (120 000 originaires d'Algérie, 60 000 de Tunisie et 35 000 du Maroc) s'établissent en France et 300 000 en Israël. Jacques Taïeb, «Historique d'un exode : l'émigration des Juifs du Maghreb de la fin des années quarante à nos jours», *Yod*, n⁰ 10, Paris, 1979, p. 88-100.
2. L'histoire juive est marquée par de nombreuses ruptures religieuses et géographiques qui ont donné naissance à différents groupes juifs. L'on regroupe néanmoins les différentes diasporas juives en deux grands ensembles : les Ashkénazes (essentiellement les descendants des Juifs installés dans l'Europe chrétienne médiévale, parlant aussi souvent le yiddish) et les Sépharades. Ces derniers se sont dirigés vers l'Espagne et, après l'Inquisition espagnole, ont fui vers les pays arabes d'Afrique du Nord, mais aussi dans les Balkans et au Machrek. Même s'ils partagent une même liturgie, les rituels religieux des Ashkénazes et des Sépharades diffèrent, de même que leur rapport à l'histoire (colonisation puis départ forcé pour les uns, émancipation occidentale et Shoah pour les autres).

groupe national le plus nombreux. Comptant 7 995 personnes arrivées entre 1960 et 1991 (selon le recensement de 1991), ils sont plus que le double au cours de la même période des Juifs originaires de Pologne (4 250), et bien plus que les Juifs originaires de tous les autres pays (France, Israël etc.). La langue et l'origine ethnique, bien plus que leur pratique religieuse, vont devenir de puissants marqueurs de leur identité recomposée[3].

Dans un contexte où le français est en train de s'imposer comme langue principale de la citoyenneté québécoise, le fait que ces nouveaux immigrants soient majoritairement francophones contribue à changer les termes de la relation entre Juifs et non-Juifs, mais aussi leur rapport avec la majorité ashkénaze essentiellement anglophone. La cohésion linguistique des différents groupes juifs ashkénazes autour de l'anglais (le yiddish n'étant plus qu'une réminiscence) apparaît compromise. Ainsi l'arrivée des Sépharades approfondit le caractère multinational et pluriel de la communauté juive de Montréal (en y ajoutant des caractéristiques linguistiques et culturelles totalement nouvelles), tout en définissant de nouveaux paramètres de la judaïté.

L'intégration des Sépharades dans l'ensemble communautaire et plus largement dans la société québécoise révèle ainsi des processus de re-construction identitaire qui impliquent le retour à des référents anciens et parfois mythiques (l'âge d'or de Sepharad), ainsi qu'une réinterprétation de leurs traditions à la lumière des nouveaux paramètres identitaires québécois. La re-construction d'une identité sépharade dans le contexte communautaire montréalais et québécois diffère de celle de Toronto, autre grande ville canadienne qui accueille un petit nombre de Juifs originaires d'Afrique du Nord, ou de celle que l'on trouve en Israël et en France à la même époque. Au Québec et en France, ce mode d'identification passe par le partage du français comme langue commune avec la société d'accueil, par

---

3.   Il est intéressant de constater qu'au sein de la République laïque française, ce furent les institutions consistoriales mises en place par Napoléon qui définirent durablement le franco-judaïsme, marqué par la confessionnalisation d'un judaïsme acquis aux valeurs républicaines. On y distingue une diversité de croyances et de pratiques, ainsi qu'un pluralisme religieux faisant du judaïsme consistorial ou traditionaliste le centre d'une nébuleuse qui va de l'orthodoxie et la néo-orthodoxie au libéralisme et au «reconstructionnisme massorti». Joëlle Allouche Benayoun, «Diversité et pluralisme religieux au sein du judaïsme», dans Evelyne Martini et Gérard Rabinovitch (dir.), *Connaissance du monde juif*, Champigny-sur-Marne, SCÉRÉN-CRDP de Créteil, 2008, p. 73-84.

le rajeunissement d'une communauté juive vieillissante[4] et par le renforcement du sentiment de cohésion communautaire[5].

On cherchera ici à mieux comprendre ces processus de re-construction identitaire des Juifs marocains à Montréal, qui se caractérisent principalement par le renouvellement des structures communautaires, la construction de nouveaux ensembles institutionnels autour de l'identité sépharade, et leur rapide intégration économique[6]. Je tenterai de montrer d'abord comment s'est réalisée cette reconstitution identitaire, et ensuite combien cette identification au séphardisme est complexe mais salutaire pour les Juifs du Maroc. Car si elle gomme en partie le caractère post colonial de cette immigration, et institue une cohabitation pas toujours heureuse avec le monde juif ashkénaze surtout anglophone, elle est une réponse aux attentes d'une politique en faveur de la francophonie et à celle du multiculturalisme qui a permis l'éclosion de cette communauté dans une ville cosmopolite comme Montréal. Il faut toutefois prendre garde à l'enflure multiculturaliste qui tend aussi à figer les identités dans un substrat communautaire (uniquement juif) au risque de les ghettoïser.

Des Juifs en terre d'Islam aux Juifs originaires de...

Vieilles de près de 2000 ans, les communautés juives d'Afrique du Nord ont connu de grandes transformations, mais pas un exode aussi massif que celui qui a eu lieu à partir de la Seconde Guerre

---

4. En France, on peut voir comme en Israël une inversion de la proportion de Sépharades dans la population juive, qui devient majoritaire avec 60 % des 500 000 à 700 000 Juifs vivant en France en 2007 (alors que la population ashkénaze est majoritaire mondialement avec 12 millions sur 16 millions de Juifs).
5. C'est à Montréal que l'on trouve le plus faible taux de mariages interreligieux (qui est passé de 5,9 % en 1981 à 6,8 % en 1991 dans la communauté, alors qu'il est respectivement de 9,7 % et de 13 % au Canada).
6. Différents types d'intégration ont été étudiés : l'intégration économique réussie des Juifs du Maghreb a été attestée par l'économiste Moldofsky (1969) et par le psychosociologue Jean-Claude Lasry, qui démontre que les membres de la communauté ont pour la plupart réussi à retrouver le niveau professionnel qu'ils avaient dans leur pays d'origine, d'autant que nombre d'entre eux se sont trouvé des emplois dans des entreprises dites ethniques, sépharades ou ashkénazes (Lévy et Labelle, 1995). Leur intégration géographique est aussi attestée par Brière (1990), puisqu'ils s'installent essentiellement dans les quartiers traditionnellement juifs (au centre-ville) et nouvellement juifs (Côte-Saint-Luc), et créent leurs propres référents identitaires entre judéité, francophonie et séphardité (Sourisce, 1996).

mondiale. Forts d'un pluralisme ethnique et religieux multiséculaire, les pays musulmans ont abrité jusqu'à ces toutes dernières années de nombreuses communautés juives, chrétiennes et protestantes de diverses dénominations. En un siècle, les Juifs en terre d'Islam, qui comptaient près d'un million de personnes, ne sont plus aujourd'hui que 65 000 personnes dans l'ensemble de ces pays, avec 25 000 Juifs qui vivent actuellement en Iran, ce qui constitue la plus importante communauté juive dans le monde musulman.

Événement majeur de notre temps, le départ massif des Juifs a d'abord eu pour conséquence de réduire le pluralisme religieux à sa plus simple expression dans ces pays où l'islam est la religion dominante. Quand on sait que le pluralisme religieux est entrevu aujourd'hui comme un des éléments majeurs de la modernité contemporaine, le constat mérite d'être fait. Cette quasi-disparition des Juifs du paysage humain des pays musulmans n'est pas sans conséquence sur les relations qui se tissent désormais entre ces pays et la diaspora. Que deviennent les valeurs majeures de tolérance religieuse, de convivialité et de compréhension qui ont marqué les quatorze siècles de relations entre Juifs et musulmans en terre d'Islam ? Enfin, l'exil massif de ces communautés entraîne la consti- tution d'une diaspora juive des pays musulmans, très diversifiée et encore largement sous le choc de ces départs (forcés pour les uns, volontaires pour les autres).

Ainsi, pour ce qui concerne les Juifs marocains qui se retrouvent principalement en Israël, dans les zones d'influence coloniale pour la France et dans l'espace francophone au Canada, cette vague de grands départs a été vécue comme une dislocation et une (difficile) insertion. La vision nostalgique et parfois mythique de la vie d'avant imprègne alors les représentations que les individus se font de leur histoire et de leur identité (perdue ?). Les processus qui consistent à se réapproprier le passé et à reconstruire une nouvelle identité à partir de la conscience de soi et des autres, permettent d'éviter les replis identitaires souvent associés aux premières générations d'im- migrants[7]. Comment les immigrants sépharades envisagent-ils leur départ du Maroc ? Et dans la mesure où ils ont émigré au Canada, et

---

7.   Après avoir mené plusieurs enquêtes sur les Juifs marocains (avec Yossi Lévy et Marie Berdugo-Cohen, dont l'ouvrage *Juifs marocains à Montréal*, 1987), je participe à l'axe de recherche sur les Juifs originaires du Maghreb-Machrek dans le vaste projet *Histoires de vie des Montréalais déplacés par la guerre, le génocide et autres violations aux droits de la personne* (CRSH-ARUC).

pas en Israël ou en France, quelles sont les représentations qu'ils se font de leur émigration et de leur installation ?

Deux visions de leur départ du Maroc

La représentation des départs du Maroc qui est véhiculée par cette communauté est loin d'être uniforme et partagée par tous, puisqu'étroitement dépendante des conditions particulières à chacun. Elle est marquée par une première vision/division concernant leur rapport à leur départ/déplacement/exil du Maroc. On peut distinguer deux pôles principaux entre lesquels se trouve une variété de positions, qui ont des incidences sur les façons d'envisager l'histoire des rapports entre musulmans et Juifs dans ce pays, mais aussi sur les façons dont ceux-ci vont considérer leur intégration dans leur nouvelle terre d'accueil qu'est le Québec.

Un départ volontaire

Cette représentation du départ massif des Juifs du Maroc est assez majoritaire parmi les personnes interrogées. Elle constitue une tendance lourde (assez optimiste) et qui consiste à dire que la coexistence entre les Juifs et les musulmans au Maroc, au long de ces nombreux siècles, a été marquée par une cohabitation et même parfois par une convivialité plus ou moins heureuse. Cette longue période de cohabitation aurait pris fin à la suite d'événements externes qui ont précipité le départ : la colonisation avec l'établissement d'un protectorat français au Maroc, l'indépendance du Maroc en 1956, la création de l'État d'Israël en 1948 et les guerres israélo-arabes qui se sont ensuivies.

Les tenants de cette interprétation considèrent que ces liens doivent être maintenus et poursuivis par le dialogue interreligieux et intercommunautaire partout où cela est possible. C'est la position classique des dirigeants communautaires et des grandes institutions du judaïsme marocain au Maroc (cela se comprend sans doute), mais aussi à l'étranger (en France et au Canada). Elle permet aux Juifs de continuer de se sentir comme des ressortissants marocains installés à l'étranger et entretient l'illusion tenace d'un retour possible là où le départ est définitif. Mais la possibilité de retourner au Maroc en visite, pour faire des affaires ou tout simplement pour voir des amis ou des membres de la famille (quelque 3 000 Juifs vivent encore au

Maroc aujourd'hui) est continuellement invoquée pour montrer l'importance des liens entre un roi et ses anciens sujets. Cette position, activement revendiquée dans les premières années d'immigration (entre 1960 et 1980), s'estompe désormais pour laisser place à un rapport plus distant et distancé face au Maroc.

Un exil forcé

Une seconde position, plus récente, a émergé à la fin des années 1990 et au début des années 2000, et coïncide avec l'émergence d'un discours de libération post colonial. Cette autre interprétation de l'histoire insiste sur la subordination des Juifs du Maroc aux musulmans sous le régime de la Dhimma, et aux colons français dans un régime où les décrets Crémieux ne s'appliquaient pas à eux. Elle voit dans les humiliations subies les raisons profondes de leur exil massif, dès qu'ils ont été en mesure de le faire. Quelques historiens (Trigano), analystes et dirigeants de la communauté juive américaine, par exemple, proposent cette interprétation de l'histoire des Juifs du Maroc, et vont jusqu'à s'associer à la réclamation de restitution de biens qui ont été spoliés ou confisqués à l'occasion de leur départ précipité du Maroc.

Le déplacement des Juifs du Maroc s'inscrit ainsi dans ces grandes vagues migratoires qui suivent la décolonisation, mais correspond aussi à la nécessité de trouver des rivages plus propices où s'abriter des aléas d'une histoire qui les a vus soumis aux lois de la Dhimma, mais aussi à celles de Vichy et enfin aux nouveaux arbitraires pour ne pas dire à l'antisémitisme renaissant à l'occasion des guerres au Proche-Orient. Entre ces deux positions, qui sont clairement polarisées pour des besoins à la fois politiques et communautaires, il est difficile de frayer un chemin à une narration historique forcément plus nuancée et plus complète. Plus encore, l'existence de ces visions antagonistes et forcément limitées bloque la possibilité de déployer une perspective historique attentive aux gens et aux événements[8].

---

8. Des historiens comme Michel Abitbol, des écrivains comme Marcel Bénabou, des artistes comme Gad Elmaleh, etc., ont été sensibles à cette question. Je l'ai été aussi à ma manière dans le cédérom sur les Juifs marocains, en collaboration avec Joseph J. Lévy, et mes autres ouvrages sur cette question. C'est un thème que je poursuis dans ce nouveau projet de recherche sur les mémoires qui peuvent nous être transmises par les itinéraires individuels. Ce sont ces aspects particuliers de notre mémoire commune que nous aimerions documenter dans notre projet de recherche : comment les individus et

Quelles que soient les raisons et justifications données *a posteriori* à ces départs, ils ont eu lieu et ont conduit les Juifs marocains à rejoindre les communautés juives de la diaspora.

Une histoire d'émigration post-coloniale

L'immigration des Juifs marocains au Québec s'inscrit ainsi dans ce grand mouvement d'émigration qui en l'espace de moins de 30 ans (principalement entre 1950 et 1980) a vu le départ de près de la presque totalité de cette communauté qui comptait quelque 300 000 personnes en 1950. Contrairement aux Juifs d'Algérie qui faisaient officiellement partie de la nation française depuis 1830, les Juifs du Maroc ont subi un protectorat plus tardif et moins envahissant. Toutefois, les Juifs d'Algérie ont bénéficié aussi des institutions consistoriales françaises dès 1848 et surtout des décrets de natura- lisation consentis par l'État français, les fameux décrets Crémieux qui étendaient à la population juive la nationalité française. Ils béné- ficieront en outre, une fois l'Algérie indépendante, des mêmes lois de rapatriement et d'insertion que les Français d'Algérie, et de ce fait émigreront en masse en France. Pour les Juifs de Tunisie et du Maroc, les régimes de protectorat français, établis respectivement en 1882 et 1912 dans ces pays, vont conduire à des situations radi- calement différentes. Transformées par les différentes occupations du territoire marocain par la France (et précédemment par celles du Portugal et de l'Espagne sur certaines enclaves marocaines), les traditions multiséculaires de coexistence entre Juifs et musulmans, certes régies par la Dhimma, se sont trouvées soudain abolies au profit d'un espoir d'émancipation promis par les colonisateurs, et rarement tenu. Confirmant l'exil intérieur ressenti par nombre de Juifs marocains depuis la fin du XIXᵉ siècle, le départ leur apparaît imminent en même temps qu'ils doivent renoncer à une possible intégration à la France. Ainsi ces populations se trouvent-elles prises dans un véritable cul-de-sac : ayant pour une partie d'entre elles adopté le français et sa culture comme moyen de s'émanciper de leur milieu, elles ont rejeté certaines de leurs traditions et coupé

---

leurs familles ont-elles vécu leur immigration à Montréal, dans quel contexte particu- lier leur trajectoire rejoint-elle la grande histoire et pas seulement la mémoire que nous en avons, qui ne peut à elle seule faire office d'histoire. Et comment peut-on aussi la croiser avec celle plus connue de la Shoah ?

une partie de leurs liens avec le monde musulman marocain pour finalement comprendre qu'elles n'avaient pas non plus de place dans la grande nation française.

À cette première dislocation du substrat communautaire traditionnel il faut ajouter un second type de transformations, bien plus fortes encore, engendrées par la Shoah et le processus de décolonisation des années 1950. Cette communauté subit de plein fouet les méfaits des lois discriminatoires du régime de Vichy, qui même si elles ne furent pas entièrement appliquées, les stigmatisèrent de façon durable (*numerus clausus* dans les écoles, couvre-feu, etc.). Ces événements majeurs vont entamer durablement la cohésion de la communauté, déjà fortement ébranlée, et son sentiment d'appartenance nationale.

La création de l'État d'Israël en 1948, l'indépendance des pays maghrébins dans les années 1950 et les crises des années 1960-1970 au Moyen-Orient deviennent alors autant de moments marquant la dislocation de cette communauté. Ses membres émigrent dans plusieurs régions du monde, en Israël, en Europe, en Amérique latine et en Amérique du Nord. La France, qui aurait été la destination privilégiée par nombre d'entre eux, leur est en réalité fermée. La naturalisation française se fera au cas par cas, sur demande individuelle et pour services rendus à la nation, ce qui détournera la plupart des Juifs marocains d'une immigration vers la France. Bien plus, assaillie par le flot de demandes dès l'indépendance du Maroc en 1956, l'administration française freinera de toutes ses forces la naturalisation des Juifs du Maroc, considérée comme trop coûteuse et politiquement peu rentable (compte tenu du nombre important de rapatriés d'Algérie auxquels elle devait répondre et du contexte général hostile aux pieds-noirs). Exclus du pacte post-colonial passé entre la France et ses anciens ressortissants du Maghreb, ils seront sensibles aux aides fournies par les grandes organisations sionistes (qui les mèneront pour la grande majorité d'entre eux en Israël) et juives (américaines et canadiennes en l'occurrence, comme la JIAS[9]) dans leur choix du pays d'immigration.

C'est dans ce contexte, et alors qu'ils cherchent des pays d'accueil au cours des années 1960, que plusieurs milliers de Juifs marocains immigrent au Québec, choisissant cette province en fonction de l'avantage qu'elle présente comme terre américaine francophone

---

9. Jewish Immigrant Aid Services.

accueillante aux immigrants[10]. De fait, ils ne connaissent absolument pas le Québec, et en ont rarement entendu parler, mais réagissent comme cette famille Danan de Marrakech qu'Elias Canetti décrit si bien dans les *Voix de Marrakech*, et qui a embrassé le rêve américain comme si c'était une réalité concrète et tangible. Ils émigrent donc en Amérique française sur la foi du mythe américain et de ses promesses de liberté[11] !

Grâce à ou avec l'aide des grandes organisations juives américaines (la JIAS en particulier et le Joint[12]) qui depuis le début du XXe siècle ont contribué à faciliter l'émigration de milliers de Juifs à travers le monde, les Juifs marocains se retrouvent donc dans un pays inconnu, où ils parlent certes la même langue pour les francophones (majoritaires à côté des Juifs hispanophones et arabophones) qui ont atterri au Québec, mais n'ont pas la même culture. Le dépaysement est total et le sentiment d'étrangeté absolu. Commence une quête identitaire commune à tous les immigrants et qui dans le contexte québécois coïncide exactement avec l'affirmation du fait français (face aux anglophones) et avec la politique du multiculturalisme, préconisée par le gouvernement fédéral. Pour les Juifs du Maroc, ce contexte sera propice à leur réappropriation de l'identité sépharade comme élément moteur du regroupement des différentes composantes de la communauté autour d'eux. Dès lors, les différences entre Juifs originaires d'Algérie, de Tunisie, de France ou des régions du Maroc vont tendre à se fondre dans un creuset commun francophone et sépharade.

10. Les différentes études démographiques consacrées à la population juive distinguent les Sépharades des Ashkénazes. Si l'on reprend les chiffres par lieux de naissance, on constate que les Juifs marocains constituent le groupe sépharade le plus important qui immigre entre 1960 et 1980 au Québec : ils sont 220 avant 1960, 2 475 qui immigrent entre 1960 et 1969 (soit 66 %), 2 525 entre 1970 et 1979 (soit 69,9 %), 1 375 entre 1980 et 1989 (soit 53 %) et 620 entre 1990 et 2001 (soit 43,2 %). Les autres pays d'émigration des Juifs sépharades, que l'on retrouve à partir de leurs lieux de naissance, sont l'Égypte, l'Algérie-Tunisie-Lybie, l'Irak, l'Iran, la Turquie, le Liban. Charles Shahar et Elisabeth Perez, *Analyse du recensement de 2001*, Fédération CJA, Montréal, octobre 2005, p. 22.

11. D'où le sous-titre d'un article que j'avais publié dans l'*Annuaire de l'émigration du Maroc*, qui n'avait pas particulièrement été apprécié des dirigeants communautaires : « Du soleil à la liberté ».

12. American Joint Jewish Distribution Committee.

Juifs sépharades en sol québécois

Des études réalisées sur les Juifs sépharades, il ressort que leur intégration économique est relativement réussie, si on la compare à d'autres groupes qui sont arrivés à Montréal à la même période (Benaïm, 1976 ; Bédard, 2005). Ils ont aussi globalement bénéficié de la structuration forte de la communauté juive, d'origine essentiellement ashkénaze. Dotée de tout un système de service social et communautaire parallèle à celui de l'État, alors déficient en ce qui a trait à l'accueil des immigrants, la communauté juive reste toutefois réticente face à ces nouveaux venus, qui bousculent la hiérarchie établie souvent sur l'ancienneté (bien souvent synonyme de notabilité). Eux-mêmes ne savent pas exactement comment se définir : en tant qu'originaires du Maroc, d'Afrique du Nord, de la zone hispanophone ? L'appartenance à un espace francophone semble alors constituer un dénominateur commun.

Les premiers arrivés fondent un premier regroupement de ressortissants maghrébins, l'Association juive nord-africaine, qui affirme en 1959 son projet de répondre aux besoins culturels et religieux qui leur sont propres. Très vite toutefois, le séphardisme, néologisme typiquement hybride, leur apparaît plus attrayant[13]. En 1966, la Fédération sépharade des Juifs de langue française se transforme en Association sépharade francophone. Cette appellation, qui efface quelque peu la référence marocaine ou nord-africaine, vise à affirmer sa différence face à la communauté juive anglophone en tentant d'offrir un visage unifié (en regard d'une communauté par ailleurs très divisée et multiforme). Cela permet aussi aux dirigeants laïques de ce groupe de se négocier une place distincte au sein de la communauté juive, en créant leur propre structure parallèle. Ils joignent ensuite l'organisme connu sous le nom de Communauté sépharade du Québec (CSQ), désormais unifiée du Québec (CSUQ).

---

13. Si le terme désignait autrefois les Juifs d'Espagne, qui ont été expulsés sous l'Inquisition, il englobe aujourd'hui les descendants de ces Juifs qui se sont installés en Afrique du Nord, en Hollande, en Grande-Bretagne, en Turquie et dans les Balkans, et qui parlaient judéo-espagnol, ladino, judéo-arabe, judéo-perse, etc. En fait, il concerne de nombreuses communautés originaires de pays musulmans, arabes ou perses qui se sont agrégées au groupe juif marocain majoritaire à Montréal pour donner lieu à une spécialité typiquement québécoise, puisqu'en France on parlera plutôt de Juifs d'Afrique du Nord, et en Israël de Mizrahi.

Les institutions communautaires

Fondée dès le départ par une poignée de jeunes immigrants, sur le modèle communautaire marocain (qui dissocie l'élément religieux des affaires sociales et politiques au sein d'une même structure), la CSQ a été un élément déterminant de la structuration et de l'intégration des Sépharades au Québec. À ses objectifs initiaux, qui étaient de préserver et de promouvoir la culture sépharade et de contribuer à une meilleure intégration des immigrants à la société d'accueil, elle a ajouté de nombreux autres éléments à son action. Elle comprend des commissions qui œuvrent dans le domaine religieux (maintien des registres d'état civil, visite des malades, Hevra Kadicha ou confrérie du dernier devoir), social (information sur les services sociaux, mise en contact avec les organismes pouvant répondre aux besoins) et à la diffusion d'un journal mensuel, *La voix sépharade*[14]. Une impressionnante panoplie d'organisations, qui lui sont reliées de façon plus ou moins autonome, assure une éducation juive en français (les écoles Maïmonide à Côte-Saint-Luc et à Saint-Laurent), les traditions liturgiques propres aux Sépharades (avec huit synagogues dans la région de Montréal) et offre une vitrine publique (festivals sépharades tous les deux ans et quantité d'activités culturelles ou récréatives au sein du YMHA – Centre communautaire juif).

La multiplicité de ces lieux cultuels et communautaires reflète l'importance de l'engagement (religieux et communautaire) de ce groupe qui, tout en maintenant vivaces ses traditions liturgiques, culinaires et même culturelles, a su les transformer rapidement pour en faire de nouveaux rituels facilement identifiés au judaïsme sépharade. L'exemple de la fête de la Mimouna, qui est devenue une fête nationale en Israël et qui est célébrée au Québec comme un moment de rencontre privilégié entre tous les Juifs et les non-Juifs, témoigne de ce changement.

Mais c'est sur le plan culturel et artistique que le passage du judaïsme marocain ou nord-africain au séphardisme est le plus nettement marqué. C'est à l'occasion du Festival sépharade, ou lors du Mois du livre juif de Montréal, que s'affiche la vitalité de cette culture multiforme qui se crée et se recrée sur les rives du Saint-Laurent! Surtout français et aussi québécois, de nombreux artistes,

---

14. Julie Manac'h, *(Re-)construction de l'identité sépharade de 1998 à nos jours: étude de deux revues communautaires, Los Muestros et La Voix sépharade*, Mémoire de maîtrise en histoire, Université Rennes 2, Haute-Bretagne, septembre 2006.

dont plusieurs jeunes talents, hommes et femmes de lettres, de théâtre, etc., ont pris la parole, la plume, le pinceau, la caméra pour exprimer cet étrange et complexe métissage. L'écho extraordinaire que certains d'entre eux ont reçu au sein et au-delà de la communauté sépharade a permis l'éclosion d'une culture ancrée dans leur histoire personnelle et dans l'expérience plus universelle de l'émigration. Ainsi c'est à l'occasion de ces festivals que des humoristes comme Michel Boujenah, Gad Elmaleh et bien d'autres, comme Sapho, ont fait leurs premières armes. Des opéras et des pièces de théâtre ont été montés comme ceux de Serge Ouaknine et Alexis Nouss ; une littérature nouvelle a vu le jour, des peintres ont exposé leurs œuvres (Elbaz, Abecassis). Cette floraison culturelle et artistique témoigne de la vitalité d'une création aux accents universels et à l'influence internationale. L'identité sépharade qui en est résultée, loin de se complaire dans un milieu colonisé par la présence des grands frères français, a d'abord explosé au Québec. Toutefois, il convient aussi de signaler quelques-unes des questions qui restent en suspens dans ce processus de transformation des identités juives nord-africaines au contact de la société occidentale, et en particulier québécoise, et dont le communautarisme sépharade semble être le résultat.

Le renforcement communautariste

Les Juifs du Maroc sont arrivés au Québec à un moment de trouble dans les identités québécoise et canadienne. Ces Juifs qui affirment haut et fort leur francophonie ont ainsi bénéficié de cette double ouverture, par la politique canadienne du multiculturalisme qui encourageait le regroupement communautaire et l'y incitait par de nombreux appuis et des subventions substantielles, et par l'affirmation de la prédominance du fait et de la langue française par les différents gouvernements du Québec.

C'est aussi le moment d'une affirmation nouvelle de l'identité sépharade à travers la diaspora juive, en Israël surtout, où les Sépharades tentent par ce biais de contester la discrimination dont ils sont victimes. Toutefois, parce que l'affirmation identitaire juive sépharade s'appuie sur des pratiques religieuses traditionnelles et sur un attachement indéfectible à l'État d'Israël, certains la considèrent désormais comme une recomposition nouvelle du judaïsme mondial et lui donnent le nom de « judaïsme et sionisme d'Orient ». Loin de se résumer à la représentation d'une communauté, dans un pays donné, cette identité transnationale redevient un axe majeur d'expression de soi pour une grande partie des Juifs originaires d'Afrique du Nord et d'Orient dans tous les pays où ils se trouvent, particulièrement en Israël.

Ainsi la communauté, forme multiséculaire de regroupement pour les populations juives, retrouve-t-elle sa fonction ancienne de maintien de l'identité juive (surtout autour de la religion). Mais elle apparaît aussi comme une modalité privilégiée d'intégration aux nouvelles sociétés d'accueil, en particulier au Québec. L'expression de cette identité, qui se résumait souvent à la religion (et à ses multiples pratiques), s'est complexifiée avec le rapport à Israël. Le sionisme militant en faveur d'Israël demeure l'activité politique par excellence des Juifs sépharades, qui projettent dans l'activité communautaire cet engagement politique fort, qui semble surtout ces dernières années résumer et condenser l'expérience de la diaspora.

C'est également autour des conséquences d'un antisémitisme toujours présent que l'engagement communautaire connaît tout son sens. Toutefois, on le sait, l'activisme communautaire comme seule expression de l'identité complexe demeure problématique. Aussi ouverte voudrait-elle être, la communauté n'enferme-t-elle pas ses membres dans une sorte de contentement de soi, pas toujours propice à leur épanouissement et à leur influence sociale et politique, ici et maintenant ? Dans leur rapport au Québec et au Canada, les Juifs sépharades francophones ont véritablement su tirer profit, dans le maintien de leurs identités respectives, de certaines convergences entre la mémoire historique et la langue française. Pour autant, il n'y a pas de similitude entre leur système de valeurs et celui des Québécois d'origine canadienne-française ; tout au plus pourrait-on noter une certaine convivialité dans leurs relations.

De ce fait, leur identification au nationalisme québécois ou même canadien reste faible. Tout se passe comme si les membres de la communauté vivaient dans une ville, Montréal, suffisamment cosmopolite pour que ces questions restent hors champ. Hermétiques au projet souverainiste, la majorité d'entre eux sont attachés au caractère démocratique et aux libertés fondamentales garanties par les constitutions canadienne et québécoise. En ce sens, c'est plus la question économique qui pourrait modifier les perspectives d'avenir de cette communauté qui a toujours envisagé l'espace québécois dans un ensemble plus vaste, non seulement continental, canadien ou américain, mais aussi international.

Cette situation affecte les perceptions et les projets de la génération qui est née ou a grandi au Québec, différente par bien des aspects de celle de leurs parents. Bilingues (français et anglais), ces jeunes préfèrent l'anglais, langue internationale qui leur ouvre l'accès aux professions d'avenir. Cette projection dans un espace linguistique international s'accompagne d'un double mouvement, marqué d'une part par un retour important aux pratiques religieuses juives, ce qui inverse le processus de sécularisation initié par la colonisation française et perpétué par les premiers arrivants et, d'autre part, par un décalage vis-à-vis du milieu des jeunes Québécois dont le nationalisme (ou souverainisme) plus affirmé reste étranger à leurs préoccupations.

Ainsi ces jeunes se retrouvent en rupture avec la génération de leurs parents, c'est-à-dire moins enclins à faire de la pratique religieuse la source de leur identité, mais aussi moins proches de la société d'accueil. Divisés entre deux allégeances qui semblent irréconciliables (la canadienne qui contribue à maintenir ou à renforcer les clivages ethnoculturels et la québécoise qui est aux prises avec sa propre affirmation politique et identitaire), nombre de ces jeunes s'affirment Juifs (et non pas Juifs marocains) et montréalais... Montréal, dont le cosmopolitisme leur paraît garant de la possibilité d'expression de leur propre identité et d'une pluralité d'autres, continue encore de leur apparaître comme un lieu de vie désirable.

Un rapport ambigu à la démocratie

Le fait que cette communauté, comme beaucoup d'autres, est dirigée par un même petit groupe de fondateurs de la première heure, traduit un premier type de changements. Le recrutement de ces nouvelles élites se fait non plus en fonction de leur naissance, comme au Maroc (familles proches du roi ou du protectorat), mais plutôt en fonction de leur mérite (activisme communautaire, fondation de revues comme *La voix sépharade* ou d'associations, etc.). Si ce fonctionnement traduit bien la modernité de leur nouvelle situation, il bute toutefois sur la difficulté de leur renouvellement. Une fois installées à la tête de la communauté, ces personnes, pour la plupart des hommes âgés entre 45 et 60 ans et issus du monde des affaires et de l'éducation (une seule femme a assumé la présidence de la CSQ), occupent à tour de rôle les fonctions de direction dans la plupart des instances représentatives de la communauté juive de Montréal. La persistance des modes traditionnels de direction, qui conduisent à la concentration des responsabilités entre les mains d'une petite élite autoproclamée, se trouve renforcée par un fonctionnement communautaire autarcique encouragé par les administrations fédérales et provinciales (par l'intermédiaire de leurs programmes de subvention aux communautés établies sur des critères ethnoculturels). La pluralité de vues et de positionnements qui font la richesse du judaïsme apparaît ainsi plus difficile à instaurer.

De semblables pesanteurs semblent exister dans les liens inter-communautaires: l'ambivalence (pour ne pas dire la schizophrénie) est totale. Si l'attachement à Israël est indéfectible (le Congrès sépharade du Canada a été créé en 1990 par la Communauté sépharade du Québec en vue de développer des liens avec les communautés du reste du Canada et la représenter au plan local et international, en particulier face à Israël), on ne veut rien renier du côté du judaïsme marocain (la CSUQ est aussi affiliée au Rassemblement du judaïsme marocain, fondé à Montréal à la fin des années 1980). Les Juifs du Maroc semblent ne pas pouvoir distinguer entre la fidélité à leurs origines (leurs racines juives et la richesse de la culture créée par cette communauté au Maroc) et la réalité de leur histoire récente (en émigrant ils ne sont plus obligatoirement assujettis au roi du Maroc). Certains (à commencer par le groupe Identité et Dialogue[15]) pensaient ainsi pouvoir influer sur la politique proche-orientale en offrant leurs bons offices et en se donnant comme exemples d'une coexistence séculaire et pacifique des Juifs avec le monde arabo-musulman.

Perspectives d'avenir

Ces quelques perspectives sur l'histoire de ce groupe soulèvent aujourd'hui des questions importantes. Paradoxalement, cette petite communauté avec un poids démographique limité, coincée qu'elle est entre les grands frères ashkénazes, dont elle a beaucoup appris, et tout un monde extérieur pas toujours hostile mais pas vraiment amical non plus, perçoit son importance en termes symboliques de médiation. Ne pouvant pas intervenir seule sur la scène publique

---

15. Le groupe Identité et Dialogue s'est illustré dès sa création au début des années 1980 par la tenue d'un colloque (et la publication des actes) rassemblant des intellectuels et des personnalités juives et arabes du Maroc essentiellement, en faveur de la paix au Proche-Orient. L'un d'entre eux est devenu par la suite le conseiller du roi Hassan II et de son fils le roi Mohamed VI.

du fait du manque d'intérêt de la majorité de ses membres pour la chose politique – qui, à de rares exceptions, ne dépasse pas le cadre communautaire –, elle cherche d'autres modes d'intervention. Ainsi, elle tente de participer, en tant qu'agent économique et culturel, à la revitalisation de Montréal, comme métropole bilingue, en facilitant les passages de l'anglais au français et entre les différents groupes.

La communauté sépharade participe aussi à l'animation d'un dialogue interreligieux fort stimulant entre chrétiens et Juifs, et qui a produit de nombreux résultats (plusieurs publications en français sur les spécificités des cultures et religions, et sur les possibilités de dialogue et d'échange). L'arrivée importante de musulmans (qui représentent une communauté très diversifiée de près de 100 000 personnes) ces dernières années à Montréal suscite inquiétudes et interrogations, mais aussi dialogues et échanges. Mais tout comme dans les autres religions, la revitalisation religieuse a ces dernières années considérablement changé les éléments du tableau. Le pragmatisme et la modération qui ont marqué longtemps la pratique religieuse des Juifs sépharades semblent ainsi s'estomper pour laisser place à une certaine orthodoxie, parfois adaptée aux temps modernes, mais où une certaine rejudaïsation est en cours et pourrait conduire à un radicalisme ainsi qu'à un repli identitaire autarcique.

Ce bref exposé de l'histoire de la communauté juive sépharade au Québec témoigne de l'importance des influences locales et internationales pour définir les processus de reconstruction identitaire. Pour elle, l'expérience du métissage, dont l'efficacité a été attestée par de longs siècles de cohabitation en terre d'Islam, lui a sans doute été utile pour fonctionner dans une société moderne plurielle : structures communautaires fortement intégrées, offre de services, intervention à tous les niveaux de la vie sociale et politique, etc. Et même si cette communauté bute encore sur les valeurs nouvelles des sociétés démocratiques, comme l'égalité entre les sexes, la liberté de parole et de culte ou l'ouverture démocratique au pluralisme de la pensée, on peut imaginer qu'elle les adoptera dans un avenir rapproché. D'ores et déjà, ayant dû composer avec les multiples appartenances locales et régionales de ses membres (d'origines tunisienne, égyptienne, irakienne, libanaise, etc.), la communauté unifiée a établi une certaine distance à l'égard de ses anciennes traditions, ancrées dans le localisme.

Reste à savoir si, dans ces tentatives de dépassement, la communauté vise son intégration à une identité soit canadienne, aléatoire parce que complexe compte tenu du cas du Québec, mais aussi rassurante, soit nord-américaine ou soit les deux à la fois. On a souligné combien la venue à Montréal a pu apparaître comme une voie d'accès au Canada et peut-être aussi aux États-Unis. Certains de ces immigrants sépharades ont franchi le pas et ont émigré de Montréal en Floride ou en Californie. L'avantage de Montréal est que les choix demeurent ouverts: rester (pour une majorité), partir en Israël (une petite minorité très religieuse ou très sioniste), aller aux États-Unis. Une seule chose est certaine: pas de retour au Maroc, et pas d'immigration en France!

La communauté possède ainsi les atouts nécessaires pour réaliser une nouvelle synthèse entre l'américanité québécoise et le judaïsme. Pour y parvenir, elle peut s'inspirer de son héritage millénaire en sol marocain où les influences hébraïque, hispano-andalouse, berbère, arabe, française et espagnole se sont combinées pour assurer l'épanouissement d'une culture vivante. Ce projet pourra se réaliser si la perspective à plus long terme l'emporte sur les contingences de l'immédiat, et si la communauté juive dans son ensemble est capable de sortir de ses carcans et de ses peurs pour envisager avec sérénité de nouveaux types de liens avec les autres.

Bibliographie

Abitbol, Michel (dir.), *Judaïsme d'Afrique du Nord aux XIXe et XXe siècles*, Jérusalem, Ben Zvi Institute, 1980.

_____, *Les Juifs d'Afrique du Nord sous Vichy*, Paris, Riveneuve Éditions, 2008.

Bédard, Jean-Luc, *Identité et transmission intergénérationnelle chez les Sépharades à Montréal*, thèse de Ph. D. en anthropologie, Université Laval, 2005.

Benaïm, Esther, *Intégration des Juifs marocains au Canada. Monographie de la communauté juive marocaine à Montréal*, thèse de Ph. D. en sociologie, Université Paris-Sorbonne, 1976.

Bensimon, Agnès, *Hassan II et les Juifs: histoire d'une émigration secrète*, Paris, Éditions du Seuil, 1991.

Berdugo-Cohen, Marie, Yolande Cohen et Joseph J. Lévy, *Juifs marocains à Montréal. Témoignages d'une immigration moderne*, Montréal, VLB Éditeur, 1987.

Brière, Céline, *Les Juifs sépharades à Montréal. Traces passagères et marqueurs spatiaux d'une minorité dans une métropole nord-américaine*, mémoire de maîtrise en géographie, Université d'Angers, 1990.

Cohen, Yolande et Joseph J. Lévy, *Itinéraires sépharades, 1492-1992. Mutations d'une identité*, Paris, J. Grancher, 1992.

_____, *Les Juifs du Maroc à travers les âges* [cédérom], s. l., Conseil des communautés israélites du Maroc et DoxaMédia.com, 2003.

Elazar, Daniel J., *The Others Jews: The Sephardim Today*, New York, Basic Books, 1989.

Elbaz, André E., *Sépharadisme d'hier et de demain : trois autobiographies d'immigrants juifs marocains*, Ottawa, Musée canadien des civilisations, 1988.

Juifs du Maroc. Identité et dialogues, actes du Colloque international sur la communauté juive marocaine, vie culturelle, histoire sociale et évolution, Grenoble, La Pensée sauvage, 1980.

Kenbib, Mohammed, *Juifs et musulmans au Maroc, 1859-1948*, Faculté des lettres et des Sciences Humaines Université Mohammed V-Rabat, 1994.

Lasry, Jean-Claude et Claude Tapia (dir.), *Les Juifs du Maghreb. Diasporas contemporaines*, Montréal et Paris, Presses de l'Université de Montréal et L'Harmattan, 1989.

Lévy, Joseph J. et Micheline Labelle, *Ethnicité et enjeux sociaux : le Québec vu par les leaders de groupes ethnoculturels*, Montréal, Liber, 1995.

Loupo, Yaacov, *Métamorphose ultra-orthodoxe chez les Juifs du Maroc : comment des sépharades sont devenus ashkénazes*, Paris, L'Harmattan, 2006.

Moldovsky, Naomi, *The Economic Adjustment of North African Jewish Immigrants in Montreal*, thèse de doctorat, Montréal, Université McGill, 1969.

Tapia, Claude, *Les Juifs sépharades en France, 1965-1985. Études psychosociologiques et historiques*, Paris, L'Harmattan, 1986.

Trigano, Shmuel (dir.), *La mémoire sépharade, entre l'oubli et l'avenir*, Paris, In Press (coll. « Pardès »), 2000.

_____ (dir.), *Le monde sépharade*, 2 volumes, Paris, Éditions du Seuil, 2006.

_____, *La fin du judaïsme en terre d'Islam*, Paris, Denoël, 2009.

Tsur, Yaron, « L'Alliance israélite universelle et le judaïsme marocain en 1949 : l'émergence d'une nouvelle démarche politique », *Archives juives*, 2001/1, vol. 34, p. 54-73.

Shahar, Charles, *Sépharades 2000 : Challenges and Perspectives for the Sephardic Community of Montreal*, Montréal, Federation CJA, 2000.

Weinstock, Nathan, *Une si longue présence : comment le monde arabe a perdu ses Juifs, 1947-1967*, Paris, Plon, 2007.

Conclusion
Pierre Anctil et Ira Robinson

UN VENT DE CHANGEMENT souffle en permanence sur la population juive montréalaise qui, comme les autres composantes de la société québécoise, connaît périodiquement d'importantes redéfinitions culturelles et identitaires. Le portrait que nous avons tracé de cet ensemble représente déjà une évolution considérable par rapport à la situation qui prévalait après la Révolution tranquille ou même il y a 20 ans. Depuis ce temps, les communautés plus récemment installées ont donné naissance à une génération née au pays, qui perçoit le judaïsme sous un angle plus nord-américain. De même, les composantes ashkénaze et sépharade, déjà présentes dans la ville depuis une longue période, ont eu le temps de se repositionner plusieurs fois face au fait français et au mouvement nationaliste québécois, ou l'une face à l'autre, notamment pour ce qui est des intermariages entre les deux groupes. Cette transformation constante des perceptions et de la réalité juive se poursuivra aussi avec vigueur au cours de ce siècle qui débute. Déjà des tendances nouvelles se manifestent qui sont porteuses de modifications considérables dans un futur peu éloigné. Comme l'ensemble de la société québécoise et canadienne, la population juive montréalaise traverse un processus de diversification interne qui va s'accentuant et qui tend à élargir la palette des diverses identités qui se réclament du judaïsme. Alors qu'il y a 60 ans, soit au lendemain de la Deuxième Guerre mondiale, la grande majorité des Juifs montréalais pouvaient se réclamer d'une origine ashkénaze et est-européenne, et formaient un bloc relativement homogène, aujourd'hui il y a un foisonnement de formes et de couleurs au sein de la population qui se réclame de la judéité. Cette multiplicité complique certes sous divers rapports la tâche du leadership communautaire, mais elle introduit dans les réseaux et les institutions juives de Montréal une vitalité remarquable qui fonde de nouvelles approches dans la définition de l'identité juive. Un tel élargissement de perspective facilite aussi l'intégration et la pleine participation de la population juive dans le contexte d'une ville elle-même de plus en plus plurielle.

L'évolution actuelle du judaïsme montréalais se note particulièrement dans la croissance soutenue de certaines de ses composantes, qui tendent par le fait même à devenir plus présentes dans la ville ou à tout le moins dans certains quartiers spécifiques. C'est le cas notamment des tenants de la tradition hassidique, qui forment eux-mêmes un ensemble très diversifié, et qui se sont entre autres fait remarquer dans les médias lors du débat sur les accommodements raisonnables. Il n'y a aucun doute que les *Hassidim* gagnent en influence au sein du monde juif montréalais et que leur poids démographique est en hausse constante. Cette tendance va de pair avec une plus grande affirmation du volet strictement religieux au sein de la mouvance juive montréalaise, et une valorisation plus soutenue de l'héritage spirituel du judaïsme. Les *Hassidim*, contrairement à ce qui est perçu de l'extérieur, ne représentent cependant pas la totalité de l'orthodoxie juive, qui s'exprime aussi à l'intérieur de courants par ailleurs empreints de conservatisme, voire de libéralisme. De la même façon on peut remarquer à Montréal une hausse à long terme du nombre de personnes originaires de l'Afrique du Nord et du Moyen-Orient, et une baisse proportionnelle des Juifs de souche est-européenne, ce qui a entraîné comme corollaire une francisation des institutions communautaires juives dans la ville. Les célébrations en 2009 du cinquantenaire de la première immigration sépharade en provenance du Maroc ont notamment été l'occasion de mesurer tout le chemin parcouru par cette population totalement absente du Canada jusqu'au milieu du XXe siècle, et dont le français est la langue principale. Dans ce cadre, il est à prévoir que les immigrations plus récentes en provenance de Russie, de France, d'Argentine et d'Israël vont se poursuivre un certain temps, et rien n'empêche d'imaginer que des Juifs porteurs d'autres identités se présenteront éventuellement dans un avenir rapproché aux portes de la ville.

La population juive, dans toute sa diversité et sa complexité grandissantes, a probablement aujourd'hui une capacité d'ouverture et de dialogue plus grande face à l'ensemble de la société québécoise qu'il y a 20 ou 30 ans. Une francisation accrue, des contacts soutenus avec tous les partis politiques et une meilleure compréhension de l'évolution générale du nationalisme québécois à long terme ont rendu les communautés juives de Montréal en général plus à l'aise avec leur environnement immédiat. Des personnes de toutes origines, y compris des francophones appartenant à la majorité démographique, circulent dans les institutions juives montréalaises, assistent aux spectacles du Centre Segal, s'intéressent à la culture juive ou se font soigner dans les milieux hospitaliers juifs. De tels rapports existent aussi maintenant sur le plan des affaires, dans les professions et au sein des milieux universitaires. La capacité d'ouverture nettement accrue des francophones au pluralisme culturel depuis la promulgation de la Charte de la langue française, soit depuis que tous les immigrants fréquentent l'école en français, a aussi contribué à une décrispation de part et d'autre. Bien des étapes restent à franchir à ce sujet mais au pessimisme des années 1980 et 1990, fortement marquées par deux référendums successifs sur la souveraineté-association, a succédé un optimisme modéré qui tend à placer sous une étoile plus favorable l'avenir du judaïsme à Montréal. Les Juifs perçoivent aussi mieux le lien qui les unit à la société québécoise et la part importante de leur identité qui découle de ce fait, notamment par rapport à leurs coreligionnaires des autres parties du Canada ou des États-Unis. Sans doute faut-il voir là aussi le signe d'une évolution importante qui ne cesse de se manifester et qui portera de nouveaux fruits qu'il est encore difficile à imaginer dans le contexte actuel.

Le défi principal pour les Juifs montréalais de toutes allégeances reste de maintenir le dynamisme et l'intégralité de leurs structures communautaires, que ce soit sur le plan religieux, culturel ou caritatif, tout en participant pleinement à la vie sociale et économique de leur société. Citoyens et membres à part entière de la démocratie québécoise et canadienne, bénéficiaires de tous les droits fondamentaux prévus par la loi, les Juifs se sentent aussi la responsabilité de préserver et de transmettre leur héritage judaïque millénaire dans le cadre qui leur sied le mieux. Aujourd'hui de telles perspectives semblent aller de soi, mais il fut une époque où la présence dominante de l'Église catholique et l'exclusion du réseau scolaire publique francophone rendaient cette tâche particulièrement ardue aux immigrants récemment arrivés d'Europe de l'Est ou d'Afrique du Nord, sans compter les préjugés et opinions antisémites courants lors de certaines périodes historiques. Ces jours sont présentement révolus mais il n'en reste par moins que la pleine participation à tous les avantages qu'offre la société québécoise, en plus du maintien d'une identité religieuse ou culturelle minoritaire, dans le cas qui nous intéresse le judaïsme, requiert un investissement d'énergie et un engagement communautaire peu commun. Un tel positionnement tout en nuance face à la citoyenneté québécoise, incluant l'usage de la langue commune et le respect des traditions historiques de la majorité, en plus d'un approfondissement sans cesse repris des valeurs éthiques et spirituelles de la judéité, fonde l'originalité de la démarche juive au Québec. Cette approche unique, qui à plusieurs égards est encore nouvelle, constitue la réponse des Juifs montréalais aux multiples changements sociétaux qu'ils ont connus au cours des dernières décennies. Elle exige aussi de la part de la majorité démographique une sensibilité particulière au cheminement des minorités religieuses ou culturelles, dont certaines sont en place depuis plus de deux siècles et d'autres commencent à peine leur intégration à la société québécoise.

Ressources documentaires et archivistiques sur les Juifs de Montréal

Janice Rosen,

Service des archives du Congrès juif canadien, Comité des charités

D ANS CE TEXTE, nous présentons les principales ressources documentaires et archivistiques disponibles à propos des Juifs de Montréal.

Ressources archivistiques

La recherche archivistique est le point de départ de la plupart des articles composant le présent ouvrage. Certains de ces articles font référence de manière directe à la recherche archivistique ; d'autres incluent dans leur bibliographie des sources secondaires qui utilisent des documents historiques d'origine. Quoi qu'il en soit, chacun de ces articles contient les prémisses d'une exploration future : ainsi, de telles prémisses peuvent donner lieu à de nouvelles formes d'érudition, grâce à l'étude de sources primaires reliées aux personnes et aux événements dont il est question.

Ces sources primaires peuvent être des manuscrits uniques et non publiés ; il peut s'agir de documents, de lettres, de journaux, de mémoires écrits et enregistrés, de photographies et d'autres formes de documentation visuelle, de même que du matériel publié qui est conservé dans un nombre d'endroits très limité. Cette dernière catégorie inclut des pamphlets, des dépliants et d'autres types de documents éphémères, de même que des articles de journaux issus de publications dont les numéros antérieurs ne sont plus disponibles.

Par moments, le travail dans les archives s'apparente à la tâche consistant à assembler les pièces d'un énorme casse-tête sans toutefois savoir si ces pièces seront suffisantes pour construire une argumentation historique. Faire un usage du matériel archivistique peut signifier lire le journal d'un rabbin afin de mieux comprendre la répartition dans l'espace des membres de sa congrégation (comme l'a fait Mary-Anne Poutenen), ou examiner les négatifs de photos de mariage provenant d'un studio photographique afin d'établir l'importance des bagues de mariage pour les futurs mariés (comme l'a fait Marlène Bonneau). Des archives aussi diversifiées que les documents du Vaad Ha'ir/Conseil de la communauté juive de Montréal et une collection de livres de cuisine produits localement peuvent être significatifs pour ce qu'ils révèlent à propos des changements dans les attitudes et les pratiques religieuses (comme c'est le cas des recherches en cours menées par Steven Lapidus et Donna Goodman).

Plusieurs institutions abritent des ressources archivistiques très utiles pour l'étude des Juifs de Montréal. La plus importante est le Service des archives nationales du Congrès juif canadien, Comité des charités, suivi par les archives de la Bibliothèque publique juive de Montréal. Il existe également de petites collections reliées à des sujets précis dans d'autres endroits[1].

La préservation et la conservation des archives étant un processus dynamique, les informations disponibles dans cet article reflètent la situation au moment où ce livre était sous presse. Il est recommandé de consulter les adresses web qui sont mentionnées plus bas pour une liste mise à jour, ou encore de communiquer directement avec l'un des dépôts d'archives qui pourrait contenir de l'information d'intérêt sur un sujet précis.

Le Congrès juif canadien

Le Service des archives du Congrès juif canadien, Comité des charités (CJC, CC), abrite un vaste éventail de documents sur les Juifs de Montréal. Depuis sa fondation officielle lors de la deuxième assemblée plénière du Congrès juif canadien, en 1934, le mandat général du Service des archives du CJC, CC est de conserver et de préserver la documentation sur la présence juive au Québec et au Canada. Bien que la collection du CJC, CC soit d'envergure nationale, la plupart de ses collections sont reliées, d'une manière ou d'une autre, à Montréal. Cela est dû à

---

1. Tout en faisant un panorama général des ressources archivistiques et documentaires sur les Juifs de Montréal, le présent article se concentre davantage sur la collection des archives nationales du Congrès juif canadien, Comité des charités.

la forte présence de nombreux bureaux de direction d'organisations nationales juives dans cette ville, soit aujourd'hui ou soit dans le passé.

Si des documents sur tous les aspects de la communauté juive peuvent être trouvés au Service des archives du CJC, CC, cette institution recèle de grandes forces dans les domaines suivants : l'immigration, l'intégration à la société canadienne, l'organisation communautaire, la discrimination et l'opposition organisée à la discrimination, l'aide fournie aux communautés juives opprimées dans d'autres pays et le sionisme.

Les principales collections archivistiques qui y sont abritées sont les documents produits par les différentes directions administratives du Congrès juif canadien, ainsi que ceux du Service canadien d'assistance aux immigrants juifs (Jewish Immigrant Aid Services, JIAS), des United Jewish Relief Agencies et de l'Association de la colonisation juive. On y trouve aussi les premiers documents produits par la Federation of Jewish Philanthropies, le National Council of Jewish Women (sections nationale et montréalaise), la United Restitution Organisation, la Labor Zionist Alliance et le Vaad Ha'ir/ Conseil de la communauté juive de Montréal[2]. Parmi les collections plus petites reliées à des institutions et des organisations juives de Montréal se trouvent celles des sociétés de prêt et de bénéfice mutuel, des synagogues, des groupes sionistes à la fois séculaires et religieux, et d'autres organisations reliées à divers secteurs complémentaires dans la communauté. Les diverses initiatives entreprises par la communauté sépharade figurent aussi au Service des archives du CJC, CC.

Parmi les collections léguées par des particuliers se trouvent celles des dirigeants de la communauté juive (tels S. W. Jacobs, Allan Bronfman, H. M. Caiserman et Louis Rosenberg), des politiciens (Sheila Finestone, A. M. Blumenthal, Harry Blank), de certains rabbins (Abraham de Sola, Zvi Hirsch Cohen, Julius Berger), de survivants de l'Holocauste, de Juifs russes récemment arrivés, d'artistes et d'écrivains tout autant que d'individus moins connus qui ont donné aux archives des documents familiaux et des photographies.

Les collections qui ne sont pas conservées sur un support papier incluent des dizaines de milliers de photographies, des milliers de documents audio, des vidéocassettes et des enregistrements à bobines, un petit nombre de films et d'enregistrements sur disque, des objets juifs

---

2.   Cette dernière collection est prêtée sur une base permanente par la Bibliothèque publique juive de Montréal.

cérémoniels et séculiers, des estampes, des affiches et des peintures. Le Service des archives du CJC, CC conserve également une petite bibliothèque de livres de référence, qui ne peuvent être empruntés et qui contiennent aussi des bibliographies, des ouvrages littéraires, des thèses et des mémoires, et des articles scientifiques portant sur les Juifs de Montréal et du Canada (quelques-unes de ces ressources sont mentionnées dans la bibliographie figurant à la fin de cet article.

Pour de plus amples informations, voir le guide des collections à l'adresse web : http://www.cjccc.ca/archives.

Contactez :

SERVICE DES ARCHIVES, CONGRÈS JUIF CANADIEN,
COMITÉ DES CHARITÉS
1590, avenue Docteur-Penfield
Montréal (Québec) H3G 1C5
Janice Rosen, directrice du service ; Hélène Vallée, archiviste adjointe
Téléphone : 514 931-7531, poste 2
Télécopieur : 514 931-0548
Courriel : archives@cjccc.ca
Site web : http://www.cjccc.ca

La Bibliothèque publique juive de Montréal

Depuis sa fondation en 1914, la Bibliothèque publique juive de Montréal a été fortement intéressée à assurer la préservation et la conservation de documents originaux, de photographies et d'enregistrements et, avec l'aide du personnel du département des archives, à les rendre disponibles au public. Ces collections documentent les réalisations sociales, économiques et culturelles de la communauté juive de Montréal et ils incluent des collections portant sur la littérature et la culture juives montréalaises, dont un nombre important de livres en yiddish.

Parmi les documents appartenant aux archives se trouvent les textes de l'intellectuel Reuven Brainin, l'un des fondateurs de la bibliothèque, ainsi que les documents historiques de la bibliothèque et d'autres agences de la Fédération CJA de Montréal. On y trouve aussi des archives ayant appartenu au Worker's Circle (autrefois le Workmen's Circle of Montreal), à l'activiste Léa Roback, qui a œuvré pour la cause des droits des femmes et celle des travailleurs, de même que plusieurs autres collections qui illustrent la diversité de la communauté juive montréalaise. Les documents de la synagogue Temple Emanu-El Beth Sholom (une congrégation réformée) se trouvent aussi à cet endroit. Les archives de la Bibliothèque publique juive de Montréal abritent également une importante collection de photographies, qui comporte environ 24 000 objets à ce jour.

Au cours des dernières années, la bibliothèque a acquis de nouvelles collections dans deux domaines spécifiques : les documents issus d'archives de famille et d'entreprises familiales dans la région de Montréal, de même que les réalisations des Juifs et leurs contributions au monde du divertissement à Montréal. Les collections portant sur le divertissement incluent des documents de Sam Gesser, qui fut imprésario à Montréal pendant plus de 50 ans, et de Harry Gulkin, producteur de films et organisateur syndical, ainsi que des documents sur le Festival du film juif de Montréal[3].

Contactez :

ARCHIVES DE LA BIBLIOTHÈQUE PUBLIQUE JUIVE
1, carré Cummings, 5151, chemin de la Côte-Sainte-Catherine
Montréal (Québec) H3W 1M6
Shannon Hodge, archiviste
Téléphone : 514 345-2627, postes 3015 et 3000
Courriel : archives@jplMontreal.org
Site web : http://www.jewishpubliclibrary.org

Le Centre commémoratif de l'Holocauste à Montréal

Bien que sa vocation première soit celle d'un musée, le Centre commémoratif de l'Holocauste à Montréal (CCHM) accueille aussi des collections d'archives, dont des témoignages sur l'Holocauste légués par des survivants qui se sont installés à Montréal après la Seconde Guerre mondiale. Le CCHM a pour mandat de collectionner du matériel passé et présent concernant l'Holocauste, la vie juive détruite par les nazis, la vie au cours de l'après-guerre et l'antisémitisme. La collection du musée et des archives comprend des œuvres d'art, des objets de culte, des artefacts, des photographies, des documents historiques, des témoignages et souvenirs personnels. Les archives sont disponibles sous différentes formes : textes publiés

---

3. Information dispensée par Shannon Hodge, archiviste à la Bibliothèque publique juive de Montréal.

ou inédits, coupures de presse, manuscrits, pamphlets, journaux intimes, livres, matériel audiovisuel et disquettes informatiques.
   Contactez :

CENTRE COMMÉMORATIF DE L'HOLOCAUSTE À MONTRÉAL
5151, chemin de la Côte-Sainte-Catherine (Maison Cummings)
Montréal (Québec) H3W 1M6
Téléphone : 514 345-2605
Télécopieur : 514 344-2651
Courriel : info@mhmc.ca
Site web : www.mhmc.ca

La congrégation Shaar Hashomayim

Plusieurs synagogues de Montréal préservent toujours leurs propres archives historiques. La plus grande de ces collections est hébergée par la deuxième congrégation la plus ancienne de la ville, Shaar Hashomayim, de rite ashkénaze traditionnel. Cette collection archivistique se divise en plusieurs parties, dont les documents de la synagogue (incluant les publications), des photos et des textes de plusieurs rabbins ainsi que les collections privées qui ont été léguées par des membres de la congrégation, intégrant leurs histoires familiales, des photos et des lettres datant des années 1800 à aujourd'hui. Les registres de naissance et d'autres cycles de vie sont gérés séparément par le bureau du rabbin. La collection muséale de la synagogue, qui regroupe plusieurs milliers d'objets, inclut des objets de provenance canadienne (par exemple, des anciennes boîtes de cigares) reliés à la vie et à la carrière des premiers membres de la communauté, tout autant que des objets et tissus utilisés lors de rituels juifs. La collection peut être consultée sur rendez-vous seulement.
   Contactez :

CONGRÉGATION SHAAR HASHOMAYIM
450, avenue Kensington
Westmount (Québec) H3Y 3A2
Téléphone : 514 937-9471
Télécopieur : 514 937-2067
Courriel : admin@theshaar.org
Site web : www.shaarhashomayim.org
Site web de la collection : www.cjvma.org

La congrégation Spanish and Portuguese

La plus ancienne congrégation juive au Canada, la synagogue Spanish and Portuguese, conserve ses archives datant des 100 dernières années dans leur bâtiment. Toutefois, ses premiers documents, qui remontent à la fin des années 1700, sont conservés dans deux institutions : Bibliothèque et Archives Canada, à Ottawa, et le Service des archives du Congrès juif canadien, Comité des charités (CJC, CC), à Montréal. Il n'y a pas de personnel responsable des archives à la synagogue, de sorte que la collection peut seulement être consultée après avoir fait la demande et reçu la permission du directeur de la synagogue.
    Contactez :

CONGRÉGATION SPANISH AND PORTUGUESE
4894, avenue Saint-Kevin
Montréal (Québec) H3W 1P2
Téléphone : 514 737-3695
Télécopieur : 514 737-7430
Courriel : office@spanishportuguese-mtl.org
Site web : http://www.spanishportuguese-mtl.org

Le Musée McCord d'histoire canadienne

La direction des archives du Musée McCord comprend des collections privées de certaines familles juives canadiennes de vieille souche, telles les Hart, les Judah et les Joseph. Un nombre important de photographies de certains citoyens juifs bien nantis de l'époque victorienne se trouvent aussi dans les archives photographiques Notman du musée.
    Contactez :

MUSÉE MCCORD D'HISTOIRE CANADIENNE
690, rue Sherbrooke Ouest
Montréal (Québec) H3A 1E9
François David, archiviste
Téléphone : 514 398-7100
Courriel : info@mccord.mcgill.ca
Site web : http://www.mccord-museum.qc.ca/fr

Université McGill

Certains textes pertinents à l'étude des Juifs de Montréal se trouvent aux archives de l'Université McGill. Il s'agit pour la plupart de documents liés aux cours universitaires et aux discours du rabbin Abraham de Sola, le rabbin émérite de la congrégation Spanish and Portuguese à l'époque victorienne, qui fut invité en 1853 à devenir professeur d'hébreu et de littérature orientale à l'Université McGill.

Contactez :

SERVICE DES ARCHIVES DE L'UNIVERSITÉ MCGILL
3459, rue McTavish, pavillon McLennan, MS-60
Montréal (Québec) H3A 1Y1
Theresa Rowat, directrice et archiviste universitaire
Téléphone : 514 398-3772
Télécopieur : 514 398-8456
Courriel : archives@mcgill.ca
Site web : http://www.archives.mcgill.ca/fr/f_index.htm

Autres ressources

Plusieurs collections pertinentes dans le domaine de la recherche sur le judaïsme canadien se trouvent à l'Université Concordia. La bibliothèque de cette université abrite la collection David-J.-Azrieli sur l'Holocauste, une ressource utile pour la recherche et l'enseignement sur l'Holocauste, ainsi que sur l'histoire de l'anti-sémitisme et des relations entre Juifs et chrétiens, surtout pour ce qui est du Canada et des États-Unis (voir : http://clues.concordia.ca/search/j?SEARCH=azrieli). L'Institut montréalais d'études sur le génocide et les droits de la personne (MIGS) de l'Université Concordia affiche des témoignages de survivants de l'Holocauste sur son site web. On peut les trouver à l'adresse suivante : http://migs.concordia.ca/survivor.html. De plus, il existe des documents portant sur les Juifs aux archives du Centre d'études en radio-télévision, puisque plusieurs acteurs et directeurs qui sont représentés dans la collection ont des origines juives.

Contactez :

INSTITUT MONTRÉALAIS D'ÉTUDES SUR LE GÉNOCIDE ET
LES DROITS DE LA PERSONNE, UNIVERSITÉ CONCORDIA
1455, boulevard de Maisonneuve Ouest
Montréal (Québec) H3G 1M8
Téléphone : 514 848-2424, postes 5729 et 2404
Télécopieur : 514 848-4538
Site web : http://migs.concordia.ca

BIBLIOTHÈQUE WEBSTER, UNIVERSITÉ CONCORDIA
1400, boulevard de Maisonneuve Ouest
Montréal (Québec) H3G 1M8
Téléphone : 514 848-2424, poste 7777
Site web : http://library.concordia.ca

CENTRE D'ÉTUDES EN RADIO-TÉLÉVISION, UNIVERSITÉ
CONCORDIA
1590, avenue Docteur-Penfield, SB-313
Montréal (Québec) H3G 1C5
Téléphone : 514 848-2424, poste 7719
Courriel : ccbs@alcor.concordia.ca
Site web : http://ccbs.concordia.ca

Ressources archivistiques dans les archives publiques

Bibliothèque et Archives nationales du Québec, qui a des antennes
à Québec, à Montréal et dans d'autres centres régionaux, possède
peu de matériel sur les Juifs. Cela tient à ce que l'institution a cédé la
responsabilité de recueillir du matériel dans ce domaine au Service
des archives du Congrès juif canadien, Comité des charités (CJC,
CC), dans le cadre du Programme des services d'archives privées
agréées. Il existe une seule exception à cette entente, soit dans le
cas de registres civils, tels les registres de naissance (à consultation
limitée), de mariage et de décès. Bibliothèque et Archives nationales
du Québec conserve également des ressources d'intérêt général qui
peuvent être utiles pour la recherche sur le Montréal juif telles que
les répertoires Lovell de la ville de Montréal, maintenant accessibles à
l'adresse suivante : http://bibnum2.bnquebec.ca/bna/lovell/index.html.

Contactez:

BIBLIOTHÈQUE ET ARCHIVES NATIONALES DU QUÉBEC
Centre d'archives de Montréal
Édifice Gilles-Hocquart, 535, avenue Viger Est
Montréal (Québec) H2L 2P3
Téléphone: 514 873-1100, option 4
Télécopieur: 514 873-2980
Courriel: banq.Montreal@banq.qc.ca
Site web: http://www.banq.qc.ca

Bibliothèque et Archives Canada, situé à Ottawa, a plusieurs collections d'intérêt en ce qui concerne Montréal, dont d'anciens documents de la synagogue Spanish and Portuguese, certains des plus anciens documents de l'Institut Baron de Hirsch à Montréal et plusieurs collections rattachées à des individus ayant vécu à Montréal. Il est possible de consulter son catalogue sur le site web de l'institution. L'ouvrage de référence intitulé *Sources d'archives sur les Juifs canadiens/Archival Sources for the Study of Canadien Jewry* (par Lawrence Tapper, 1987) est disponible en format livre.
Contactez:

BIBLIOTHÈQUE ET ARCHIVES CANADA
395, rue Wellington
Ottawa (Ontario) K1A 0N4
Téléphone: 613-996-5115 ou 1-866-578-7777 (sans frais au Canada et aux États-Unis)
Site web: http://www.collectionscanada.gc.ca/site-web/index-f.html

Le site web de Bibliothèque et Archives Canada comprend d'importantes ressources en ligne, dont le recensement canadien depuis 1911. Voir à ce sujet l'adresse Internet suivante: http://www.collectionscanada.gc.ca/032/index-f.html.

La Jewish Genealogy Society of Montreal

Le site web de la Jewish Genealogy Society of Montreal (http://www.jgs-Montreal.org) est une ressource utile à la recherche portant sur certains sujets historiques et sociologiques ainsi qu'à la recherche historique sur les familles. On y trouve des liens à de nombreuses ressources hébergées vers des archives gouvernementales qui sont pertinentes à la recherche généalogique, tels les listes d'arrivée sur les paquebots, les certificats de divorce, les répertoires des noms de rue et les informations sur le recensement. La plupart de ces informations sont mentionnées dans l'article « Jewish Vital Records Research in Québec », disponible à l'adresse web suivante : http://www.jgs-Montreal.org/quebec-research.html.

Principales ressources documentaires sur les Juifs de Montréal

Les ouvrages qui figurent dans la présente liste sont tirés de la bibliothèque de référence (consultable sur place seulement) du Service des archives du Congrès juif canadien, Comité des charités (CJC, CC). Toutefois, la plupart sont également disponibles à la Bibliothèque publique juive de Montréal et dans les bibliothèques universitaires. Ils peuvent aussi être consultés à la collection nationale de la Grande Bibliothèque (BANQ à Montréal) et à la Bibliothèque nationale du Canada (à Ottawa), deux bibliothèques où l'ensemble des livres publiés au Canada et au Québec sont disponibles par dépôt légal.

Abella, Irving, *A Coat of Many Colours : Two Centuries of Jewish Life in Canada*, Toronto, Key Porter Books, 1990.

Abella, Irving et Harold Troper, *None Is Too Many : Canada and the Jews of Europe, 1933-1948*, Toronto, Lester and Orpen Dennys, 1982.

Allied Jewish Community Services, « Montreal Jewish Community : Attitudes, Beliefs and Behaviors », AJCS, 1991 (une étude réalisée au début des années 1990 qui éclaire certains aspects plus subjectifs de l'identité juive non couverts par les données du recensement).

Anctil, Pierre, Le Devoir, *les Juifs et l'immigration, de Bourassa à Laurendeau*, Montréal, Institut québécois de recherche sur la culture, 1988.

_____, *Le rendez-vous manqué : les Juifs de Montréal face au Québec de l'entre-deux-guerres*, Montréal, Institut québécois de recherche sur la culture, 1988.

_____, *Tur Malka : flâneries sur les cimes de l'histoire juive montréalaise*, Sillery, Septentrion, 1997.

_____, *Saint-Laurent : la* Main *de Montréal*, Sillery, Septentrion, 2002.

Anctil, Pierre et Gary Caldwell, *Juifs et réalités juives au Québec*, Montréal, Institut québécois de recherche sur la culture, 1984.

Anctil, Pierre, Ira Robinson et Gérard Bouchard, *Juifs et Canadiens français dans la société québécoise*, Sillery, Septentrion, 2000.

Anctil, Pierre, Norman Ravvin et Sherry Simon, *New Readings of Yiddish Montreal/Traduire le Montréal yiddish*, Ottawa, Presses de l'Université d'Ottawa, 2007.

Arditti Ascher, Sarah (dir.), *La mémoire vivante : récits de l'âge d'or sépharade*, Montréal, Édition du Lys, 2000 (témoignages de citoyens d'âge mûr appartenant à la communauté sépharade de Montréal).

Belkin, Simon, *Le mouvement ouvrier juif au Canada 1904-1920*, traduit du yiddish au français par Pierre Anctil, Sillery, Septentrion, 1999.

Berdugo-Cohen, Marie, Yolande Cohen et Joseph Lévy, *Juifs marocains à Montréal : témoignages d'une immigration moderne*, Montréal, VLB Éditeur, 1987.

Bernstein, Y. E., *The Jews in Canada (In North America): An Eastern European View of the Montreal Jewish Community in 1884*, traduit de l'hébreu vers l'anglais par Ira Robinson, Montréal, Hungry I Books, 2004.

Bonneau, Marlene, *Re-Thinking Rites of Passage in Contemporary Double Ring Ceremonies in Montreal Jewish Weddings*, thèse de doctorat, Département de sciences religieuses, Université Concordia, 2002.

Bouchard, Isabelle et Gabriel Malo, *The Synagogues of the Plateau Mont-Royal in the xx[th] Century: Preliminary Inventory*, volumes I-V, dirigé par S. Bronson, École d'architecture, Université de Montréal, 2000 (une étude en cinq volumes qui inclut des cartes du quartier, de l'information sur l'architecture ainsi que des photos historiques et récentes).

Bronfman, Edgar M., *The Making of a Jew*, New York, G.P. Putnam & Sons, 1996.

Caplan, Usher, *Like One That Dreamed*, Toronto, McGraw-Hill Ryerson, 1982 (une biographie de A.-M. Klein).

Corcos, Arlette, *Montréal, les Juifs et l'école*, Sillery, Septentrion, 1997.

Fuks, Haim-Leib, *Cent ans de littérature yiddish et hébraïque au Canada*, traduit du yiddish vers le français, complété et annoté par Pierre Anctil, Sillery, Septentrion, 2005.

Giberovitch, Myra, *Contributions of Montreal Holocaust Survivor Organizations to Jewish Communal Life*, mémoire de maîtrise, Département de travail social, Université McGill, 1988.

Gordon, Judy, *Four Hundred Brothers and Sisters: Two Jewish Orphanages in Montreal, Quebec 1909-1942*, Toronto, Lugus Publications, 2002 (l'histoire du Montreal Hebrew Orphans Home et du Montefiore Home).

Gordon, Judy, *Four Hundred Brothers and Sisters: Their Story Continues...*, Toronto, M. J. Publications, 2004.

Gottheil, Allen, *Les Juifs progressistes au Québec*, Montréal, Éditions Par Ailleurs, 1988.

Granofsky, David B., *Butch*, Westmount, Tally-Ho Publications, 2002 (autobiographie montréalaise illustrée de photographies).

Gubbay, Sharon Rachel, *The Jewish Public Library of Montreal, 1914-1952*, mémoire de maîtrise, Université McGill, 1983.

Hecht, Thomas O. et Joe King, *Czech Mate: A Life in Progress as Told by Joe King*, Jérusalem, Yad Vashem, 2007 (une biographie de Thomas O. Hecht qui débute à Bratislava et se poursuit à Montréal).

Jewish Education Council, *Jewish Day Schools in Montreal*, Montréal, 1982.

King, Joe, *Three Score and Ten/Hier, aujourd'hui et à tout jamais*, Montréal, Allied Jewish Community Services, 1987 (l'histoire de la Fédération CJA à Montréal).

_____, *Baron Byng to Bagels: Tales of Jewish Montreal*, Montréal, Jewish Publication Society of Montreal, 2006 (anecdotes historiques sur le judaïsme montréalais).

_____, *From the Ghetto to the Main: The Story of the Jews of Montreal*, Montréal, Jewish Publication Society, 2001 (deuxième édition). Traduit en français par Pierre Anctil sous le titre: *Les Juifs de Montréal: trois siècles de parcours exceptionnels*, Montréal, Carte blanche, 2002.

Knight, Bryan et Rachel Alkallay (dir.), *Voices of Canadian Jews: Thirty-Six Accomplished Men and Women Speak Out on Politics, Patriotism, Religion and Sex*, Montreal Chessnut Press, 1988 (inclut les témoignages de plusieurs Juifs montréalais bien connus).

Lightstone, Jack N., Frederick N. Bird et collab., *Ritual and Ethnic Identity: A Comparative Study of the Social Meaning of Liturgical Ritual in Synagogue*, Waterloo (Ontario), Wilfrid Laurier University Press, 1995.

Margolis, Rebecca, *Yiddish Literary Culture in Montreal, 1905-1940*, thèse de doctorat, Department of Germanic Languages, Columbia University, New York, 2005.

Medresh, Israël, *Le Montréal juif d'autrefois*, traduit du yiddish vers le français par Pierre Anctil, Sillery, Septentrion, 1997.

_____, *Montreal of Yesterday*, traduit du yiddish vers l'anglais par Vivian Felsen, Montréal, Véhicule Press, 2000.

_____, *Le Montréal juif entre les deux guerres*, traduit du yiddish vers le français par Pierre Anctil, Sillery, Septentrion, 2001.

_____, *Between the Wars: Canadian Jews in Transition*, traduit du yiddish vers l'anglais par Vivian Felsen, Montréal, Véhicule Press, 2003.

Menkis, Richard et Norman Ravvin (dir.), *The Canadian Jewish Studies Reader*, Calgary, Red Deer Press, 2004.

Montréal, l'invention juive, actes du colloque tenu le 2 mars 1990 à l'Université de Montréal, Groupe de recherche Montréal Imaginaire, Montréal, Université de Montréal, Département d'études françaises, 1991.

Nepveu, Pierre (dir.), « Écriture et judéité au Québec », *Études françaises*, Montréal, Presses de l'Université de Montréal, 2001.

Novak, Hershl, *La Première École yiddish de Montréal, 1911-1914*, traduit du yiddish vers le français par Pierre Anctil, Sillery, Septentrion, 2009.

Oiwa, Keinosuke, « Tradition and Social Change: An Ideological Analysis of the Montreal Jewish Immigrant Ghetto in the Early XXth Century », thèse de doctorat, Cornell University (Ithaca, N.Y.), 1988.

Robinson, Ira, *Rabbis and their Community: Studies in the Eastern European Orthodox Rabbinate in Montreal, 1896-1930*, Calgary, University of Calgary Press, 2007.

Robinson, Ira, Pierre Anctil et Mervin Butovsky (dir.), *An Everyday Miracle: Yiddish Culture in Montreal*, Montréal, Véhicule Press, 1990.

Robinson, Ira et Mervin Butovsky (dir.), *Renewing Our Days: Montreal Jews in the Twentieth Century*, Montréal, Véhicule Press, 1995.

Rome, David et Pierre Anctil, *Through the Eyes of the Eagle: The Early Montreal Yiddish Press 1907-1916*, Montréal, Véhicule Press, 2001 (textes tirés de la presse yiddish montréalaise traduits par David Rome et commentés par Pierre Anctil).

Rome, David et Jacques Langeais, *Juifs et Québécois français: 200 ans d'histoire commune*, Montréal, Fides, 1986.

_____, *Jews & French Quebecers: Two hundred years of shared history*, Waterloo (Ontario), Wilfrid Laurier University Press, 1991.

_____, *Les pierres qui parlent: deux cents ans d'enracinement de la communauté juive au Québec/Stones That Speak: Two Centuries of Jewish Life in Quebec*, Sillery, Septentrion, 1992.

Rosenberg, Leah, *The Errand Runner: Reflections of a Rabbi's Daughter*, Toronto, J. Wiley & Sons, 1981 (mémoires de la mère de Mordecai Richler).

Rosenberg, Louis, *Canada's Jews: A Social and Economic Study of Jews in Canada in the 1930s*, Montréal, McGill/Queen's University Press, 1993 [1939].

Rosenberg, Suzanne, *A Soviet Odyssey*, Toronto, Oxford University Press, 1988.

Seidel, Judith, « The Jewish Community in Montreal », mémoire de maîtrise, Département de sociologie, Université McGill, 1939.

Shahar, Charles, *Survey of Jewish Life in Montreal*, Montréal, Fédération CJA, 1997 (d'autres études démographiques plus récentes du même auteur sont disponibles sur le site web de la Fédération CJA, en version anglaise, au http://www.federationcja.org/en/jewish_Montreal/demographics et en version française au http://www.federationcja.org/fr/Montreal-juif/donnees-demographiques).

_____, *Sondage sur les communautés hassidique et ultra-orthodoxe dans le quartier Outremont et les régions environnantes/Survey of the Hassidic and Ultra-Orthodox Communities in Outremont and Surrounding Areas*, Outremont, COHO, 1997.

Shtern, Sholem, *Nostalgie et tristesse: mémoires littéraires du Montréal yiddish,* traduit du yiddish vers le français par Pierre Anctil, Montréal, Éditions du Noroît, 2006.

Shuchat, Wilfred (rabin), *The Gate of Heaven: The Story of Congregation Shaar Hashomayim of Montreal 1846-1996*, Montréal, McGill/Queen's University Press, 2000.

Simon, Sherry, *Traverser Montréal: une histoire culturelle par la traduction*, Montréal, Fides, 2008.

Tapper, Lawrence, *Sources d'archives sur les Juifs canadiens/Archival Sources for the Study of Canadian Jewry,* Archives nationales du Canada, 1987.

Torczyner, James et Shari L. Brotman, *Diversité et continuité : les défis démographiques auxquels fait face la communauté juive Montréalaise*, Montréal, Consortium de McGill pour l'ethnicité et la planification sociale stratégique, 1994.

Trépanier, Esther, *Peintres juifs de Montréal, 1919-1939*, Montréal, Éditions de l'Homme, 2008.

Tulchinsky, Gerald, *The River Barons: Montreal Businessmen and the growth of Industry and Transportation, 1837-1853*, Toronto, University of Toronto Press, 1977.

_____, *Taking Root: The Origins of the Canadian Jewish Community*, Toronto, Lester Publishing, 1992.

_____, *Branching Out: The Transformation of the Canadian Jewish Community*, Toronto, Stoddart, 1998.

_____, *Canada's Jews: A People's Journey*, Toronto, University of Toronto Press, 2008.

Walker, James W. St. G., *« Race », Rights and the Law in the Supreme Court of Canada: Historical Case Studies*, Toronto, the Osgoode Society of Canadian Legal History and Wilfrid Laurier University Press, 1997.

Webb, Jonathan (dir.), *Mordecai Richler Was Here: Selected Writings*, Toronto, Madison Press Books, 2006.

Weinfeld, Morton, *Like Everyone Else... But Different: The Paradoxical Success of Canadian Jews*, Toronto, McClelland & Stewart, 2001.

Weisbord, Merrily, *Le rêve d'une génération : les communistes canadiens, les procès d'espionnage et la Guerre froide*, Montréal, VLB Éditeur, 1988.

Wolofsky, Hirsch, *Mayn lebens rayze : Un demi-siècle de vie yiddish à Montréal*, traduit du yiddish vers le français par Pierre Anctil, Sillery, Septentrion, 2000 (les mémoires du fondateur du *Keneder Odler*, Hirsch Wolofsky).

Yelin, Shulamis, *Une enfance juive à Montréal*, traduit de l'anglais vers le français par Pierre Anctil, Montréal, Humanitas, 1998.

Biographies des auteurs

Pierre Anctil est professeur d'histoire à l'Université d'Ottawa. En juillet 2008, il a obtenu une bourse Killam de deux ans pour poursuivre une recherche sur la vie et l'œuvre du poète yiddish montréalais Jacob-Isaac Segal. Parmi ses publications récentes, on compte une traduction du yiddish au français des mémoires de l'activiste Hershl Novak, intitulée *La Première École yiddish de Montréal, 1911-1914* (Septentrion, 2009), et un ouvrage collectif intitulé *Traduire le Montréal yiddish/New Readings of Yiddish Montreal* (Presses de l'Université d'Ottawa, avec Sherry Simon et Norman Ravvin, 2007).

Julien Bauer, doctorat de science politique de la Sorbonne (1974). Professeur au Département de science politique de l'Université du Québec à Montréal. Professeur invité à l'Université hébraïque de Jérusalem. Fellow de l'Institut québécois de recherche sur le judaïsme. Auteur de huit livres, dont *Les Juifs ashkénazes*, Paris, PUF (coll. «Que sais-je?»), 2001; *Politique et religion*, PUF, 1999; *Les Juifs hassidiques*, PUF, 1997; *La nourriture cacher*, PUF, 1996; *Les minorités au Québec*, Montréal, Boréal, 1994 et 2002.

Adam Blander est né à Brooklyn, New York, et a gradué de l'Université McGill en 2009 avec une majeure en histoire. Depuis, il a joué un peu partout à New York avec son groupe de musiciens et a été associé à plusieurs projets de recherche, surtout dans le domaine des études juives et de la santé publique. Il entreprendra des études en droit à compter de l'automne 2010.

Yolande J. Cohen est présidente de l'Académie des lettres et sciences humaines de la Société royale du Canada. Elle est aussi professeure titulaire d'histoire contemporaine à l'Université du Québec à Montréal (UQAM) depuis 1976. Elle a été directrice générale du Centre de coopération interuniversitaire franco-québécoise, à Paris (2004-2007), et professeure invitée dans de nombreuses universités françaises et américaines. Spécialiste de l'histoire des femmes,

Yolande Cohen a travaillé principalement sur l'histoire des mouvements sociaux et identitaires en France et au Canada au XXᵉ siècle. Son prochain ouvrage s'intitule *La philanthropie au féminin : histoire des associations catholiques, protestantes et juives au Québec* (Montréal, Presses de l'Université de Montréal, à paraître).

Jean-Philippe Croteau est professeur d'histoire à l'Université de Hearst en Ontario. On lui doit des articles sur les questions touchant à l'intégration scolaire de la communauté juive à Montréal, au financement des écoles publiques et concernant les enjeux historiques liés à la taxe scolaire. Il a aussi écrit au sujet de la démocratisation de l'éducation, des années 1920 jusqu'aux années 1960, en s'intéressant notamment à l'évolution de l'enseignement secondaire public au Québec. Depuis peu, il privilégie les analyses comparatives pour étudier les mouvements et les tendances politiques, éducatives et sociales survenues au Québec et en Ontario. Ses travaux et ses recherches portent en ce moment sur les politiques des commissions scolaires montréalaises et torontoises vis-à-vis des immigrants entre 1875 et 1960.

Bernard Dansereau détient un doctorat en histoire de l'Université du Québec à Montréal. Au cours de sa carrière, il s'est intéressé particulièrement à l'histoire ouvrière canadienne et québécoise, ce qui l'a amené à entrer en contact avec la communauté juive de Montréal. Au cours de ses recherches, il a tenté de répertorier l'ensemble des organisations ouvrières juives, les sociétés de secours mutuel, les partis politiques et les syndicats. Dans ses travaux, il a abouti à la conclusion que la diversité des opinions et tendances présentes au sein de la communauté juive montréalaise a aussi coloré sa vie associative.

Rebecca Margolis est professeure adjointe au programme Vered d'études juives canadiennes de l'Université d'Ottawa. Elle a entrepris ses études sur le yiddish à l'Université McGill et détient un doctorat en études yiddish de l'Université Columbia. Elle s'intéresse dans ses recherches à la culture yiddish canadienne et aux études sur l'Holocauste. Ses articles ont paru dans *Canadian Jewish Studies*, *The Journal of Religion and Popular Culture*, *Nashim*, *Shofar* et *TTR (Traduction, Terminologie, Rédaction)*, de même que dans des ouvrages intitulés *The Canadian Jewish Studies Reader* (2004) et *Traduire le Montréal yiddish/New Readings of Yiddish Montreal*

(2007). Elle a un ouvrage sous presse intitulé *Jewish Roots, Canadian Soil: Yiddish Culture in Montreal, 1905-1945.*

Chantal Ringuet est docteure en littérature québécoise et s'intéresse depuis plusieurs années aux interactions entre les cultures québécoise francophone et juive dans l'espace montréalais. Récipiendaire d'une bourse postdoctorale du Conseil de recherches en sciences humaines du Canada (CRSH), elle a réalisé, de janvier 2007 à décembre 2008, un postdoctorat sur la littérature yiddish montréalaise à l'Institut d'études canadiennes de l'Université d'Ottawa. Lauréate du prix littéraire Jacques-Poirier 2009 pour son recueil poétique *Le sang des ruines* (Écrits des hautes terres, 2010), qui aborde les conséquences des génocides sur l'humain du point de vue de deux héritiers de la Shoah, elle est également l'auteure de l'ouvrage *À la découverte du Montréal yiddish*, qui paraîtra au cours de l'année 2011 chez Fides.

Ira Robinson est professeur d'études juives depuis 1979 à l'Université Concordia, plus précisément au Département des sciences de la religion, dont il a aussi été le directeur. Il a de plus été directeur intérimaire de l'Institut d'études juives canadiennes de l'Université Concordia. Ira Robinson a publié *Rabbis and their Community: Studies in the Eastern European Orthodox Rabbinate in Montreal, 1896-1930* (Presses de l'Université de Calgary, 2007) et *Translating a Tradition: Studies in American Jewish History* (Academic Studies Press, Boston, 2008). Il a signé plus de 40 articles dans de nombreuses revues savantes telles que *Studies in Religion, Jewish Social Studies, American Jewish History, American Jewish Archives, Jewish Quarterly Review, Judaism, Modern Judaism, Canadian Ethnic Studies* et *Canadian Jewish Studies.* Monsieur Ira Robinson est actuellement président de la Société canadienne d'études juives et a été récemment président de l'Association des études juives canadiennes ainsi que de la Bibliothèque publique juive de Montréal.

Janice Rosen est la directrice du Service des archives du Congrès juif canadien, Comité de charités, depuis 1989. Née à Montréal, elle détient depuis 1983 une maîtrise en anthropologie culturelle de la University of Virginia. Elle est l'auteure de plusieurs articles publiés dans la revue *Canadian Jewish Studies/Études juives canadiennes* et dans des ouvrages intitulés *The Canadian Jewish Studies Reader* (2004), *Le patrimoine des minorités religieuses du Québec* (2006).

Elle est active au sein de l'Association des études juives canadiennes, siège au comité des archives du Conseil du patrimoine religieux de Québec et est membre du Groupe des archivistes de la région de Montréal (GARM). Son service des archives est actuellement engagé dans un projet de numérisation et de diffusion en partenariat avec la Bibliothèque publique juive de Montréal.

Charles Shahar est le coordonnateur de la recherche à la Fédération CJA, un poste qu'il occupe depuis 1989. Il a aussi été responsable de la recherche en vue de l'analyse du recensement fédéral de 2001 pour l'organisme appelé UIA Federations Canada.

Morton Weinfeld est professeur de sociologie et directeur du Département de sociologie à l'Université McGill, où il détient aussi la Chaire en études ethniques canadiennes. Il a écrit plusieurs livres traitant de différents aspects de la vie juive québécoise et canadienne. Il a été codirecteur des ouvrages intitulés *The Canadian Jewish Mosaic* (avec William Shaffir et Irwin Cotler, 1981) et *The Jews in Canada* (avec Robert Brym et William Shaffir, 2010). Il a corédigé avec Harold Troper l'ouvrage intitulé *Old Wounds : Jews, Ukrainians, and the Hunt for Nazi War Criminals in Canada* (1989). Il est aussi l'auteur de *Like Everyone else but Different : The Paradoxical Success of Canadian Jews* (2001).

Sonia Zylberberg est une spécialiste de la religion qui s'intéresse particulièrement aux transformations que subissent les traditions religieuses au moment où les conditions sociales se modifient. Sa thèse de doctorat a analysé une nouvelle forme de rituel juif réservé aux femmes (le *seder* pour femmes), en tant qu'expression de ces changements. Pour réaliser cette étude, elle a assisté à des *seders* partout en Amérique du Nord. Elle est professeure de sciences religieuses à l'Université Concordia et au Collège Dawson, où elle a donné pour la première fois un cours sur la démographie contemporaine et la dynamique interne de la communauté juive montréalaise. Ses publications incluent *Lost in Translation ? Transition from Yiddish to English in Montreal Jewish Literature* et *Transforming Rituals : Contemporary Jewish Women's Seders*, une thèse de maîtrise sur les relations entre femmes dans la Bible hébraïque. Elle est aussi l'auteure d'un article sur la femme de Lot, publié sur Internet, et d'une nouvelle à propos des filles de Sarah et Abraham.

Table des matières

CET OUVRAGE EST COMPOSÉ EN WARNOCK PRO CORPS 11
SELON UNE MAQUETTE RÉALISÉE PAR PIERRE-LOUIS CAUCHON
ET ACHEVÉ D'IMPRIMER EN DÉCEMBRE 2010
SUR LES PRESSES DE L'IMPRIMERIE MARQUIS
À CAP-SAINT-IGNACE, QUÉBEC
POUR LE COMPTE DE GILLES HERMAN
ÉDITEUR À L'ENSEIGNE DU SEPTENTRION